Lenka Reinerová
Das Traumcafé einer Pragerin

Lenka Reinerová wurde 1916 in Prag geboren. Seit 1936 arbeitete sie als Journalistin für die Arbeiter-Illustrierte-Zeitung. 1939 floh sie nach Frankreich, wo sie wie viele Emigranten interniert wurde. Über Marokko entkam sie nach Mexiko. Nach Kriegsende kehrte sie mit ihrem Mann, dem Schriftsteller und Arzt Theodor Balk, nach Europa zurück, lebte einige Jahre in Belgrad und seit 1948 wieder in Prag. Anfang der fünfziger Jahre wurde sie ein Opfer der stalinistischen Säuberungen, verbrachte fünfzehn Monate in Untersuchungshaft, wurde danach mit ihrer Familie in die Provinz abgeschoben und erst 1964 rehabilitiert. Nach dem Ende des Prager Frühlings erhielt sie Schreibverbot, wurde aus der Partei ausgeschlossen und verlor ihre Arbeit in einem Verlag. Sie starb 2008 in Prag.

1999 erhielt sie als erste den Schillerring der Deutschen Schillerstiftung. 2002 wurde sie Ehrenbürgerin von Prag.

Zuletzt erschienen: »Das Traumcafé einer Pragerin« (Erzählungen, 1996), »Mandelduft« (Erzählungen, 1998), »Zu Hause in Prag – manchmal auch anderswo« (Erzählungen, 2000), »Alle Farben der Sonne und der Nacht« (2003), »Närrisches Prag« (2005) und »Das Geheimnis der nächsten Minuten« (2007).

Lenka Reinerová ist die wohl einzige heute noch in deutscher Sprache schreibende Autorin in Prag; sie hat noch die Endphase der deutsch-tschechisch-jüdischen Symbiose im Prag der dreißiger Jahre miterlebt. Ihr neuestes Buch »Das Traumcafé einer Pragerin« hat die Schriftstellerin mit einstigen Weggefährten bevölkert. »Wenn mich etwas stört oder wenn ich traurig bin, denke ich an meine Freunde, die nicht mehr leben: an Egon Erwin Kisch, Bodo Uhse, Franz Carl Weiskopf und Anna Seghers«, erzählt Lenka Reinerová. »Es ist mir ein inneres Anliegen, diese Menschen wieder erstehen zu lassen.«

Sylvia Janovska, Berliner Morgenpost

Lenka Reinerová erfaßt den Habitus, das Temperament, charakteristische Eigenschaften ihres Partners und fügt, wohlunterrichtet, voller Charme, mit Fingerspitzengefühl, die Seiten zu einem Ganzen zusammen: zu einer farbenreichen, mit sicherer Hand gezeichneten Porträtskizze. Sie bringt uns dazu, Weiskopf und Kisch, Uhse und Anna Seghers mit ihren Augen zu sehen: Die Prager Sicht, die nirgendwo verlorengeht.

Günter Caspar, Weltbühne

Lenka Reinerová

Das Traumcafé einer Pragerin

Erzählungen

aufbau taschenbuch ✝

AUFBAU VERLAGSGRUPPE

ISBN 978-3-7466-1168-6

Aufbau Taschenbuch ist eine Marke
der Aufbau Verlagsgruppe GmbH

6. Auflage 2008
© Aufbau Verlagsgruppe GmbH, Berlin
© Aufbau-Verlag Berlin und Weimar 1983
Umschlaggestaltung Torsten Lemme
unter Verwendung eines Fotos von getty images
Satz LVD GmbH, Berlin
Druck und Binden AALEXX Druck GmbH, Großburgwedel
Printed in Germany

www.aufbau-verlagsgruppe.de

Inhalt

Das Traumcafé einer Pragerin

Wohin, so frage ich mich oft, wenn ich durch mein Prag streife, wohin sind die Kaffeehäuser verschwunden, in denen man über einer Tasse schwarzen Kaffees (den sogenannten türkischen gab es ja bei uns, Gott sei Dank, überhaupt nicht) einen halben oder beinahe den ganzen Tag diskutieren und Pläne schmieden, viel erfahren, interessante Menschen beobachten oder auch kennenlernen, Freundschaften schließen oder gar eine große Liebe finden konnte? Und weil es sie nicht mehr gibt, diese Zufluchtswinkel ferner Jahre, spinne ich jetzt gern an einem ganz persönlichen Prager Traum.

Irgendwo in dem schleierhaften blau-grauen Dunst über den von Grünspan bezogenen Kuppeln und den gestrengen Kirchtürmen, glaube ich in solchen Augenblicken zu wissen, gibt es ein Café mit vielen Tischchen, und von jedem kann man hinunterblicken in unsere Stadt, und die das von dort aus tun, haben hier fast alle einmal gelebt. Und ich habe sie gekannt. Gewiß, manche nur aus Büchern – aus von ihnen geschriebenen Büchern oder aus solchen über sie –, manche nur von Bildern, andere durch ihre Musik. Einige standen mir nahe, die habe ich gut gekannt, war mit ihnen befreundet und bin es auch, trotz der kosmischen Entfernung zwischen uns, sozusagen weiterhin geblieben. Die legen mitunter des Himmels Tagblatt beiseite und beobachten mich von ihrem luftigen Stammcafé aus.

Manchmal schütteln sie dabei erstaunt oder mißbilligend den Kopf, können nicht verstehen, wenn ich mich in etwas stürze, das ihnen, da sie sich ja nicht mehr unter uns bewegen, übertrieben oder gar nutzlos erscheint, halten mir aber dennoch den Daumen, damit es gelingt. Oder sie raten mir – und das geschieht immer häufiger –, lieber etwas kürzer zu treten nach all den Jahren mit ihren zahlreichen bösen und guten, oft kaum faßbaren sturzartigen Veränderungen. Ich sollte mich schon etwas zurückhalten, meinen sie, es gibt doch so viele neue, begabte Akteure ...

Wäre ich gläubig, könnte ich meine Freunde hoch oben in dem überirdischen Kaffeehaus als eine Art Schutzengel ansehen. Allerdings, die Personen, die mein Traumcafé frequentieren, hatten, so lange sie unter uns weilten, mit solchen himmlischen Wesen kaum etwas gemein. Aber wer weiß!

Übrigens – Schutzengel für mich? Welcher Gott könnte sie mir denn schicken? Und in welcher Sprache sollte ich ihn anrufen? Im Deutsch meiner Mutter, im Tschechisch meines Vaters oder im Hebräisch meiner Vorfahren? Aber vielleicht bedient sich der liebe Gott an der Schwelle des künftigen Jahrtausends einer neuen, uns noch unbekannten Sprache, um alle Bewohner der Erde über ihre unvernünftigen künstlichen Grenzen hinweg einem ertragbaren Miteinander zuzuführen. Ein solcher Gott wäre fürwahr unser Erlöser. In Prag hat er sich noch nicht gezeigt.

Und so widerfährt es mir, daß ich mich, in Bedrängnis geraten, mitunter bittend oder gar beschwörend an die Stammgäste des Traumcafés wende: Ihr dort irgendwo, so helft mir doch, ihr wißt ja, was ich jetzt tun oder entscheiden muß. Soll ich oder soll ich nicht? Sonderbar –

oft weiß ich dann mit einem Mal wirklich, glaube zumindest zu wissen, was ich tun oder nicht tun soll. Also doch Schutzengel? Über einer Tasse überirdischen Kaffees? Warum eigentlich nicht.

Am Ende der dreißiger Jahre wohnte ich in der Prager Melantrichgasse Nr. 7. Die Nummer 14 mit dem prächtigen Bärenportal ist das Geburtshaus des Schriftstellers Egon Erwin Kisch. Als ich in der Nr. 7 mein Dachzimmer bezog, lebte im Bärenhaus noch Mutter Kisch, verehrt und geliebt nicht nur von ihren Söhnen, auch von deren breitem Freundeskreis. Wie alt wäre sie jetzt, wo doch ihr Egonek schon auf mehr als einhundertundzehn Jahre zurückblicken kann? Was würden die beiden zur heutigen Melantrichgasse sagen?

Nunmehr befindet sich hier ein feines Restaurant mit entsprechend feinen Preisen, das Restaurant Mucha heißt, mit unserem Landsmann, dem Maler Alphonse Mucha, wohl aber nur den Namen gemein hat; ferner der Laden einer Firma mit Gesundheitskost namens Country life und gegenüber meinem einstigen Wohnhaus eine elegante kleine Cafeteria. In den letzten Vorkriegsjahren gab es dort ein Stundenhotel, auf dem Gehsteig davor standen abends die Mädchen herum, und die häufigsten Passanten in der kurzen Straße waren neben ihren Kunden Literaten, aus Hitlers Drittem Reich emigrierte Antifaschisten und Egon Erwins Prager Freunde, die alle bei Mutter Kisch Kaffee und Kuchen und, falls notwendig, auch tatkräftige Hilfe bekamen. Internationaler Tourismus? Davon träumte die Melantrichgasse damals noch nicht einmal.

»Für die feschen Dinger vor dem Puff bin ich mit den gestrandeten Größen und müden Kämpen aus der Literaturbranche, die zu mir pilgern, wahrlich kein idealer

Nachbar«, bemerkte Kisch einmal, als wir nach einer Veranstaltung des Bert-Brecht-Klubs in später Stunde nach Hause trabten. »Aber so ein journalistischer Grünschnabel und universeller Anfänger wirklichen Lebens wie du sollte die Nachbarschaft mit mir entsprechend zu schätzen wissen. Lade mich also jetzt gefälligst zu einer Tasse Kaffee ein.«

»Leider«, sagte ich damals, »die wäre heute wohl schon deine zweiundfünfzigste, und außerdem ist die Mitternacht schon längst vorbei. Grünschnäbel müssen ordentlich schlafen.«

Ob wohl der Egonek nunmehr von seinem unerreichbaren Kaffeehaustischchen aus der Meinung ist, daß ich in den Intentionen unserer Melantrichgasse, dann später des Hotel Moderne in Versailles, in dem ich kurz vor Kriegsausbruch eine Zeitlang gemeinsam mit dem Ehepaar Kisch wohnte, und noch später in der Geborgenheit der Exilgemeinschaft in Mexiko ein »wirkliches Leben« fertiggebracht habe? Es scheint mir wirklich ein bißchen ungerecht zu sein, wenn solche Überlegungen und gar erst die Antwort auf noch schwerwiegendere Fragen, die uns früher nicht einmal am Rande in den Sinn kamen, nunmehr mir allein überlassen bleibt. Mit der kollektiven Weisheit von einst kann man ja heutzutage keineswegs mehr zurechtkommen. Und im Traumcafé hüllen sich die Klugen von gestern in geheimnisvolles Schweigen.

Selbst als man ihm vom Prager Friedhof seinen Bronzekopf klaute, ließ mich Kisch von seinem himmlischen Café aus nichts davon wissen. So kam es, daß ich erst Wochen später bei einem zufälligen Besuch des Krematoriums und des anschließenden Kolumbariums damit konfrontiert wurde, daß nur noch die kleine Säule aus grünlich weißem Marmor mit Kischs Namen und dem seiner Frau Gisela am ursprünglichen Platz stand und dort, wo der recht geglückte Kopf aus Bronze auf uns herabzublicken pflegte, allein eine rostige Schraube aus dem steinernen Untersatz aufragte.

»Egonek«, rief ich bestürzt aus, »wo hast du bloß deinen Kopf gelassen?«

»Bei den Genossen«, lautete die trockene Antwort, und in typischer Kisch-Recherche fügte er noch hinzu: »Buntmetall ist heutzutage beinahe mehr gefragt als Edelmetall. Bronze zählt zu den besten Artikeln auf dem Schwarzmarkt und dazu noch ein Kischkopf! Wenn du mehr erfahren willst, mußt du dich an die kompetenten Spezialisten des internationalen Metallschieberkonzerns wenden. Habe ich dir nicht oft genug gesagt, daß du, besonders in so heiklen Angelegenheiten, nur mit stichhaltigen Informationen arbeiten darfst?«

In diesem heiklen Fall waren freilich stichhaltige Informationen selbst bei bestem Willen von keiner kompetenten Stelle zu erhalten. Als ich in einer Zeitungsnotiz meiner Empörung über diese niederträchtige Gaunerei Luft machte, wurde ich dann allerdings auf der Straße wiederholt selbst von mir unbekannten Mitbürgern angehalten und gefragt: »Hat man Ihnen schon den Kisch zurückgebracht?« Auch meine lieben Prager!

Zurückgebracht, besser gesagt erneuert hat den Kopf jedoch erst eine gemeinsame Initiative der tschechischen Zeitschrift »Signál« mit dem Hamburger »Spiegel«.

»Jetzt bist du also wieder komplett, Egonek, sogar ein bißchen würdevoller als vorher«, meldete ich ihm, als sein neues Metallhaupt endlich an Ort und Stelle festgemacht und feierlich enthüllt war.

Kisch zog die Augenbrauen hoch, griff automatisch

nach der nächsten, hier allerdings nur mit paradiesischen Düften gewürzten Zigarette und bemerkte nachsichtig:

»Unter Ganoven fühlte ich mich bekanntlich immer in meinem Element. Da kann mir ruhig selbst mein Kopf gestohlen werden.«

»Ist ja auch passiert«, konnte nun ich trocken bemerken, »aber den nächsten wirst du dir gefälligst schon allein besorgen müssen. Eine solche Affäre reicht mir gerade.«

Etwas wüßte ich allerdings sehr gern: Kann ich den Egonek fragen, ob er im Traumcafé oder in einem der anliegenden Lokale des Elysiums auch seiner Galgentoni begegnet ist? Bei aller übermütigen Angeberei war Kisch in solchen Dingen, was seine eigene Person anbelangte, erstaunlich reserviert.

»In diesen Sachen bin ich eher für die Praxis, als fürs Theoretisieren«, meinte er.

Seine Mitmenschen pflegte er freilich ganz unbekümmert nach ihren persönlichsten Angelegenheiten auszufragen. Aber mit der Tonka Sibenice, wie die Galgentoni tschechisch heißt und wie sie, als ihr Vorbild in Wirklichkeit diesen Namen trug, von Kolleginnen, Kunden und Polizeibeamten auch genannt wurde, mit der hat es doch eine andere Bewandtnis.

»Deine Galgentoni, die bereit war, einem Mordsbuben seinen letzten Wunsch zu erfüllen und seine letzte Nacht mit ihm zu verbringen, hast du doch zur Belohnung für diese Tat in einem himmlischen Puff versetzt, Egonek. Hast du sie dort schon besucht oder sogar einmal in die Gesellschaft im Traumcafé mitgenommen?«

»Glaubst du, es würde ihr hier unter unseren Literaturveteranen Spaß machen? Die ist an anderes gewöhnt.

Und so bleibt sie auch, wo ich sie untergebracht habe, und wenn ich mit der Xenia Longen, die sie als erste auf der Bühne gespielt hat, bei ihr vorbeikomme, freut sie sich sehr. Auch in deinem Traumcafé muß es so etwas wie Ordnung geben, obwohl du uns hier ganz schön zusammengewürfelt hast.«

»Ist doch mein gutes Recht. Ohne mein Phantasieren würde euer Kaffeehaus flötengehen, du hättest längst keinen Stammtisch mehr und auch keinen Prager Himmel um dich.«

»Stimmt«, sagt der Kisch nachdenklich und winkt mir von oben zu. »Hast doch etwas von der Melantrichgasse mitbekommen.«

Meine Mutter bringe ich auch gern im Traumcafé unter. Allerdings als das schöne junge Mädchen, das ich von einem Foto kannte, welches in den Turbulenzen der Zeit leider auch verlorengegangen ist. Hochgewachsen und schlank war sie darauf, in einem langen weißen Kleid, umgürtet mit einer breiten dunklen Schärpe, die leicht gewellten blonden Haare im Nacken mit einem dunklen Band, wohl von der gleichen Farbe wie die Schärpe, fest zusammengehalten. Ihr Blick auf dieser Aufnahme war ein wenig versonnen, aber durchaus lebensbejahend. Wenn man sie genauer betrachtete, konnte man verstehen, daß der Prager Maler und Porträtist Emil Orlík und Wolfgang, der älteste der Kischbrüder, der im ersten Weltkrieg gefallen ist, mit ihr befreundet waren. Ich bin ziemlich sicher, daß sie, in ihre damalige Gestalt verjüngt, bereitwillig von der ätherischen Kaffeerunde aufgenommen wurde und mich gemeinsam mit den anderen Gästen aus weitester Ferne ein bißchen schützend, aber auch ein bißchen besorgt mahnend betrachtet.

Und so blicke ich manchmal aus meinem Stadtfenster in den grau verrauchten Himmel und beruhige sie:

»Du muß dich, weiß Gott, nicht mehr um mich sorgen, Mutter, habe ich doch inzwischen ein Alter erreicht, das dir bei weitem nicht vergönnt war. Was ich tue oder unterlasse, kann niemand mehr dir in die unsichtbaren Schuhe schieben. Das geht schon lange alles auf meine eigene Kappe. Laß dir von Duschko, der mein Mann war, und von Egonek, meinem väterlichen Freund (bist du ihm nie im Kischhaus begegnet?), erzählen, wie sie mitunter versucht haben, mich in ihre gewohnte und mir nur in gewissem Maße zusagende Lebensweise einzubeziehen und was dabei herausgekommen ist und was nicht.«

»Lenulein«, sagtest du einmal zu mir, »ein harter Kopf ist manchmal gut, aber viel öfter beschwerlich.« Ich hielt das damals für eine der unsinnigen Redensarten, wie sie die Erwachsenen gegenüber jüngeren Menschen so gern von sich geben. Seither habe ich freilich meine eigenen Erfahrungen gemacht.

Während des letzten Weltkrieges habe ich in einem Pariser Gefängnis und rund zehn Jahre später zu meinem Entsetzen in einem Prager »sozialistischen« insgesamt gut ein Jahr in Einzelhaft verlebt. Auch da habe ich hartnäckig mein Träumen nicht aufgegeben, so schwierig es auch war, nicht in Alpträumen abzugleiten.

Das Traumcafé funktionierte unter jenen katastrophalen Umständen nicht. Ich konnte die Hilfe seiner Stammgäste nicht anrufen, es kam mir auch gar nicht in den Sinn. Vielleicht hat damals ein gütiger Geist zwischen die Erde und den sogenannten Himmel einen undurchlässigen Vorhang (nein, keineswegs eine Mauer!) gezogen, damit die Untaten, die hier in den fünfziger Jahren so verheerend um sich griffen, nicht auch noch die Gefilde des Träumens erfaßten.

In jener Zeit hing der Himmel nicht voller Geigen, und hätte es sie gegeben, sie wären falsch gestimmt gewesen. Das aber hätte manch einer der Kaffeehausgäste wohl nur schlecht vertragen. Ich denke da z. B. an Max Brod, den kleinen Mann mit dem leicht gekrümmten Rücken und den tiefschwarzen Augen, dem ich als Kind jedesmal im Neuen Deutschen Theater begegnete, wenn mich meine Mutter zu einer Opernpremiere mitnahm. Die Sänger auf der Bühne, die Musiker im Orchesterraum und der Dirigent auf seinem Podest warfen ihm nervöse Blicke zu, wenn sie dem Publikum für den Beifall dankten. Applaudierte auch Brod? War er nicht gleich nach dem letzten Ton davongeeilt? Und falls er dies tat, wollte er vielleicht noch in der Morgenausgabe des Prager Tagblatt seine Kritik unterbringen? Wird er loben oder verreißen? Oder, um Himmels willen, das Ganze mit einer quasi nur so nebenbei geäußerten, kühl abwertenden Bemerkung zunichte machen? Denn für die Prager Theaterliebhaber war eine Rezension ihres Max Brod in ihrem Prager Tagblatt entscheidend: was ihm gefiel, sprach dann meistens auch sie an. Was er ablehnte, konnte auch ihnen kaum zusagen.

Ich bin mit ihm, dem späteren Dramaturgen des Habimah-Theaters in Israel, nur einmal ganz flüchtig in Kontakt gekommen.

»Sie werden sich daran wohl kaum erinnern, Herr Brod«, wage ich nun, in dieser Lichtjahrentfernung jenes für ihn durchaus bedeutungslose und für mich damals sonderbar beunruhigende Gespräch aufzufrischen, »bei einer Schülerakademie des Stephansgymnasiums, das ja auch Sie lange vorher besucht haben, hat mich

Ihnen mein Klassenlehrer Professor Dr. Oscar Kohn als das talentierte Mädchen vorgestellt, das Ihnen auf der Bühne aufgefallen war, und hat Sie gefragt, ob Sie nicht etwas für mich tun könnten, weil ich wegen der schlechten finanziellen Lage meiner Eltern zu seinem Bedauern nicht weiterstudieren konnte und allem Anschein nach, so meinte er, fraglos künstlerisch talentiert sei.

»Vielleicht«, haben Sie damals gesagt und mich mit Ihren tiefschwarzen Augen von oben bis unten genüßlich gemustert, »vielleicht kommen Sie einmal bei mir vorbei, kleines Fräulein. Sie finden mich so gut wie täglich in der Redaktion. Vielleicht könnte ich ...«, und Sie haben den Satz nicht beendet.

»Das schlag dir gefälligst schnell aus dem Kopf«, entschied meine Mutter resolut und keinen Widerspruch duldend, als ich ihr von dieser »phantastischen Chance« berichtete. »Solche offenen Sätze sind für junge Mädchen sehr gefährlich.«

Und so endete meine künstlerische Karriere, noch ehe sie begann, und meine Bekanntschaft mit Max Brod kann ich erst jetzt, unbelastet von erdgebundenen Vermutungen, nach Wunsch und Belieben fortsetzen.

»Ein Motiv aus der Sinfonietta von Leoš Janáček, Herr Brod, für dessen Weltruf Sie sich mit so bewundernswerter Energie und Ausdauer eingesetzt haben, erklingt nun aufgrund einer Verfügung von Präsident Havel bei der Begrüßung hochgestellter Gäste auf dem Burghof des Prager Hradschin. Haben Sie sich so etwas in den Jahren, als Sie dem ›Schlauen Füchslein‹ zum Durchbruch auf den Opernbühnen von Rang verhelfen, auch nur vorstellen können?«

»Ach«, sagt Brod sichtlich erfreut, »das ist mir bislang entgangen. Also keine heroisch schmetternden Klänge mehr, sondern vollblütige Musik, die aus Volksweisen schöpft. Interessant. Prag ist demnach weiterhin oder, besser gesagt, wiederum sehr interessant.« Und er blickt sich suchend um, als wolle er unter den plaudernden oder versonnen in die Ferne blickenden Traumcafé-Gästen die strahlend weiße Löwenmähne des mährischen Komponisten ausmachen, um ihm diese erfreuliche Nachricht mitzuteilen. Aber wer weiß, vielleicht frequentiert Leoš Janáček ein anderes, vornehmlich von Musikern besetztes Elysium und schmunzelt dort längst zufrieden über diese ihm unverhofft zugekommene Ehre.

Als es die Prager Kaffeehäuser mit ihren Stammtischen und verständnisvollen Herren Oberkellnern noch hier unten in unseren Straßen gab, als man noch wußte, welchen Kreis von Literaten man im Café Metro, in der Unionka oder etwa im Nationalcafé antreffen konnte, als man nicht fehlging, wenn man die gemischte Runde tschechischer und deutschsprachiger Schriftsteller im Café Arco suchte – da konnte man auch noch der schlanken, in den Schultern etwas zusammengesunkenen Figur eines Prager Autors begegnen, der in der angeregt lärmenden Gesellschaft eher zu den stillen Teilnehmern zählte, nicht regelmäßig, sondern nur ab und zu dabei war, oft kränkelte und nicht in Prag weilte. In meinem Traumcafé hat Franz Kafka jedoch einen ständigen und festen Platz. So kann ich auch mit ihm, der in die ewigen Gefilde entwich, als ich noch ein Kind war, ohne weiteres ein kleines Gespräch aufnehmen.

»Haben Sie schon bemerkt, Herr Kafka, daß man in Prag jetzt Ansichtskarten mit Ihrem Abbild verkauft?«

»Wirklich?« Ein dünnes Lächeln erscheint auf dem blassen Gesicht. »Aber doch auch mit den Herren Rilke, Werfel und anderen?«

»Gewiß, aber der Schlager, verzeihen Sie, der Schlager sind eben Sie. Das ist nicht zu übersehen. Übrigens, wie gefällt Ihnen der Altstädter Ring in seiner neuen Aufmachung, so ein bißchen als Jahrmarkt und Rummelplatz mit elektronisch dröhnender Musik und einem weiß-goldenen Bummelzüglein?«

»Nun«, kommt zögernd und nachsichtig beschwichtigend die Antwort, »die Gebäude sind ja recht gut instand gesetzt. Zumindest was man so von hier aus sehen kann. Wie sie innen beschaffen sind, entzieht sich freilich meiner Kenntnis.«

Wurden seine Augen dabei noch um einen Schatten dunkler? Oder bilde ich mir das bloß ein? Er langt nach einem Glas mit kristallklarer Flüssigkeit (Wasser im Himmel? Wo bleibt der Wein?), nimmt einen ordentlichen Schluck, sieht gleich fröhlicher aus, und so wage ich noch eine weitere Mitteilung:

»In letzter Zeit sind Sie zu einer Art Wahrzeichen von Prag geworden, Herr Kafka. Nein wirklich, das springt einem in die Augen. Macht es Ihnen Spaß, daß Sie nun von jungen Mädchen aus Italien und Spanien, Deutschland und Amerika sozusagen auf dem Herzen getragen werden? Haben Sie gesehen, wie Ihr Porträt auf weißen und seegrünen, himbeerfarbenen und azurblauen T-Shirts auf touristischen Busen wippt? Aber selbst das genügt Ihren Verehrerinnen und Verehrern an der Schwelle des 21. Jahrhunderts nicht. Aus Ihrer Stirn, hinter der Sieso viele Fragen quälten, aus Ihrem oft so schmerzenden Kopf wächst, mit Verlaub, auch noch die Silhouette des Hradschin. Die Burg, zum Glück nicht auch noch das Goldene Gäßchen, in dem Sie ja ein bißchen zu Hause waren.«

Keine Antwort.

Zu meinem Bedauern und leichter Bestürzung hat sich mein erdachtes Zwiegespräch inzwischen in einen Monolog verwandelt. Im Traumcafé ist es still geworden. Man hört mir zu, Franz Kafka schweigt. Man sieht ihm allerdings an, daß er interessiert lauscht. Seine Ohren an dem kurz geschorenen Kopf haben sich leicht rot verfärbt.

»Entschuldigen Sie«, sage ich, nun lieber zum Schluß kommend, »daß ich von so banalen Dingen rede, die Ihnen im übrigen wohl schon längst bekannt sind, die Aussicht von oben ist ja trotz aller sündhaften luftverpestenden Verstöße hier unten, immer noch ungewöhnlich klar. Sie werden jedoch gewiß verstehen, daß einem der in Prag so lange ungewohnte Trubel manchmal ein bißchen über dem Kopf zusammenschlägt. Aber andererseits: eigentlich ist es doch schön, wenn junge Menschen neben Ihren Büchern auch noch ein Lieblingstrikot mit Ihrem Konterfei mit nach Hause nehmen, oder?«

Abermals keine Antwort.

»Die Kaffeehäuser sind aus Prag – so wie Sie sie kannten und wie auch wir sie noch kannten – beinahe ganz verschwunden, aber Kafka ist hier neu eingezogen«, sagte mir unlängst ein Besucher aus Frankreich, »was übrigens nicht sonderlich erstaunlich ist in dieser magischen Stadt.«

»Erstaunlich und schwer erklärbar.«

Ich stutzte. Diese warme Stimme mit dem leicht slawisch klingenden Akzent habe ich vor nicht allzu langer Zeit noch hier unten, in unser aller Prag, vernommen. Am Telefon, in einem Vortragssaal, an einem gemeinsamen Mittags- oder Abendtisch.

»Manchmal würde sich Franz Kafka allerdings nicht

wenig wundern, wie man ihn entweder wegzudenken oder gar zu interpretieren wagte.«

Und schon weiß ich, wem ich lausche, und würde diesem neuen Besucher meines Traumcafés wahrlich viel lieber noch im irdischen Café Louvre oder in seinem Wohnsitz auf der Prager Barrandovhöhe zuhören.

»Edo«, rufe ich, denn der Neuankömmling ist niemand anderer als der Prager Unruhegeist und Germanist, Diplomat und Widerstandskämpfer, Häftling, Präsident des tschechoslowakischen Schriftstellerverbands, Exulant und Prorektor der Karlsuniversität, Ehrenvorsitzender der tschechischen Goethe-Gesellschaft (wie konnte bloß in einem Leben so viel Widersprüchliches, Gutes und Schlimmes enthalten sein?), Professor Eduard Goldstücker. »Edo«, wiederhole ich, »haben dich die Alteingesessenen auch gebührlich willkommen geheißen?«

»Und ob«, in den dunklen Augen blitzt es fröhlich auf. »Die Begrüßung hier war spontan und herzlich. Kafka ist aufgesprungen und mir entgegengeeilt. Werfel hat mir seinen angestammten Sessel mit einem bequemen Wolkenpuff als Rückenkissen angeboten – weil ich es auf Erden so lange ausgehalten habe –, Jaroslav Seifert und František Langer freuen sich offensichtlich über den frischen Prager Zuwachs. Alle bedrängten mich, wollten einen authentischen Bericht über unsere Kafka-Konferenz von 1963 in Liblice hören, als ob sie gestern stattgefunden hätte und sie nichts oder nur wenig darüber wüßten.«

»Dabei ist das ja langsam schon fast vierzig Jahre her, da hatten sie in der himmlischen Ruhe doch reichlich Zeit, die einzelnen Beiträge abzuwägen und als zu leicht oder zufriedenstellend zu befinden.«

»Das geschah ja hier oben auch. Max Brod amüsiert bis heute, daß gewisse Dummköpfe kontrarevolutionäres Gedankengut zwischen den Zeilen in Kafkas Werk entdeckt zu haben glaubten.«

»Und Franz Kafka selbst?« Es entgeht mir nicht, wie sehr ihn Goldstückers Worte interessieren. Er schaut jetzt nicht hinunter in seine Heimatstadt, nippt an dem Glas mit dem durchsichtigen Getränk, blinzelt ein ganz klein wenig mit den Augen, vielleicht weil er sich so sehr konzentriert, stützt sein Kinn in die schlanke Hand und horcht.

»So würde man in Prag fragen.« Ich vermeine einen leichten Vorwurf in Goldstückers Stimme zu erkennen. »Im Traumcafé herrschen andere Zeit- und Maßstäbe, das habe ich bereits erkannt. Übrigens – Balk und Kisch wollten von mir etwas über dich hören, und Weiskopf behauptet, dich von hier aus vor kurzem bei der respektvollen Besichtigung von Prager Manuskripten im Marbacher Literaturarchiv ertappt zu haben.«

»Das war ein tolles Erlebnis. Stell dir vor, Edo, ich konnte ein Blatt der Handschrift von Kafkas ›Prozeß‹ berühren, sorgfältig geschrieben, mit dünnen Haar- und kräftigen Schattenstrichen. Dabei habe ich – mit Verlaub, Herr Kafka – feststellen können, daß ich mit diesem Großen drei Dinge gemein habe.«

»Geht deine Phantasie nicht wieder einmal ein bißchen mit dir durch?«

»Nein. Diesmal wirklich nicht. Hör bitte zu: Erstens sind wir beide sozusagen waschechte, an Ort und Stelle geborene Prager. Zweitens: Kafka schrieb seine erste Version in Hefte – das tue ich auch. Und schließlich drittens: Ich konnte feststellen, daß er mitunter ein paar Worte stenographierte, vielleicht um schneller vorwärtszukommen. Und das mache ich auch, und ich war stolz, dem Herrn Präsidenten des Literaturarchivs diese Stellen vorlesen zu können.«

»Bist du sicher, daß das auch stimmte?« Mein Freund Goldstücker ist ein wenig skeptisch.

»Durchaus. Auf dem Blatt gibt es nämlich die handschriftliche Übertragung der stenographierten Worte aus der Feder Max Brods. Und so wurde gleich nachgeprüft, ob ich nicht geschwindelt habe.«

Bei diesen Worten blicke ich abermals zu Franz Kafka hinüber. Er hat den Kopf gehoben, nimmt von neuem einen Schluck und lächelt ein bißchen. Hat also alles gehört und verübelt mir meine Indiskretion und den gewagten Vergleich offenbar nicht.

Meinen Mann, den aus Jugoslawien gebürtigen Schriftsteller Theodor Balk, habe ich, als er nach langer Krankheit starb, selbstverständlich auch in meinem Traumcafé untergebracht, in der Hoffnung, er werde sich dort in Gesellschaft seines guten Freundes Egon Erwin Kisch und anderer Kollegen bald von den irdischen Strapazen erholen. War es doch für uns beide nicht einfach, nach den Emigrationsjahren endlich nach Europa zurückkehren zu können, hier aber keine Familie und auch kein Zuhause mehr zu finden. Nur die Städte, das wißt ihr ja, ihr beiden dort irgendwo am luftigen Cafétisch, die Städte gab es noch. Belgrad, grausig zerbombt, Prag, grausig friedvoll und weiterhin schön. Als ob nichts passiert wäre. Oder vielleicht, als ob seine Erhabenheit und liebliche Schönheit alles Unglück der Menschen erbarmungsvoll verdecken wollte.

»Die Misere hat ja auch schon gereicht«, läßt sich Kisch vernehmen und umfängt seine Stadt mit einem sehnsüchtigen Blick, »jetzt sollte man in den Prager Straßen wieder leichten Herzens flirten, sich in den Weinstuben sorglos betrinken und überhaupt normal leben können. Ich habe ja leider von hier aus nur mehr das Nachsehen, genauer gesagt ein blutloses Zusehen.«

»Na, na«, widerspricht ihm sein Jugendfreund, der rundliche Autor des »Braven Soldaten Schwejk«, Jaroslav Hašek, »laß das Gewinsel. Die dort unten sind noch lange nicht aus dem Schlamassel heraus, die werden uns vielleicht oft um dieses Lokal beneiden. – Wo bleibt denn, gelobt sei die Unerschöpflichkeit, der gebenedeite Ober mit dem nächsten Trunk?«

Im himmlischen Café wird wohl jeder Wunsch eines Gastes sofort erfüllt. Dennoch kann ich mir vorstellen, daß sich Jaroslav Hašek bei diesem lautlos und engelhaft funktionierenden Betrieb mit Wehmut daran erinnert, wie ihn einst die Mutter eines seiner verläßlichsten Freunde, der mit ihm in Krieg und Frieden durch dick und dünn ging, des damaligen Medizinstudenten und später auf den Bühnen nahezu ganz Europas wohl bekannten Dramatikers František Langer, nicht gerade paradiesisch, dafür aber herzerquickend und saftig durchgefüttert hat. Mutter Langer war, wie ihr Sohn berichtete, fast vollkommen taub. Man konnte ihr nur einzelne Worte ins Ohr rufen.

»Aber Sie haben ihr doch ganze Geschichten erzählt, Herr Hašek?«

»Nicht erzählt«, korrigiert er mich, und ein zufriedenes Lächeln erhellt sein wie immer unrasiertes Gesicht mit den gescheit blitzenden pfiffigen Äuglein, »ich habe ihr meine Histörchen direkt in die Ohrmuschel geschrien, meine Liebe. Sie war ein sehr aufmerksames und verständnisvolles Publikum.«

Auch wenn er schon in seinem üblichen Zustand, d. h.

mehr oder weniger von Alkohol durchtränkt, im Langerschen Laden eintraf, gegenüber der alten Frau war der rauflustige Autor des »Schwejk«, (der seine Mitmenschen nicht gerade mit Samthandschuhen anzufassen pflegte), geradezu rührend geduldig, ja sanft.

»Gab es für Ihre Mühe auch ein Honorar?«

Sein Mondgesicht erstrahlt in verklärter erdgebundener Erinnerung: »Und was für eins! So etwas Herrliches kennt man in diesem Paradies überhaupt nicht. Dafür hat man hier kein Verständnis. Würste in Essig und Zwiebel! Leberwürste mit Kraut und Knödeln! Dazu einen Schnaps und die richtige Portion Bier. Für so etwas würde ich ohne Bedenken mein seliges Ende gleich wieder hergeben.«

Kann man solche Worte ernst nehmen? Von Hašek vielleicht.

Als du die fünf Kontinente bereist hast, Egon Erwin Kisch, Asien gründlich verändert fandest, China geheim, als du dich im Paradies Amerika und in sieben Ghettos umgetrieben hast, auf ungewöhnliche Weise in Australien gelandet bist und als du schließlich deine Entdeckungen in Mexiko machtest, als der Schriftsteller Theodor Balk, mein Duschko, Schiffsarzt war und die halbe Welt umsegelte, als ihr beide glaubtet, Land und Leute kennenzulernen und bisher Unbekanntes über ihr Tun und Treiben zu erfahren – seid ihr irgendwo ähnlicher, eiskalter, wissenschaftlich berechneter und technisch perfektionierter Massenvernichtung von Menschen auf die Spur gekommen, wie sie in den vierziger Jahren von der allumfassenden Maschinerie der deutschen Faschisten eingeführt wurde? Nicht als Folge kriegerischer Überfälle oder Angriffe von seiten eines gefährlichen Feindes, nein, aus reiner Verblendung, aus Rassenhaß, Vernichtungswut, zügelloser Überheblichkeit und Machtbesessenheit.

Zügellose Machtbesessenheit – hat es das, gewiß in wesentlich unterschiedlicher Verbrämung, nicht auch noch anderswo gegeben? Gibt es sie etwa heutzutage nicht mehr?

Die Antwort aus dem Traumcafé bleibt aus. Man blickt einander über den leer getrunkenen Tassen bloß wortlos an.

»Sie sollte sich lieber nur an Prag halten«, flüstert Kisch deprimiert meinem Mann zu. Die anderen Herren wenden den Blick weg. Selbst an diesem Ort, wo ihnen schon ungestörte Ruhe vergönnt sein sollte, sind sie von neuem zutiefst beunruhigt. Aber nach einer Weile setzt an den runden Tischchen ein allgemeines Kopfschütteln ein. Was soll all das Philosophieren, meinen die respektablen und auf Erden weiterhin geachteten Herrschaften. Vorbei ist vorbei, das weiß sie doch, warum beschäftigt sie sich nicht einfach mit alltäglichen aktuellen Dingen?

»Laßt sie nur«, unverhofft melden sich zwei offensichtlich jüngere Stammgäste zu Wort, der Musiker Karel Reiner und der Schriftsteller Norbert Frýd. Reiner war sein Leben lang ein knabenhaft aussehender, schmächtiger Mann, der in den dreißiger Jahren über die Grenzen seines Heimatlandes hinaus zu den Vorkämpfern der Moderne in der Musik gezählt wurde, als Gefangener im Ghetto Theresienstadt dann Lieder, besonders für die Kinder, komponierte. Mit ihm und mir hatte es folgende Bewandtnis:

Wir gehörten zum selben Freundeskreis, und so kam es, daß ich ihn eines Tages an seiner Arbeitsstätte, dem bekannten tschechischen avantgardistischen Theater D 34 aufsuchte, wo er als Komponist, Pianist und eine Art Mädchen für alles in musikalischen Dingen wirkte. Als mich damals die Dramaturgin, eine ältere Dame, kommen sah, rief sie hinter der Bühne:»Karel, deine Schwester ist da.« Wir waren aber überhaupt nicht verwandt, trugen nur den gleichen Zunamen. Wir stellten diesen Irrtum jedoch in keinerlei Weise richtig und deklarierten uns von da an höchst zufrieden als Bruder und Schwester. Selbst Reiners erwachsene Töchter nennen mich bis heute Tante.

»Und bei euch dort oben, Karlícku, wie steht es da mit uns?«

»Du bist und bleibst meine Schwester«, beruhigt er mich, »Wahlverwandtschaften werden hier ebenso geschätzt wie familiäre. Vielleicht sogar ein wenig mehr, was ja auch logisch ist.«

Als im August 1968 die ganze Tschechoslowakei über Nacht »brüderlich« mit Panzern und einem beträchtlichen Teil des Waffenarsenals der Sowjetunion besetzt wurde, kam Karel Reiner durch die jeglicher Beleuchtung baren und von dumpfem Rollen erbebenden pechschwarzen Straßen zu mir in die Redaktion gelaufen. Erleichtert stellte er fest, daß ich völlig unversehrt noch da war, und wir verabredeten am nächsten Tag – es war ein Sonnabend – einen Rundgang durch unsere Stadt zu machen, um zu sehen, ob sie zwischen den Kanonenrohren und von Panzerketten zermalmten Gehsteigen noch atmen konnte.

An ein Kanonenrohr hatte ich mich in jenen Tagen übrigens schon beinahe gewöhnt. Es gehörte zu dem Geschütz, das unter meinem Redaktionsfenster Stellung bezogen hatte und auf dem seine Mannschaft im warmen Sommerwind ihre Unterwäsche trocknete.

»Kannst du dich daran noch erinnern, Karlicku«, erkundige ich mich, nachdem sich meine beiden Jugendfreunde in der Kaffeerunde so unverhofft meiner angenommen haben, um die Unterhaltung vom Himmel zur Erde von meiner Person etwas abzulenken.

»Selbstverständlich, so etwas, wie auch unseren damaligen Erkundigungsgang durch das überrumpelte Prag, kann man doch nicht vergessen.«

Als wir an jenem Sonnabendvormittag loszogen, schien die Sonne, und viele Prager hatten offenbar dieselbe Absicht wie wir. Die Straßen waren voll von Menschen. Ungeachtet der von graugrünen Metallkolossen strotzenden Gassen, Brücken und Plätze, schlenderten ganze Familien durch ihre Stadt.

Wir begaben uns in die Parkanlage auf dem Petřín-Hügel. Überall das gleiche Bild. Prager mit Kind und Kegel, Liebespaare, verängstigte, schüchtern vor sich hin trippelnde alte Menschen. Dazwischen die fremden Soldaten in schmutzig grünen Uniformen, die niemand auch nur eines Blickes würdigte.

»Heute ist scheinbar ›druzba‹ (Freundschaft) die Parole«, bemerkte Karel trocken. »Jungen Mädchen wird zugelächelt, Kinderköpfchen werden gestreichelt, alten Frauen wird Platz gemacht.«

Aber die jungen Mädchen zeigten zugeknöpfte Gesichter, die alten Frauen schlichen erschrocken weiter, die neugierigen Kinder wurden von energischer Elternhand festgehalten.

In der Ausbuchtung eines der Parkwege saß eine Gruppe von Sowjetoffizieren. Als wir näher kamen, nahm einer von ihnen seine Ziehharmonika zur Hand, er begann zu spielen, die anderen sangen. Als ob sie nichts sahen und hörten, gingen die Menschen an ihnen vorbei.

Mein Freund, der Komponist Karel Reiner, der Theresienstadt und Auschwitz überlebt hat, wurde mit einem Mal fahlgrau im Gesicht.

»Genug«, sagte er leise, »aufgezwungene Kommandomusik ertrage ich nicht mehr und das Geplärr schon gar nicht.«

Wir kehrten um. Am Abend hörte man wieder Schüsse in der Stadt.

»Gibt es in eurem Kaffeehaus ein Klavier für dich, oder haben dir die Engel eine Harfe oder Laute überlassen?« möchte ich wissen, denn selbst im Jenseits ist Karel ohne ein Musikinstrument nur schwer vorstellbar. Noch kurz vor seinem Tod hat er das gesamte für 12-Ton-Klavier komponierte Werk des von ihm verehrten Meisters Karel Hába auf einem mühsam dafür aufgetriebenen Instrument eingespielt, eine ebenso bewundernswerte wie verdienstvolle Leistung.

»Du wirst dich wundern«, eröffnet er mir nun, »die unendlichen Donnervariationen und überraschenden Sturmtempi sind eine tolle, geradezu provokative Inspiration.«

Der zweite meiner Jugendfreunde, der Schriftsteller Norbert Frýd, den wir alle Nora nannten, war sein Leben lang ein sehr sensibler Mensch. Er hat seine Frau und ein kaum geborenes Kind in den Vernichtungslagern der Nazis verloren, mußte selbst Jahre im Konzentrationslager Dachau verbringen. Bevor ihn dieses Unglück traf, war er ein fröhlicher junger Mann, der gut Gitarre spielte und hübsch dazu sang. Nach dem Krieg hatte er fast immer feuchte Hände, wurde oft von unbestimmter, niederdrückender Angst befallen. Aber als ich im Laufe der politischen Verfolgungswelle unter den kommunistischen Regimen in den fünfziger Jahren verhaftet wurde, war Nora der einzige, der dagegen bei der entsprechenden Behörde Protest einlegte, wie ich viel später, übrigens von Karel Reiner, erfuhr. Das brauchte Mut selbst von einem weniger von Schreckensvorstellungen geplagten Menschen als Norbert Frýd. Er trat auch beim ersten Prozeß über die Verbrechen im KZ Dachau als Zeuge auf. Über seine Erlebnisse und Erfahrungen als Lagerhäftling hat er eines seiner bemerkenswertesten Bücher geschrieben, »Die Kartei der Lebenden«.

»Du hast es gut, Nora«, rufe ich ihm durch den über Prag lastenden Schmutznebel zu, »kannst von deinem transparenten Firmament aus sicherlich ab und zu auch einen Blick auf unser Mexiko werfen.« Ich sage »unser« Mexiko, denn ich habe dort während des Krieges in der Botschaft der tschechoslowakischen Exilregierung gearbeitet, Frýd war der erste Kulturattaché der neu errichteten Tschechoslowakischen Republik nach Kriegsende. Er brachte eine prächtige Sammlung von Indianermasken mit, die er später, vor allem bei seinen Reisen nach Kalkutta, Sumatra usw. noch erweiterte. Allein, dieser Besitz, der für ihn mit seiner fremdartigen außerordentlichen Schönheit eine ständige Quelle der Freude war, bildete zugleich auch eine ständige Quelle seiner Besorgnis, seiner hinter dem Stacheldraht erworbenen panischen Angstvorstellungen: die kostbaren Masken könnten irgendwie beschädigt, wenn nicht gar, Gott behüte, gestohlen werden.

»Sogar von hier aus«, antwortet er seufzend auf meine Frage, »selbst von hier hat man nur selten einen halbwegs klaren Ausblick auf Mexico Ciudad. Seit wir beide dort waren, ist die Stadt zu groß geworden, hat zu viele Menschen und viel zu viel Luftverpestung.«

»Kannst du von deiner erhabenen Position aus nichts dagegen veranlassen?«

»Kaum«, meint er traurig, »hier oben vertritt man an höchster Stelle die Ansicht, erst müßt ihr dort unten einsehen, daß ihr den euch zur Verfügung gestellten Planeten nicht weiter so rücksichtslos fertigmachen dürft.«

»Verzeih, Nora«, sage ich, um unser Gespräch nicht gerade an diesem neuralgischen Punkt abbrechen zu lassen, »du bewegst dich jetzt doch in nächster Nähe der berufensten Stelle für Schutzpatrone. Hast du ihnen den Schutz deiner Masken anvertraut? Das wäre doch eine große Erleichterung für dich.«

Jetzt lächelt er wie in vergangenen Jahren. »Was Erleichterung anbelangt, so kannst du keine Ahnung davon haben, was für eine Portion davon einem hier geboten wird. Man schwebt ja geradezu in seiner Erleichterung. Manchmal finde ich, es sei des Guten beinahe zu viel. Aber faß das ja nicht als Beschwerde auf«, fügt er gleich noch irdisch besorgt hinzu, »es ist hier wirklich himmlisch, freilich muß man sich auch daran erst gewöhnen.«

»Früher«, erklären die beiden nun der olympischen Runde, »früher haben wir ähnliche Probleme, wie sie die Lenka jetzt allein zu bewältigen sucht, nicht nur im Kaffeehaus gemeinsam in endlosen Gesprächen zerpflückt und überdacht, um sie tunlichst einer akzeptablen Lösung zuzuführen. Unsere astronomischen Telefonrechnungen waren übrigens das einzige greifbare Ergebnis solcher Dispute. Dann waren mit einem Mal, ohne daß wir es geahnt oder gar erwartet hätten, unsere Tage dort unten zu Ende, und jetzt muß sie sich mit all diesen Fragen ohne uns herumschlagen. Ein bißchen pathetisches Sinnieren sollte man ihr da doch zugestehen.«

»Laßt euch den Kaffee, oder was immer man dort bei euch serviert, gut schmecken, Karlícek und Nora«, rufe ich ihnen ein wenig gerührt zu, »und trällert auch wieder einmal eines der übermütigen Lieder unserer gemeinsamen Aufbruchzeit. Bitte tunlichst laut, damit ein Windstoß etwas davon zu mir herunter fegen kann.«

Es versteht sich von selbst, daß ich mein Prager Traumcafé überwiegend mit einheimischen Besuchern besetzt habe. Unter ihnen fehlt selbstverständlich auch Franz Carl Weiskopf nicht, der mein erster Chefredakteur war und von dem ich viel gelernt habe.

Vor einigen Jahren litt ich nach einer schwierigen ärztlichen Behandlung an geradezu katastrophalem Haarausfall.

»Franz«, rief ich in dieser haarlosen Epoche Weiskopf aus unserer gemeinsamen Geburtsstadt an, obwohl ich wissen mußte, daß ich störe, denn von einem Ruhestand, einem gar ewigen Ruhestand, konnte bei diesem emsigen Mann keine Rede sein, »Franz, gibt es in deinen Notizen etwas über – sagen wir – eine unterschiedliche Schreibfähigkeit von Menschen mit dicht bewachsenem und solchen mit schütter bewachsenem Kopf?«

»Sagen wir!« Weiskopf schüttelt mißbilligend sein mit leicht weißlichem Flaum bedecktes Haupt. »Immer noch dein Prager Deutsch.« Aber dann fügt er gleich in seiner mir so vertrauten freundlichen Weise hinzu: »Warum machst du dir solche überflüssigen Sorgen? Du weißt doch sehr gut, daß es darauf ankommt, was in einem Kopf steckt, und nicht, was auf ihm sprießt.«

Dabei entgeht mir nicht, daß er, während er spricht, einen winzigen Wolkenzipfel heranzieht, beinahe verstohlen etwas darauf kritzelt und das Ganze schnell in seiner Rocktasche verschwinden läßt.

»Immer noch dein Zettelkasten!« pariere ich und spiele damit auf unsere gemeinsame Redaktionszeit in der Arbeiter-Illustrierte-Zeitung an, in der mich mein Chef mit seiner vorbildlich systematischen Arbeitsweise stets von neuem in Erstaunen versetzte. Auf Zeitungsränder, auf Korrekturbogen, auf Rechnungsstreifen im Restaurant – überall notierte FCW einen Ausspruch, eine Redewendung, eine ungewöhnliche Bezeichnung, um dann dieses »Wortmaterial« zu Hause in seinen berühmten Zettelkasten einzureihen. Ich war knapp zwanzig Jahre alt und hielt nichts von systematischer Ordnung bei schöpferischer Tätigkeit, nahm jedoch ansonsten Weiskopfs stilistische Ratschläge sehr dankbar entgegen. Er war ein feinfühliger Übersetzer tschechischer, slowakischer, sogar chinesischer Lyrik und hat im amerikanischen Exil während der Kriegsjahre seine »Verteidigung der deutschen Sprache« publiziert, eine Schrift, die – noch dazu aus der Feder eines Pragers! – breite Anerkennung fand.

Im Traumcafé gewähre ich, wie es einst in den irdischen Prager Kaffeehäusern üblich war, auch den sogenannten »Prager« Emigranten aus Hitlers Drittem Reich ein gleiches Stammgästerecht. Ich weiß, in welcher geschützten, vom Eingang aus nicht gleich überblickbaren Ecke der kahlköpfige Malik-Verleger Wieland Herzfelde mit dem Philosophen Ernst Bloch diskutiert, den in den Jahren seines Aufenthaltes in unserer Stadt, in der auch sein einziger Sohn auf die Welt kam, ein dichter, noch dunkler Haarschopf zierte. In Prag suchten die beiden nur dann ein Kaffeehaus auf, wenn sie mit Freunden und Kollegen diskutieren wollten, denn sie lebten mit ihren Familien längere Zeit unter einem Dach in der Altstädter Konviktská-Gasse Nr. 5. Im hinteren Trakt dieses großen Hauses, in der Betlémská Nr. 6, war der aus Hitlerdeutschland vertriebene Malik-Verlag unter- gekommen. Herzfelde wurde großzügig vom Besitzer des Hauses, dem Papier-En-Gros-Händler Karl Stein unterstützt, der ihm sein Papier auf Kredit lieferte, wie- wohl er wußte, daß seine Rechnung kaum jemals und wenn dann nur teilweise beglichen werden würde. Aber er liebte Bücher und haßte den Faschismus.

Ich weiß auch, an welchem Tischchen der rötlich haar- krausige Hamburger Justin Steinfeld in allen Ausgaben der ärgerlich flatternden Himmelszeitungen schmökert und wo der dickliche, glatt gescheitelte Kurt Kersten der Geschichte der Vergangenheit und dem zeitgenössi- schen historischen Klatsch nachspürt. Einmal hat er sich bei mir beklagt, in Prag sei dieses Unterfangen bei aller Gemütlichkeit, die hier walte, doch weniger ergie- big als etwa in der französischen Hauptstadt.

»In Paris lese ich am Morgen auf einer Kaffeehauster- rasse im Quartier latin die Zeitungen, jemand kommt vorbei, jemand sitzt am Nebentisch, und ehe ich nach Hause gehe, weiß ich sowohl, was in der großen Poli- tik, als auch was im Emigrantenuniversum los ist.«

Ob das wohl im Traumcafé auch so funktioniert, wenn dort wichtige Nachrichten mit Donnergegroll herangeschoben und intime in glitzernden Tautropfen aufgetischt werden? Natürlich weiß ich auch, wo der kleine, scheinbar uninteressiert zwischen den Gästen umherstolzierende John Heartfield nach verwendba- ren Donner- und Blitzschnitzeln für seine Foto-(atmo- sphärischen?) Montagen Ausschau hält. Puffige Wol- ken, Regenstränge, Sturmwirbel, Hagelkörner, zackige Blitze, Sonnenauf- und -untergänge – welch ein Mate- rialvorrat! Und erst die seligen und unseligen Geister!

Zudem wird für nichts von all dem Honorar verlangt, wahrlich paradiesische Zustände.

»So paradiesisch, wie du dir das von Prag aus vorstellst, ist es hier nun wieder nicht«, murrt Heartfield. »Erstens kann aus mir niemals ein Engel werden, zweitens fluche ich bekanntlich gern, und das ist in diesem Lokal sehr unerwünscht. Dazu plagt mich oft auch noch Platzmangel!«

»Platzmangel, Johnny, in der Unendlichkeit?«

»Ja, wo glaubst du denn, daß ich meine Montagen im hiesigen Infinitum anbringen kann? In den Himmelsgazetten dürfen nur sang- und klanglos sachliche und kommentarlose Nachrichten vom Erdball publiziert werden. Etwas Langweiligeres kann man sich kaum vorstellen. Die Wände des Cafés sind durchweg ätherisch, also zu nichts Handfestem zu gebrauchen, Wolken sind in ständiger Bewegung; ein paarmal habe ich versucht, die Tischplatten zu bekleben, aber da haben die Kollegen ganz schön gebrummt. Ansonsten ist es hier aber recht angenehm, man kriegt eine Fülle von Ideen in dieser bunten Gesellschaft.«

In der Aufzählung von Gästen fremder Herkunft in meinem Traumcafé könnte ich beliebig fortfahren, denn Prag war in den dreißiger Jahren ein gastliches, von keinerlei Ausländerfeindlichkeit heimgesuchtes Asylland.

Ich selbst kehrte nach dem zweiten Weltkrieg als Frau eines Jugoslawen in meine Heimat zurück, und es kostete mich in den politisch verrückten fünfziger Jahren allerhand Anstrengung, Ausdauer und Dickfelligkeit, meine tschechoslowakische Staatszugehörigkeit wieder zugesprochen zu bekommen. Da ich keine Stelle kannte, bei der ich mich über die langwährende, unfreundliche und immer wieder ins Stocken geratene Prozedur beschweren konnte, wandte ich mich wie üblich in solchen verzwickten Fällen an meine Beschützer im Traumcafé.

Dort spitzt man die Ohren. Der einstige Prager Stadtrat Egon Erwin Kisch, der einstige tschechoslowakische General, Arzt und Schriftsteller František Langer, Karel Čapek, in den dreißiger Jahren tschechischer Dramatiker von Weltruf und vertrauter Freund des Begründers der tschechoslowakischen Republik Professor T. G. Masaryk, Franz Kafka, Max Brod, Franz Werfel, Friedrich Thorberg, Gustav Meyrink und Rudolf Fuchs, Ludwig Winder und Ernst Sommer, sie alle sind Prager Kinder, selbst wenn manche von ihnen in einer anderen böhmischen Stadt das Licht der Welt erblickt haben und etliche von hier fortgezogen sind – sie alle sind ein wenig erstaunt und gleichzeitig auch ein bißchen sentimental davon berührt, daß mir so sehr daran gelegen war, wieder tschechoslowakische Staatsbürgerin zu sein. Ahnte ich denn wirklich nicht, daß nur einige Jahre später von neuem eine Zeit kommen und die bedrückende Stimmung um sich greifen werde, gerade diese Staatsbürgerschaft loszuwerden, um als freier Mensch in einem anderen Land frei leben zu können? Mag sein, daß aus weltumfassender Perspektive die stürmischen Ereignisse des Jahres 1968 und ihre mit Panzern überrollte Hoffnung schon in vagen Umrissen befürchtet werden konnten. Als es mir darum ging, in Prag wieder festen Fuß zu fassen, wußte ich noch nichts davon.

»Es gab ja noch nicht einmal den Anfang oder den kaum beabsichtigten Auftakt einer ganzen Kette weiterer Begebenheiten, die alles Bisherige in Frage geraten ließen«, sage ich erklärend in Richtung Jenseits. »Was

dann zwanzig Jahre später kam, war allerdings von solcher Vehemenz, daß es gleich einige Kapitel Geschichte
überschlug.«

»Wir verstehen nicht ganz, was Sie meinen.« Die
leicht bedeckte Stimme des immer höflichen Dichters
und Übersetzers tschechischer Lyrik Rudolf Fuchs, dem
ich es verdanke, daß ich als neunzehnjähriges Mädchen
zum ersten Mal ein Gedicht von mir im Prager Tagblatt
veröffentlicht sah, und der in der Verdunkelung während eines der deutschen Blitzangriffe auf London unter
den Rädern eines Busses den Tod fand, ist aus dieser
Weite kaum zu verstehen. »Sie scheinen beunruhigt zu
sein, können Sie uns sagen, was Sie bekümmert?«

»Ich meine den überraschend schnellen und unauf-
haltsamen Auflösungsprozeß, der mit so rasanter Wucht
einsetzte. Wer konnte voraussehen, daß es in atembe-
raubender Folge keine Sowjetunion mehr geben wird,
kein Jugoslawien und auch keine Tschechoslowakei.«

»Rede keinen Unsinn«, fährt der einstige Prager Stadtrat Kisch verärgert dazwischen, »was soll das heißen –
keine Tschechoslowakei?«

Wogen durchaus erdgebundener Leidenschaft werden
in diesem Augenblick im sonst friedlich versonnenen
Traumcafé spürbar.

»Aber meine Herren«, die erregt lispelnde Stimme
Justin Steinfelds kämpft um Gehör. »Lesen Sie denn
keine Zeitungen?«

»Doch, doch«, František Langer ist offenkundig em-
pört, blickt zu Karel Čapek hinüber, aber der so wort-
gewandte Schriftsteller und Publizist schweigt beharrlich. Gustav Meyrink erhebt sich und geht auf Max Brod
zu, der nervös die Zeitungsstapel unter leicht vergilb-
ten Nebelschwaden durchwühlt.

»Sie verzeihen«, Meyrink langt nach der Himmels-Presse.

»Da gibt es nichts zu verzeihen«, ärgert sich Brod ganz irdisch. »Wenn Prag aufhört, die Hauptstadt der Tschechoslowakei zu sein – was gibt es da zu verzeihen?«

»Richtig«, Langer nimmt die Brille ab und streicht mit beiden Händen über seinen Kopf, als wollte er von ihm etwas wegwischen. »Hat man denn inzwischen vergessen«, fährt er aufgebracht fort, »daß wir im ersten Weltkrieg auch deshalb in den dreckigen Schützengräben gehockt haben, damit die erwähnten Staaten, nach denen sich so viele Menschen sehnten, endlich Wirklichkeit werden konnten.«

»Sehnten schon«, wendet sein jüngerer Kollege Friedrich Thorberg, gleich mir Zögling des Prager Stephansgymnasiums, nachdenklich ein, »aber man darf doch nicht vergessen, meine Herren, was aus all dem dann geworden ist. Hat es die Bürger dieser neuen Staaten glücklicher gemacht, nachdem sie auch noch einen zweiten Weltkrieg überstehen mußten? Uns hier oben ist – wem sei es nur geklagt? – schon unendliche Ruhe verbürgt, aber was alles erwartet noch unsere einstigen Mitmenschen dort unten?«

Nach diesem Stoßseufzer tritt abermals Stille ein. Kisch entgleitet nur die Zigarette aus dem Mundwinkel, Kafka wird noch etwas blasser, František Langer schüttelt ratlos den Kopf, Rainer Maria Rilke und Franz Werfel tauschen verständnisvolle Blicke aus, Jaroslav Hašek betrachtet mißmutig sein mit farbloser Flüssigkeit gefülltes Bierglas. (Ein Paradies ohne böhmisches Bier – welch eine Ironie!)

Zur allgemeinen Überraschung springt Franz Kafka plötzlich auf und schiebt mit offensichtlicher Anstrengung eine graue Regenwand beiseite. Da kommt mit einem Schlag Bewegung in die ganze Runde. Alle drängen sich um die besten Aussichtsplätze, lugen hinunter auf den Hradschin über der Moldau und dann hinüber auf die Burg Devín über der Donau in Bratislava und verwickeln sich dabei erneut in ein leidenschaftliches Gespräch von Tisch zu Tisch, von dem ich aber leider nichts vernehmen kann.

Von dem man hier unten leider so gut wie nie etwas vernehmen kann.

Gibt es im Traumcafé eigentlich auch einen Oberkellner? Gezahlt wird dort freilich nicht, aber jemand muß doch für die Gäste sorgen. Jemand muß für sie die unentbehrlichen irdischen und überirdischen Zeitungen beschaffen, die ringsum an den Wolken hängen. Jemand muß auch darauf achten, daß keine Tasse Kaffee ohne ein Glas frischen Wassers (Nektars?) serviert wird. Ohne ein wenig Klatsch von Tisch zu Tisch und ohne die wohlwollend überlegene Fürsorge des Herrn Ober wäre wohl selbst ein Traumcafé kein wahres Kaffeehaus.

Und so bemerkt vielleicht der gute Herr Franz oder Josef oder Rudolf hinter dem Stuhl meines Mannes, wenn er bei mir hier unten Niedergeschlagenheit oder gar einen Anfall von Mutlosigkeit zu erkennen glaubt (und wischt dabei, um nicht aufdringlich zu erscheinen, etwas Wolkenstaub von der runden Tischplatte): »Sollten wir der Frau Gemahlin nicht ein paar Blumen schicken? Verzeihen Sie, ich will mich, Gott bewahre, in keinerlei Weise in Ihr privatissimum einmischen, Blumen sind unter den hiesigen Verhältnissen wohl auch kaum aufzutreiben, aber wie wäre es mit einem erfrischenden warmen Regenschauer, einem fröhlichen Blitz oder wenigstens mit einem sanften Lüftchen?«

Ach, lieber Herr Rudolf oder Josef oder Franz, Sie werden staunen, aber ich bringe es in der Tat fertig, derartig unwahrscheinliche Zeichen aus Ihren Sphären wahrzunehmen, mit solchen Vorstellungen zu spielen. Jetzt aber paßt auf, Ihr da oben. Jetzt kommt etwas, das ich mir ganz gut hätte zurechtfabulieren können, das ich jedoch erlebt habe. (Es hätte sich allerdings auch ruhig einer von euch ausdenken können.) Eine Prager Geschichte? Gewiß. Eine Prager Figur war da auf jeden Fall im Spiel, wiewohl keineswegs so außergewöhnlich und unvergeßlich wie etwa der Maler Robert Guttmann, den Ihr ja wohl alle gekannt habt. Seht euch bitte um, läuft er nicht gerade mit seinen typisch ausholenden Schritten zwischen euren Tischen umher, mit der zumeist grünen, aber auch blauen oder schwarzen Künstlermasche unter dem Kinn, dem dunklen Bärtchen unter der Nase, der krausen, kaum wahrnehmbar gelichteten Künstlermähne und vor allem mit der großen Mappe mit seinen Werken unter dem Arm? So haben wir ihn alle gekannt. Er war, wie man allgemein wußte, überzeugter Zionist. In Prag wurde erzählt, er habe aus einem nicht näher bekannten Grund ein Gelöbnis abgelegt, alle Kongresse seiner Organisation zu Fuß zu erreichen. Nun liegt aber zwischen Europa und Palästina viel Wasser. Guttmann, so schmunzelte man in den Prager Kaffeehäusern, habe dennoch sein Versprechen gehalten. Er sei auf dem Schiff (geflogen wurde in jener Zeit nur sehr sporadisch und für viel Geld) unentwegt, selbst bei Nacht, von einem Ende zum anderen gelaufen. Und als er das Gelobte Land schließlich erreicht hatte, soll im Kongreßsaal verlautet worden sein: »Guttmann ist angekommen, wir können beginnen.«

Dieser wunderliche Prager, Stammgast in den meisten

Kaffeehäusern, dessen naive Malerei endlich in einer kleinen Galerie auf dem Altstädter Ring und in der Nachbarschaft eines neuen (nach der Jesenská) »Milena« benannten Cafés gezeigt wurde, sollte unter den ständigen Besuchern des Traumcafés fürwahr nicht fehlen.

Die Begegnung, von der ich kurz erzählen will, war freilich durchaus anderer Art. Dennoch ...

Ich habe eine alte Dame kennengelernt, die als einfache Hilfskraft in einem Prager Krankenhaus arbeitete, um ihre dürftige Rente ein wenig aufzubessern. Meistens war sie mißgelaunt, scherte sich scheinbar einen Teufel um die Menschen ringsum, war – nun, eine typische Alte, der es nur mehr darum ging, mit den Beschwerden des Lebens irgendwie zurechtzukommen. Aber diese Alte bat mich eines Tages, für sie eine längere Abhandlung über Spinnen und Spinnentiere aus dem Englischen ins Tschechische zu übersetzen. Spinnen? Ja, denn die mürrische alte Dame erwies sich als hochinteressierte und allen zugänglichen Informationen nachspürende geradezu leidenschaftliche Naturforscherin.

»Nicht typisch für Prag«, brummt der verhinderte Stadtrat Kisch, läßt die Brille auf die Nasenspitze rutschen und nimmt einen Schluck aus der vor ihm stehenden Kaffeetasse. »Eine alte Pragerin mit Vorliebe für Spinnen? Nicht typisch.«

Doch er irrt. Für die Jahre, in denen das eiserne Regime jeden Bericht aus dem Ausland mißtrauisch abwog und zensurierte, Nachrichtensendungen aus dem Äther bis zur Unkenntlichkeit mit allerhand unangenehmen Geräuschen und pfeifenden Klängen umrauschte, wuchs, gerade auch in Prag, in begreiflichem Maße der Hunger nach Information und bei weitem nicht nur aus dem Bereich der Politik. Man wollte ganz allgemein wissen, was in der Welt los war. Und je mehr einem vorenthalten wurde, um so mehr wollte man von allem erfahren. Menschen, die sich früher nie damit beschäftigt haben, erzählten einander von Entdeckungen in der Astronomie, von Experimenten in der Kybernetik, unterhielten sich über neue Tendenzen in der Kunst, über Forschungsergebnisse aus der Tier- und Pflanzenwelt. Und so konnte es auch vorkommen, daß sich eine betagte Pragerin für Spinnen und ihr geheimnisumwobenes Leben interessierte.

Somit also doch typisch für Prag, mein lieber Egonek. Frag den Dichter Jaroslav Seifert, der es trotz seines kranken Herzens bis 1984 unter uns ausgehalten und kurz vor seinem Lebensende noch den Nobelpreis für Literatur erhalten hat, der könnte dir allerhand darüber erzählen. Du findest ihn bestimmt in der Runde der einstigen Frequentanten des Café Unionka, des Nationalcafés oder der guten alten Slavia. Habt ihr niemals, ich meine in früheren Jahren, mitunter gemeinsam ein Glas Wein geleert? Hat Seifert immer noch einen so strahlenden Blick seiner wasserklaren Augen? Bald nach Kriegsende war ihm der Ehrentitel eines Nationalkünstlers verliehen worden. Aber wie die Zeit fortschritt, wuchs in ihm, wie bei so vielen seiner Mitbürger, der Widerstand gegen die Machtanmaßung der Regimeträger, er geriet in Ungnade. Nach der Sowjetinvasion im Jahre 1968 erschienen seine Gedichte vornehmlich im Samisdat. Dann aber wurde ihm, wie ich schon erwähnte, 1984 der Nobelpreis verliehen. So konnte man nicht umhin, als er kurz darauf starb, ihn nun offiziell mit einer kurzen Aufbahrung im Rudolfinum, dem Haus der Künstler, zu ehren.

An jenem Tag war es bitter kalt, das Thermometer bewegte sich um die 20 Grad unter Null. Schon im Morgengrauen stellten sich die Menschen zu einem letzten Gruß an ihren Dichter auf dem frostigen Gehsteig vor dem Rudolfinum an. Als ich kurz vor neun Uhr früh hinkam, nahm die Menschenschlange schon die ganze Länge der Straße bis zur Fakultät der Rechtswissenschaften an der nächsten Moldaubrücke ein und wuchs und wuchs. Im Haus der Künstler häuften sich inzwischen pompöse Kränze mit kühlen offiziellen Abschiedsgrüßen auf den steifen schwarzgoldenen Schleifen. Seiferts Leser und Verehrer brachten in ihren klammgefrorenen Händen eine Rose, einen Blütenzweig. Manche legten ein blau-weiß-rotes Bändchen mit ein paar hingekritzelten Dankes- und Abschiedsworten an den Katafalk. Ungeachtet des einst verliehenen Titels, der später nicht mehr richtig zu ihm paßte, war Jaroslav Seifert ein nationaler Künstler seines Volkes. Wir haben seine Gedichte, seinen »Regenschirm vom Picadilly«, die »Pestsäule« oder seine Memoiren »Alle Schönheiten der Welt« in den unerfreulichen siebziger und achtziger Jahren nicht nur immer wieder gelesen, sondern mit beinahe jugendlichem Eifer geradezu verschlungen. Sind sie doch voll ungebrochenen Lebens, schlagen mit ihrer melodischen Schönheit stummgewordene Saiten im menschlichen Herzen an – sind einfach schön. Und Schönheit birgt Hoffnung.

Was haltet denn Ihr, meine geistigen Väter hoch über mir im Traumcafé, was haltet Ihr von unentwegtem Hoffen? Hat es geholfen, als Ihr noch erdgebunden wart und dabei beim Träumen etwa in den unüberschaubaren Korridoren und Winkeln eines Schlosses umherirrtet? Wirkte es in den schlimmsten Augenblicken der Verfolgung und bei den unfreiwilligen Wanderungen im Exil? Gibt es Hoffnung für Verlierer …?

»Jetzt hör mal«, bei dieser Frage angelangt, vermeine ich eine leise, leicht belegte Frauenstimme zu vernehmen und weiß auch gleich, wer da wohl zu mir spricht. »Jetzt paß mal auf«, fährt diese vom vielen Rauchen gedämpfte Stimme fort, »Hoffnung hat *nur* für Verlierer einen Sinn. Gewinner haben sie doch nicht nötig.«

Die das sagt hat ein Buch über die Hoffnung geschrieben, das den Titel »Das siebte Kreuz« trägt und davon erzählt, wie Hoffnung gepaart mit Willen auch in offenbar aussichtsloser Lage am Leben erhalten kann. Sie hatte damit ihre eigenen Erfahrungen, die schöne Anna Seghers, als sie mit ihren beiden Kindern während des letzten Weltkrieges den Exodus vor dem Vormarsch der deutschen Wehrmacht auf den Straßen Frankreichs überlebt hat oder später im mexikanischen Asylland, von einem Lastauto niedergerissen und schwer verletzt, wochenlang, fast könnte man sagen, um die Rückkehr ins Leben rang.

»Gilt das auch in ganz bösen Zeiten?« läßt sich eine andere dunkle Frauenstimme hören, und ich kann vorerst nicht erkennen, wer mir nun antwortet, »in den finsteren Zeiten, wird da auch gesungen werden? – Da wird auch gesungen werden, von den finsteren Zeiten.«

Jetzt weiß ich schon Bescheid. Diese Stimme gehört der Schauspielerin Helene Weigel, der ich, auch in Prag, wiederholt begegnet bin. Zum ersten Mal führte mich meine damalige Arbeit als Rundfunkredakteurin zu ihr. Ich wollte ein Gespräch mit der berühmten Darstellerin der Mutter Courage aufnehmen. Wir saßen in einem uns zur Verfügung gestellten Raum im Hotel Alcron, sie rezitierte einige Gedichte von Brecht, die Arbeit verlief glatt, und wir waren bald fertig. Da stellte sich heraus, daß das Tonband nicht ganz in Ordnung war, die Gedichte klangen verschwommen. Ich erschrak. Wird die Weigel bereit sein alles noch einmal …?

»Aber ja«, war zu meiner großen Erleichterung ihre Antwort, »mach kein so unglückliches Gesicht, so etwas passiert halt manchmal.«

Meine letzte Begegnung mit Helene Weigel in Prag war anderer Art. Wir verabredeten uns zu einer Teestunde. »Aber du mußt zu mir ins Hotel kommen«, sagte sie, »ich fühle mich nicht ganz wohl und muß am Abend spielen.«

Als ich zu ihr kam, lag sie im Bett, hatte schlimme Rücken- und Knieschmerzen. Ich konnte mir nicht vorstellen, wie sie noch an demselben Tag bei der Aufführung dabei sein konnte.

Am Abend saß ich nervös im Zuschauerraum des Ständetheaters. Auf dem Programm war »Coriolanus« von Bertolt Brecht. Der Auftritt der Weigel kam. Volumis, die Mutter des Fürsten, erschien in einem prächtigen Kostüm mit reichlich verziertem, mit goldenen Schnüren behangenem hohem Kopfschmuck. Sie schritt majestätisch und würdevoll aus, niemand hätte auch nur ahnen können, daß sie wenige Stunden zuvor mit peinigenden Schmerzen im Bett lag. Ich staunte und atmete auf.

Wie einst so oft auf Erden sitzt Helene Weigel übrigens an demselben Tischchen wie die Seghers. Wieso habe ich das nicht gleich gemerkt?

»Dank, Helli«, rufe ich ihr zu. »Aber sehr aufmunternd klingt, was du vorhin sagtest, ja nicht gerade.«

»Der Brecht«, sagt nun die Weigel, die seine Frau war, »der Brecht war ja nie unmittelbar aufmunternd. Aber das weißt du doch. Im übrigen bitte ich dich, verlaß dich nicht zu sehr auf uns hier oben. Hast ja den Vorteil, daß du noch herumläufst auf der lausigen Welt, begreifst also sozusagen auf eigener Haut, was los ist und was wir von hier aus nur mehr ahnen und vermuten können.«

Jetzt lächeln mir beide Frauen – ganz ohne Zweifel aufmunternd – zu, schlürfen dabei ihr ätherisches Getränk, und bei diesem Anblick überfällt mich unwiderstehlicher Durst nach echtem, irdischem Prager (keineswegs türkischem) Kaffee.

In Prag soll es in den zwanziger Jahren unseres Säkulums eine Nachrichtenbörse gegeben haben. Dort wurden, wie schon der Name besagt, keine Wertpapiere und Geldkurse gehandelt, sondern Nachrichten. Diese Börse soll sich an zwei Stellen befunden haben. Die eine im Restaurant Brejska in der Spálená – deutsch Brenntegasse, so benannt, weil hier am Anfang des 16. Jahrhunderts ein mächtiges Feuer mehr als zwanzig Häuser in Schutt und Asche verwandelt hat. Die andere Börse tagte im Restaurant Chodera, von dem nichts Näheres mehr bekannt ist.

Egon Erwin Kisch schrieb, daß an diesen beiden Orten die verschiedensten Informationen ausgetauscht und zum Teil auch gleich in Taten, d. h. in Augenscheinnahmen und nachfolgende Augenzeugenberichte, umgesetzt wurden. Brachte ein Kollege etwas Sensationelles etwa aus einem Krankenhaus, so meldete ein anderer, was er von einem Geheimpolizisten bei einem Streifzug durch die Prager Unterwelt erfahren hat. All das war Tauschware. An den im Laufe der Abend- und Nachtstunden immer dichter mit Biergläsern und Kaffeetassen bedeckten Tischen in beiden Lokalen wurde ebenso erhitzt mit Nachrichten gehandelt, wie an den klassischen Institutionen mit Börsenwerten. An der Spitze der Werttabelle der Journalistenbörse buchten die sogenannten Solokaper. Das mußte eine Sensation sein, die den anderen Börsianern vor der Nase weggekapert wurde und also solo stand.

Nun, wie wäre es, verehrte Frequentanten, fast wäre ich versucht zu sagen werte Bewohner des Traumcafés, wie wäre es, wenn ihr in eurem Lokal mit eurer einzigartigen Weit- und Übersicht in diesen (für uns hier unten) so turbulenten Zeiten eine solche Nachrichtenbörse erneut ins Leben rufen würdet? Die Fachleute befinden sich ja unter euch. Sie müßte als orbitale Institution eine feste Ordnung und genau festgelegte Regeln haben.

In Umlauf gesetzt dürften nur solche Nachrichten werden, die auf nachweisbarer Wahrheit beruhen. Auf Erden ist eine derartige Forderung leider kaum realisierbar, aber an einem erträumten Ort?

Vorrang müßten ferner Mitteilungen über positive Taten haben, über menschen- und überhaupt lebensfreundliche Erfindungen. Etwa über eine Pille gegen Gewalttätigkeitsdrang, ein Spülwasser, das mit dauernder Wirkung schmutzige Gedanken, vielleicht selbst schmutzige Hände reinigt, ein Pulver, das diktatorische Gelüste lähmt.

Mit solchen Nachrichten müßten an eurer Börse die höchsten Kurse erzielt werden. Eintauschen könnte man sie gegen die Werte, die in einer anderen Ecke, an anderen Tischchen gehandelt werden. Dort könnte man z. B. erfahren, welche Meere wieder sauber, welche Erdfrüchte erneut verläßlich gesund sind und wo man ohne überflüssige Aufregungen und sinnlos provozierte Gefahren ruhig leben und sogar friedlich sterben kann. Dieser letzte Schritt ist schließlich nicht zu umgehen und führt einen sogar, wenn man Glück hat, in eure so erstrebenswerte Gesellschaft.

Wie mir schien, löste dieser mein Vorschlag im Traumcafé einen ganz schönen Wirbel aus. Ich ließ mich dadurch jedoch nicht beirren und baute meine Vision weiter aus:

Es wäre ganz ohne Zweifel zweckentsprechend und vor allem gut, fuhr ich fort, wenn sich in den großen Spiegeln des Traumcafés – ein ordentliches Kaffeehaus muß doch wenigstens an einer Wand mit einem prächtig eingerahmten Spiegel verziert sein –, wenn sich also in den großen Spiegeln die vier Weltseiten und alle fünf Kontinente reflektieren würden. Wenn man dann vor ihnen steht und hineinschaut, erblickt man nicht sich selbst, auch kein griesgrämiges, kein böses oder trauriges Gesicht, hier gibt es etwas ganz anderes: Man sieht die Sonne über Afrika aufgehen oder den Mond über Amerika, man sieht Weiden in Australien, Hochgebirge in Asien und Sonne, Mond und Sterne über unserem Europa. Auch Menschen kann man dort sehen und alle Tiere. Noah verkostet soeben zum ersten Mal einen Schluck Kaffee, und Neptun, sein zeitweiliger Gastwirt, sieht ihm dabei wohlwollend zu. Franz Kafka plant gemeinsam mit Jaroslav Hašek eine Radtour durch den Himalaja, die Seghers bittet Konfuzius um ein Gespräch unter vier Augen, mein Mann Theodor Balk versucht Doctor Faustus, der ja auch in die Medizin pfuschte und mitunter in Prag weilte, zu einer gemeinsamen Reportage über diese Stadt zu überreden, Egon Erwin Kisch schreibt mit Max Brod eine kritische Überlegung über das geistige Leben konfessionsloser Gespenster … Warum sollte Unmögliches hier nicht möglich sein?

Da zieht vor meinem Prager Fenster eine Wolke über den Himmel. Ein Auto hupt, eine Straßenbahn kreischt, die Sirene einer Ambulanz zerreißt die Luft. Mein Traum wird unterbrochen.

Unterbrochen, aber nicht abgebrochen. Weil, wie wir schon sagten, im Traumcafé alles möglich ist.

Der Frühvogel

Seine Stimme, so zart und leise sie auch sein mag, ist unverkennbar. Es ist die erste, die allererste Stimme, die tröstlich unseren Schlaf durchdringt: Wach auf, Menschenkind, die Nacht ist bald vorbei, der neue Tag streicht schon mit unsicheren Lichtfingern durch das Gestrüpp der Dunkelheit. Schlaftrunken kommt von irgendwo die Vogelstimme. Vorerst nichts als ein weicher Laut. Und doch verblassen von diesem Augenblick an die Fratzen böser Träume, zerfließen sacht im Nichts. Und von neuem, schon etwas kräftiger, erhebt sich die unbekümmerte Vogelstimme.

Du schlägst die Augen auf, und der Schrank im Zimmer wird allmählich wieder zum Schrank, der Tisch zum Tisch, die erwachenden Blumen rollen behutsam ihre Blätter auf und beginnen sacht zu duften. Vor dem Fenster schwingt sich der erste jubilierende Triller in die Lüfte empor. Der Frühvogel singt, und wir leben einen weiteren Tag.

Diese kurzen Minuten zwischen Nochnichtsein und Schonwiedersein holen manchmal etwas aus unserem Gedächtnis hervor, das ohne die unschuldige morgendliche Stimme längst von jüngeren, noch nachschwingenden Geschehnissen überdeckt wäre. Erinnerungen werden erneut zu Erlebnissen.

Die Nacht war sehr lang, dauerte eigentlich schon ein halbes Jahr. Ich zog meine Handtasche unter dem Kopf

hervor und versuchte, auf verschränkten Armen weiter-
zudösen. Zusammenhanglos flatterten die merkwürdig-
sten Bilder hinter meinen geschlossenen Augenlidern
vorbei. Ein grüner Hut. Eine zerzauste Wolke. Zinn-
oberrote Schuhe. Ein Ziegelstein, auf dem ein Schmet-
terling sitzt. Ein blaues Kleid mit Blütenzweigen, die
auf und nieder wippen.

Seit wann können Blütenzweige auf Kleidern wippen?

Aber dieses blaue Kleid hat es irgendwo gegeben,
ganz bestimmt war ich ihm einmal begegnet. Keinesfalls auf der Straße, das war ausgeschlossen bei dieser
Kälte. Ich stopfte im Halbschlaf einen Mantelzipfel unter mein rechtes Bein, weil ich dort einen eisigen Luftzug verspürte.

Als ich wieder ruhig lag und halbwegs warm, erschien
mir das Bild einer geöffneten Tür, hinter der nichts als
fahles Dämmerlicht stand. Uferlos, bodenlos, ein mil-
chiger Tunnel ohne Ende. Dennoch bekam ich Herzklopfen. Eine geöffnete Tür, mein Gott! Drei Schritte
würden genügen, und ich könnte vielleicht hinausge-
langen.

Hinaus? Wohin? Ach irgendwohin, zum Meer, auf die
Berge. Vielleicht könnte ich untertauchen, verschwinden in dem Meer, das auf den Bergen liegt. Soll ich es
versuchen? Wird sich mir etwas in den Weg stellen?

Kaum hakte sich dieser Gedanke in mir fest, umgab
mich auch schon eine Wolke von Veilchenduft, und ich
wußte, daß gerade dieses süße Nichts in der geöffneten
Tür stand und hindurchzukommen nicht möglich war.

Da seufzte ich unwillkürlich. Sofort erstarrten die
Blüten auf dem blauen Kleid, und Madame Folette, die
harmloseste unter den Aufseherinnen, sagte mit ihrem

silbrigen Stimmchen: »Wie geht es Ihnen heute, Madame? Draußen ist schrecklicher Frost, seien Sie froh, daß Sie hier drinnen sind. Ich habe übrigens daran gedacht, was Sie mir vor ein paar Tagen gesagt haben. Nur Ihretwegen habe ich heute mein bestes Kleid angezogen, damit Sie wieder einmal etwas Schönes sehen.«

Und sie knöpfte die schwarze Pelerine auf, die zur Uniform des Wachepersonals gehörte, und sichtbar wurde ein dunkelblaues Kleid, bestickt mit rosa Blütenzweigen, von den Schultern bis fast zum Rocksaum.

»Das ist sehr liebenswürdig von Ihnen, Madame«, sagte ich, ein wenig verblüfft und ein wenig gerührt, und verschränkte unwillkürlich die Arme vor meinem schon formlosen, seit Wochen und Monaten getragenen Kleid. »So etwas habe ich wirklich nicht erwartet.«

»Passen Sie auf«, die Aufseherin lächelte, ihr Puppengesicht schmolz dabei ein wenig, als wenn es aus Wachs geknetet wäre, und mit einemmal schien sie beinahe jemand anderes zu sein, »das ist noch nicht alles. Ich habe Ihnen auch etwas mitgebracht.« Sie machte eine bedeutungsvolle kleine Pause und fügte fast flüsternd hinzu: »Es heißt nämlich, daß Sie unschuldig sind. Aber erwähnen Sie bitte ja vor niemandem, daß ich Ihnen das gesagt habe.«

»Machen Sie sich keine Sorgen«, beruhigte ich sie, »ich werde niemandem sagen, Sie hätten mir verraten, Madame, daß ich unschuldig bin.«

Da nickte die Aufseherin zufrieden und zog aus der Innentasche ihrer Pelerine ein winziges Päckchen hervor: »Hier!«

Ich zögerte ein wenig. Madame Folette lächelte immer noch und verharrte in der geöffneten Tür, die dennoch undurchschreitbar war. Aber dann langte ich schnell nach dem Päckchen, wickelte es aus dem knisternden Papier, und wie ein heißer Atemzug schlug mir eine süße Duftwelle entgegen. »Veilchen!«

»Die ersten dieses Jahres«, sagte Madame Folette, »für Sie, weil es heißt, daß Sie unschuldig sind.«

Sie knöpfte die schwarze Pelerine zu, ihr Gesicht erstarrte, und sie schloß schnell von außen die Zellentür. Ich hörte das schwere Schloß zufallen und die Stöckelschuhe über die Steinfliesen des Korridors davonklappern. Die Veilchen lagen duftend in meiner Hand. Über Nacht verwelkten sie.

Inzwischen war auch das längst vorbei. Jetzt schmerzte mein Rücken. Schließlich ist es ja auch etwas ungewöhnlich, auf einem Bürotisch zu schlafen und das schon die sechste Nacht. Ich rekelte mich ein wenig, dabei fiel ich beinahe hinunter. Da war es doch besser, still liegenzubleiben. Obwohl das nicht so einfach war, bei diesem Lachen, das nunmehr in gekräuselten, sich überstürzenden und dann wieder klatschend davoneilenden Wellen auf mich zukam.

Wem konnte hier bloß zum Lachen zumute sein? Es kicherte und gurgelte und grölte unentwegt, mein ganzer Kopf füllte sich allmählich damit. Und bald erkannte ich auch: Diese Laute kamen von der Straße, darüber gab es keinen Zweifel. Von der Straße, aber auf ganz verrückte Weise.

War ich auf dem Kopf gestanden, als ich solchem Lachen zum erstenmal begegnet war, oder war ich damals gar auf Händen gelaufen? Vergeblich versuchte ich, mich genau daran zu erinnern. Auf jeden Fall war es auf völlig ungewohnte Weise zu mir gedrungen, das stand fest. Und es war ein gedrucktes Lachen gewesen, auch darüber gab es keinen Zweifel, das wußte ich bestimmt.

Aber halt, so etwas gibt es ja gar nicht. Lachen kann doch bloß gelacht werden. Und verboten, das natürlich auch. Verbieten kann man alles. Drucken übrigens auch. Wüßte man denn sonst, ob und wie Generäle lachen, zum Beispiel Frankreichs Kollaborations-General Marschall Pétain? (Kann ein General überhaupt noch lachen; nachdem er sein Land einem anderen, fremden General ausgeliefert hat?) Und wie Madame Pompadur gelacht hat, ohne dabei das schwarze Schönheitspflästerchen auf ihrer Wange zu verrücken, und wie der bucklige Glöckner von Notre-Dame? Wie Jeanne d'Arc und all die Könige und Kardinäle und die Inquisitoren und ihre Henkersknechte?

Nichts von alledem wüßte man, und schon deshalb mußte sie geschrieben werden, geschrieben und gedruckt, die Geschichte des Lachens, L'Histoire du Rire. So war es.

Ich war gesessen, als ich jenem gedruckten Lachen begegnet war. Jetzt erinnerte ich mich ganz genau daran, nicht auf dem Kopf gestanden oder gar auf Händen gelaufen, sondern gesessen, sogar in zweifachem Sinn, da man mich vom Justizpalais im grünen Anton – panier à salade, Salatschüssel heißt das in Frankreich – quer durch Paris zum Gefängnis Petite Roquette zurückgeschaukelt hatte. Der Krieg war damals knapp zwei Wochen alt, und das Drunter und Drüber in meinem Kopf stand durchaus im Einklang mit dem ebenso unangenehmen Drunter und Drüber, dem ich in der winzigen Autozelle physisch ausgesetzt war. Durch einen schmalen Spalt in der Autowand, der zum Atmen und keineswegs zum Hinausschauen gedacht war, hatte ich mit angestrengt zusammengekniffenen, gierig suchenden Augen einen Streifen bedruckten Papiers erblickt. Nur für einen Augenblick. Dickbäuchige, respektable Buchstaben auf der glatten Fläche eines Plakats: *L'Histoire du Rire.* Das war alles. Aber war das überhaupt möglich? Gedrucktes Lachen, bestimmt für andere Leute, die hingehen – wo hingehen? – konnten und sie womöglich kaufen und lachen, L'Histoire du Rire, die Geschichte des Lachens.

Warm werden konnte man in jenem Haus mit den unvorstellbar dicken Wänden, das nun in beklemmender Wucht im Nonstopfilm hinter meinen geschlossenen Augenlidern in Erscheinung trat, eigentlich nur ab und zu unter der heißen Dusche. Durchgeschüttelt und dummgefroren nach besagter Rückfahrt vom Justizpalais, bei der ich von der Geschichte des Lachens Kenntnis bekommen hatte, war ich froh gewesen, als am Nachmittag das Pergamentgesicht einer Nonne in der Zellentür auftauchte und eine Papierstimme anordnete: »Baden gehen!«

Der Gefängniskorridor war eine langgezogene, dumpfe Grotte mit Zugluft und blaugrünem Dämmerlicht. Die hölzernen Treppen krachten hohl unter den Füßen, und die wegen der ständigen Flugangriffe tiefblau bepinselten hohen Fenster klirrten dazu. Musik und Begleitakkorde in einer Kirche ohne jedes Gebet. Draußen schien vielleicht die Sonne, aber der Krieg hatte die großen Fenster nachtblau gefärbt und winselnde Sirenen auf das Dach gesetzt. Auf diese Weise wirkte das unheilvolle Gefängnisgebäude noch unheildrohender als sonst.

Die Nonne trippelte dicht hinter mir, schnelle, harte Schritte. Ab und zu streifte ihr schwarzes Gewand meine Schulter oder mein Bein. Sofort versuchte ich größeren Abstand zu halten. Aber sie atmete gleich wieder hastig dicht hinter mir.

Wollte dieses Treppenhaus überhaupt kein Ende nehmen?

Endlich standen wir vor einer schmalen Tür, hinter der Wassergeplätscher zu hören war.

»Alles muß sehr schnell gehen«, sagte die Nonne und legte mir ihre heiße Hand auf die Schulter, »Sie müssen sich ganz schnell ausziehen.«

Übergangslos traten wir aus der menschenleeren, frostigen Dämmerung in das dampfende Badehaus eines reichlich besetzten Harems. Nackte Frauenarme und -beine ringsum, feuchtglänzende Schultern, Wassertropfen im Haar, Seifenschaum auf Rücken und Bauch.

»Schnell«, sagte die Nonne nochmals, »ausziehen!«

Ich schlüpfte hinter eines der zahlreichen Laken, die hier als Trennwände aufgespannt waren, entledigte mich rasch meiner Kleider und stellte mich unter den heißen Wasserstrahl. Eine farblose Hand hielt mir ein Stück Waschseife hin, berührte dabei wie zufällig meine Brust. Ich zuckte zurück. »Ich wasche mich gern ohne Zeugen.«

Das Pergamentgesicht verzog sich zu einer merkwürdigen Grimasse, die Hand blieb unschlüssig in der Luft hängen, glänzte feucht.

»Wenn du lieb bist«, flüsterte es plötzlich hastig aus dem wächsernen Gesicht, »du bist doch lieb?«

»Raus hier!«

Ich schob das Laken wütend zwischen mich und die unverschämten Augen. Aber zwischen mich und das scheppernde, fast blecherne Lachen, das nun erklang, konnte ich nichts schieben. Als ob es mit den Dampfschwaden durch den ganzen Raum zöge, kicherte und tröpfelte und quietschte es glitschig aus allen Ecken. Ein häßliches, unheimliches, nie zuvor gehörtes Lachen, das inmitten der feuchten Wärme auf dem ganzen

Körper Gänsehaut hervorrief. Quel'histoire du rire! Eine feine Lachgeschichte!

Du liebe Zeit, dachte ich damals, als ich vergeblich versuchte, mich mit dem dünnen Handtuch trockenzureiben, wie wird sich jetzt bloß der Rückweg in die Zelle durch das dunkle Treppenhaus abspielen? Ich spürte, wie ich vor Angst und Unbehagen ganz steif wurde, weder Arme noch Beine bewegen konnte, vor allem die Beine nicht, die immer schwerer und schwerer wurden...

Ein weicher, in seiner Reinheit nahezu rührender Laut durchdrang in diesem Augenblick die Wirrnis der bedrängenden Traumbilder. Leicht, wie eine vom Wind getragene Flaumfeder, flatterte er durch die noch stille Straße, hüpfte durch den geöffneten Fensterspalt in den freudlosen Büroraum, in dem eine schlafende Frau auf dem Tisch lag.

Ich schlug die Augen auf. War wirklich schon alles vorbei?

Der Frühvogel sang.

Ach, nur die Nacht war vorbei, aber schon jede zu Ende gegangene Nacht war ein Gewinn. Der Vogel draußen in der Pariser Straße, die erste Stimme des neuen Tages, probierte zaghaft einen kleinen Triller. Wo er wohl saß? Auf einem der zahllosen, schmalen Schornsteine dieser Stadt, auf einem spitzen Dachfirst oder am Ende auf einer der steinernen Fratzen an den Türmen von Notre-Dame? Aber nein. Wenn man so heiter erwacht, hockt man nicht auf Stein. Ein solches Gezwitscher braucht Luft und Licht. Wahrscheinlich schaukelte der kleine Vogel auf dem Zweig eines Ahornbaumes oder einer Platane oder zwischen den noch fest geschlossenen, aber doch schon unübersehbar vorhandenen Knospen eines

Kastanienbaums im Jardin du Luxembourg, in den Tuilerien.

Kalt war es hier.

Schon die sechste Nacht verbrachte ich auf dem Tisch in diesem Büro der Pariser Polizeipräfektur, entlassen und noch nicht wieder eingeliefert. Ein Stempel auf meinen Begleitpapieren sagte ja und ein anderer nein. Und weil sie sich nicht einigen konnten, die Stempel, die mein weiteres Schicksal bestimmen sollten, lag ich nachts auf diesem Tisch.

Tagsüber saß ich auf der Bank, die ringsum entlang der kahlen Wände lief. Jedesmal, wenn die Tür aufging und ein neuer Mensch hereingeschoben wurde, sah ich in seinen Augen dieselbe Frage: Was soll ich hier? Ich bin hier falsch. Wann läßt man mich wieder gehen?

Gestern hatte man in aller Herrgottsfrühe eine Frau gebracht, deren Kopf über und über mit Lockenwicklern bedeckt war. Sie war außer sich. »Nicht einmal zu Ende kämmen durfte ich mich zu Hause! In einem derartigen Aufzug mußte ich natürlich auf den Herrn Kommissar einen ungünstigen Eindruck machen. Glauben Sie, die haben mir wenigstens einen Spiegel geborgt, wie ich dringend, aber bitte sehr höflich, gebeten habe? Und da heißt es, daß alle Pariser galant sind! – Haben Sie nicht zufällig einen Spiegel in Ihrer Tasche, ma chère? Und können Sie mir einen Kamm borgen? Na, wunderbar! Und jetzt halten Sie mir das Spieglein vor, so ist es recht, noch ein klein wenig nach links. Vielen Dank, mon bijou, jetzt sehe ich endlich wieder wie ein Mensch aus.«

Der Frühvogel draußen im Pariser Morgen zirpte einen Gruß. Machte eine Pause. Zirpte ihn noch einmal. Dann kam von irgendwo die Antwort.

Mittags hatte ein blutjunger Polizist die Wache übernommen. Prüfend betrachtete er die vier Frauen, die sich zu jener Stunde in dem Raum befanden. Die blonde Lockenträgerin schien ihm nicht zuzusagen. Eine verweinte und eine andere, ziemlich schmutzige ältere Frau nahm er scheinbar überhaupt nicht zur Kenntnis. So blieb sein Blick an mir haften.

»Durst?« fragte er, anscheinend nur, um ins Gespräch zu kommen. »Soll ich Ihnen Wasser bringen?«

»Nein, danke.«

Nach diesem nicht gerade geglückten Versuch einer Konversation verschwand er im Dienstraum, kam aber schon nach einer Weile wieder zurück.

»Sie dort«, sagte er und wies mit der Hand auf mich, »kommen Sie mal her.«

Er war eine Amtsperson, ich war verhaftet. Ohne Eile erhob ich mich und ging auf das Bürschchen zu.

Als ich vor ihm stand, maß er mich mit einem langen, prüfenden Blick. Dann neigte er sich ein wenig zu mir hin und flüsterte: »Was ist los? Schlimm?«

»Nein, ich glaube nicht.«

»Wegen der Papiere?«

»Ja.«

»Ausländerin?«

»Ja.«

Er nickte zufrieden. »Heute ist Samstag«, bemerkte er und schob das runde Dienstkäppi ein wenig in den Nakken. Er war ein hübscher, blonder Junge. »Bist du am Sonntag frei?«

»Das will ich hoffen.«

»Fein«, er schien immer zufriedener zu sein. »Ich bin sonntags auch frei. Weißt du, wo die Metrostation Clichy ist?«

»Ja.«

»Schön. Um drei Uhr werde ich dort auf dich warten. Aber paß auf, in Zivil sehe ich noch besser aus.«

Ich nickte, verbiß ein Lachen und ging zu meinem Platz zurück.

Allein geblieben in der drückenden Leere des Wartens, dösten wir vier Frauen fast wortlos vor uns hin. Etwa eine Viertelstunde verging. Da tauchte der junge Polizist von neuem in der Tür auf, hatte aber diesmal eine strenge Amtsmiene aufgesetzt.

»Ihren Namen?« fragte er und pflanzte sich mit einem Notizblock in der Hand zuerst vor dem Blondkopf auf. Danach notierte er auch die Namen der beiden älteren Frauen. »Und Sie?« sagte er, als er schließlich vor mir stand. Keine Regung in seinem Gesicht verriet, daß ihn diese Verhaftete mehr interessierte als die anderen. »Aber langsam, bitte, ausländische Namen müssen wir ganz genau eintragen.«

»Jarmila …«, sagte ich, weil mir dieser Name gerade einfiel und seine Amtshandlung gar zu sehr vorgetäuscht war.

Er blickte mir entzückt ins Gesicht. »Noch einmal.«

»Jarmila«, wiederholte ich.

»Ist das Germaine?«

»Nein, das ist nicht Germaine.«

»Kann man ihn nicht irgendwie ins Französische übersetzen, diesen Namen?«

»Kaum. Oder vielleicht doch. Jarmila heißt wörtlich Chérie du Printemps.«

»Chérie du …? Das ist aber toll! Ist das auch wahr?«

»Gewiß.«

»Eine schöne Sprache, wenn die Mädchen so heißen«, bemerkte er anerkennend und kehrte würdigen Schrittes um. In der Tür blieb er stehen, wandte sich nochmals in den Raum und rief streng: »Sie dort, die Ausländerin Chérie, vergessen Sie nicht: Sonntag, pünktlich um drei Uhr, sonst ärgert sich Monsieur le Commissaire!«

Der neue Tag hinter den Fenstern der Polizeipräfektur wurde heller und heller. Ich ließ mich vom Tisch hinabgleiten. Heute war Sonntag, vielleicht wird man mich gerade heute entlassen.

Auf der Straße hupte ein Auto, jemand pfiff, irgendwo schlug eine Uhr.

Der Frühvogel sang noch immer.

Der graue Wölfling

Er ist grau und klein, sehr klein sogar, und überhaupt nicht zu fassen. Dennoch kann es passieren, daß er eine ganze Straße ausfüllt oder gleichzeitig in allen Winkeln des Zimmers hockt. Meistens nur, wenn es dämmert. Das ist die Stunde des Zögerns, der unausgesprochenen Angst, die Stunde, da sich die Dinge am leichtesten gegen den Menschen verschwören. Die sonst so freundliche Pflanze im Blumentopf streckt drohend ihre Fangarme aus. Der Lehnstuhl ist mit einemmal ein Segelschiff ohne Segel, steuerlos, von bösen Geistern gelenkt. Der Schrank wird zur Felswand, die unaufhaltsam näher rückt und uns im nächsten Augenblick erdrücken wird. Plötzlich zieht einen das Fenster an, gähnend aufgerissen vor verschwommenem Abgrund.

Ist man zu jener Stunde unterwegs, kann es geschehen, daß sich die Straße vor unseren Augen in einen bodenlosen Schlund verwandelt. Die Häuser wanken, die Erde schwankt, und das Nichts nimmt Besitz vom Menschen.

Überall hockt in solchen Stunden der graue Wölfling auf der Lauer, in jeder Nische, auf jedem Dach. Hockt auf samtenen Pfoten, das weiche Fell glänzt, die Zähne sind verborgen. Unendliche Trauer befällt einen, uneindämmbar, Sehnsucht nach allem und Müdigkeit von allem, Angst ohne Grund und Grund für jede Angst.

Ungreifbar, mehr geahnt als erkannt, schleppt der

kleine Wölfling die Einsamkeit an uns heran, Verlassenheit und den leeren Hauch der Verzweiflung. Aber wehe, man schließt die Augen vor diesem Tier ohne Umriß! Man muß es zu erkennen suchen, muß es herausschälen aus der Konturlosigkeit, denn nur so wird es seinen lähmenden Blick wieder abwenden und zurückweichen in das Nichts, aus dem es gekommen ist.

Es gibt Tage, da er sich am Morgen heranschleicht, der graue Wölfling. Das sind die Tage, die nichts Gutes verheißen, weil bei ihrem Anbruch ein Tropfen Blei im Herzen liegt. Was war es doch, das gestern geschah? Was ist es, das heute geschieht? Warum fällt einem das Atmen so schwer, und warum sind die Gedanken so flatterhaft unruhig?

Da gibt es nur eines: Aufstehen, die erste Bewegung tun, den Vorhang hochziehen und das Licht hereinströmen lassen ins bis dahin verdunkelte Zimmer und auch die Wirrnis im Kopf, damit die Gedanken auseinanderstieben können gleich Funken neu entfachten Feuers, damit sie gleich Lichtstrahlen bis in die verborgensten Winkel so mancher erlittenen, aber auch mancher überstandenen Angst eindringen können. Die Erfahrung eigener Stärke ist tröstlich, überwundene Trauer und Angst können wirksam sein gegen neue.

Kein Mensch in jener Stadt wußte, wie ich in Wirklichkeit hieß. Wen kümmerte es auch? Wer nannte mich je bei meinem Namen, wer brauchte ihn zu wissen, wo ich ihn doch selbst beinahe vergessen hatte? Mein richtiger Name – gab es ihn denn überhaupt noch?

Stundenlang pflegte ich unbekannt und unbemerkt, so hoffte ich wenigstens, durch die Straßen der weißen Stadt zu schlendern. Jeden Tag und gern. Ich wurde nicht müde, all die ungewöhnlichen Dinge ringsum zu betrachten, die Menschen und ihr fremdartiges Gebaren. Wie oft im Leben wird schon ein Mädchen aus Prag unverhofft nach Afrika verschlagen! Ich war mir meines persönlichen »Ausnahmezustands« bewußt und handelte danach.

Zudem war Krieg. Alles, was früher möglich gewesen, war nun unmöglich, und was einmal unmöglich schien, geschah. Zu Hause leben, mit den Menschen, zu denen man gehörte, in dem Land, dessen Bestandteil man war, für die Arbeit, die man ein für allemal, so glaubte man wenigstens, gewählt hatte – das alles war nun unmöglich. Aber in Afrika am Rande der Wüste aus einem Konzentrationslager davonzulaufen, in Casablanca zwischen wildfremden Menschen zu leben, sich ohne Arbeit über Wasser zu halten und überdies noch einen anderen Erdteil zur Kenntnis zu nehmen, seine Farben, seinen Duft und seinen Rhythmus allem zum Trotz sogar zu genießen – all das war plötzlich möglich. Wenigstens heute, zu dieser Stunde, in diesem Augenblick. Schon der nächste konnte anders sein.

Und so wanderte ich täglich durch die Mellah und die Medina, durch den jüdischen und den arabischen Teil der Stadt, die ich ohne die dazu erforderlichen Sprachkenntnisse kaum zu unterscheiden verstand. Nur die Frauen in den langen Gewändern konnte ich leicht auseinanderhalten. In der Medina gingen sie verschleiert, in der Mellah zeigten sie ihr Gesicht. Aber Araberinnen und Jüdinnen blickten mich mit den gleichen nachtschwarzen Augen an, webten mit gleich dunkelhäutigen Händen Stoffe wie aus Tausendundeiner Nacht, boten Gewürze in allen Farben zum Kauf an, pufften ihre unbändigen Kinder zurecht, drückten sie zärtlich an sich, zogen einen Esel oder ein Maultier hinter sich

her, brieten auf offenem Feuer Fleisch, zerteilten rubin-
rote Granatäpfel (»Kauf, damit dein Blut frisch wird,
Madame!«), schlürften aus kleinen Gläsern duftenden
Tee, trugen bäuchige Tonkrüge auf dem Kopf, verjagten
Fliegenschwärme von klebrigen Süßigkeiten, die sie zum
Kauf anboten, kauften selbst Trinkwasser aus Tierhäu-
ten, trippelten folgsam hinter ihren Männern, standen,
wenn die Männer saßen, schwatzten miteinander, weh-
klagten aus irgendeinem Grund, lachten verhalten – und
alles auf der Straße. Ich konnte es sehen, hören, riechen.
So waren meine Tage heiß und hell und laut. Ich lebte.
Tagsüber war das das wichtigste.

Tagsüber lernte ich es sogar, dem Ablauf der Stunden
eine gewisse Ordnung aufzuzwingen oder einen solchen
Ablauf wenigstens vorzutäuschen. Jeden Morgen kaufte
ich an derselben Straßenecke von demselben kleinen
Araberjungen die Zeitung. Die las ich dann an jedem
Morgen in demselben Café, tunlichst an ein und demselben Tischchen auf der Terrasse, vom ersten bis zum
letzten Wort, als ob die Kriegsberichte gerade in diesem jämmerlichen marokkanischen Blättchen und die
Inserate auf seiner letzten Seite (»… Vermögensanlage
in Frankreich vorteilhaft transferierbar …«) von ent-
scheidender Bedeutung für mich wären. Aber nicht darauf kam es an. Was ich brauchte, waren Stützen, um
die kraftlosen Ranken meines gewaltsam entwurzelten,
auf und ab schwankenden Daseins wenigstens für eine
Weile festzuklammern. Ein Flüchtlingsdasein ist immer schwer. Ein Flüchtlingsdasein ohne die erforderlichen Personalausweise noch schwerer. Das Flüchtlingsdasein eines während des zweiten Weltkriegs nach
Marokko verschlagenen Mädchens ohne Papiere, ohne
Geld, ohne Wohnung, ohne … – ein Abenteuer ohne-

64

gleichen. Da half der berühmte Strohhalm nicht mehr, selbst wenn ihn mir jemand hingehalten hätte. Da half nur mehr recht viel Phantasie und fester Wille, ein bißchen Humor und fleißig geübter praktischer Lebenssinn. Und der Glaube ans Leben.

Jeden Freitag und Sonnabend, die einzigen Tage, da in den Bäckerläden der Stadt süße Kuchen verkauft werden durften, erstand ich ein paar von der billigsten Sorte und aß von früh bis abends nichts anderes. Mittags ging ich an jenen beiden Tagen zum Taxistand auf dem Hauptplatz, auf dem zwei bis drei Fiaker zu parken pflegten. Dort fütterte ich mit den süßen Krümeln vom Frühstück jedesmal ein anderes der mageren Pferde, die mit großen Strohhüten auf dem Kopf, durch die ihre Ohren durchgesteckt waren, ergeben in der Bruthitze standen. Auch das war eines der winzigen und dabei so wichtigen Ziele meiner Tage.

Während der Mittagszeit stattete ich täglich der Hauptpost einen Besuch ab. In dem kühlen, mit buntem Mosaik ausgelegten und allerhand Zierbrunnen versehenen modernen Gebäude fragte ich beim Schalter für Poste-Restante-Sendungen, ob etwas für mich angekommen sein. Jeden Tag dieselbe Frage, obwohl ich nur ganz selten eine bejahende Antwort erwarten konnte. Aber auch das war eine der verschiedenen Maßnahmen gegen die Uferlosigkeit meines unvorhergesehenen und unabsehbaren Aufenthalts in jener Stadt. Die Stunden zerrannen nicht einfach, sie rankten sich fest. Am Morgen, am Mittag ...

Wenn jedoch die perlmutterfarbene Glut des Tages allmählich den violetten und blauen Farbschattierungen des abendlichen Himmels zu weichen begann, wenn das geschäftige Rasseln, Kreischen und Schreien in der

Nähe des Hafens überging in die ruhigeren Töne des Nachmittags, das Rauschen des Meeres am unteren Ende der Stadt deutlicher wahrnehmbar wurde, der erste erlösende Luftzug durch die von weißem Staub überpuderten Palmenfächer strich, in der Mellah das Murmeln der Abendgebete und in der Medina die merkwürdigen Rufe der Muezzins erklangen – da wußte ich, nun würde er wiederkommen, der graue Wölfling mit den leeren Augen, würde lautlos hinter mir einhertrotten, nirgends und überall zugleich. Ein Tropfen Blei im Herzen und Steinbrocken an den Füßen. Der graue Wölfling mit dem lauernden Blick, der an mir haftenblieb wie Spinnweben in einem leerstehenden Haus. Wenn du jetzt umfällst und liegenbleibst im Staub dieser fremden Straße, wird dich niemand vermissen in dieser Stadt.

Wo blieb in solcher Stunde der feste Wille, die Phantasie und das bißchen Humor? Reiß dich zusammen, redete ich mir mit dem Rest meiner Kraft am gefährlichen Rand der Verzweiflung selbst zu, weil es sonst niemanden gab, der es getan hätte. Fürchte ihn nicht, den grauen Wölfling, der nur in der Umrißlosigkeit des Dämmerlichts lebt.

Pirsch dich nicht an mich heran, Wölfling, sagte ich manchmal sogar ganz laut, weil es sonst niemanden gab, der mir Mut zusprechen konnte, du siehst doch, ich fürchte mich nicht.

Um mir ein wenig zu helfen und das Sichnichtfürchten zu erleichtern, ging ich gegen Abend, ja, auch das an fast jedem Abend, in ein kleines maurisches Café, in die so überraschende Oase im viereckigen Hof eines modernen Hochhauses am Ende der breiten, zum Hafen von Casablanca führenden Avenue des Quatre Zouaves. Hier, zwischen den hohen Häuserwänden, fühlte ich mich halbwegs in Sicherheit, hier an den Tischchen mit den niedrigen Schemeln und den winzigen Schälchen mit dem süßen, aromatischen Kaffee Arabiens oder Gläsern mit wunderbar erfrischendem Mentholtee. Oft steckte ein Zweiglein in dem heißen Getränk, dessen weiße Blüte auf dem Rand des Glases lag und herben Pfefferminzduft ausstrahlte. Still war es hier, ein paar Palmen in der Mitte des Hofes verströmten kühlende Luft, und wenn in späterer Stunde der Mond über die Hausmauer glitt, war sein Licht so scharf und weiß, daß man an den kleinen Tischchen lesen konnte.

Ich las jedoch nicht. Die ein, zwei ruhigen Stunden auf dieser kleinen Insel inmitten des hektischen Gewoges der fiebrigen Stadt, in der es von gewesenen und künftigen Häftlingen wimmelte, diese Atempause, für die ich täglich ein paar Centimes vom ohnedies hungrigen Munde absparte, waren viel zu kostbar. Das maurische Café war der einzige Ort, wo ich mit ebenso jungen Menschen zusammenkam, wie ich es war, wo ich Späße hörte wie einst in früheren Zeiten, mitunter sogar auch ein schmeichelndes Wort, häufiger allerdings eigenartige, wilde Dinge und ebenso ungestüme Pläne.

»Die Berber oben im Atlas sammeln Waffen ...« – »Bis der Sohn des Sultans großjährig erklärt wird ...« – »Kurz nach Mitternacht, wenn der Schatten des Minaretts an der Rückwand der Moschee liegt ...« – »Im Koran steht geschrieben ...« – »Aber bei Marx habe ich gelesen ...« – »Zwei Mädchen im verbotenen Viertel werden mit ihm sprechen ...« – »Ich bin Prophet, aber profan ...« – »Nur keine Angst vor der Gestapo, unsere Verstecke findet sie nie ...«

Eigentlich hatte ich keine sehr große Angst, schon gar nicht, wenn ich mit diesen Studenten zusammen saß, von denen einer der Sohn eines wirklichen Kalifen und ein anderer ein aus Ungarn geflohener Jude war. Mit ihnen war ich einfach genauso wie sie: jung und tapfer und sogar ausgelassen. War ich allein, konnte ich nur tapfer sein, nichts anderes blieb mir übrig. Im Casablanca jener Wochen und Monate gab es Spitzel, die den verschiedensten Polizeien dienten. Gestapo in Zivil und Widerstandskämpfer in Uniform. Deutsche Offiziere und französische Offiziere. Antifaschisten aus ganz Europa und Antifaschisten aus Afrika und Amerika. Französische Résistance und marokkanische Résistance. Deutsche Spione und französische Spione, aber auch amerikanische, spanische, britische und italienische. Hilfskomitees, die helfen wollten, und andere, die Geld haben wollten. Gute Menschen und Betrüger. Hochstapler und Selbstmörder, Prostituierte und Lebedamen. Strenggläubige Muselmanen und orthodoxe Juden. Einen tschechischen General, einen tschechischen Ingenieur, ein paar tschechische Kaufleute, eine Handvoll tschechischer Flüchtlinge. Und irgendwo, in Sandgruben am Rande der Wüste, internierte tschechische Antifaschisten.

Weil ich jung war, glaubten alle Leute, sie müßten mir Ratschläge erteilen. Weil ich jung war, traute ich ihnen zum Glück nicht. Gewisse Menschen stellten mir nach. Es war ermüdend, aber unerläßlich, sie geschickt und möglichst schnell und ohne jedes Aufsehen loszuwerden. Drohungen vergaß ich bald, vor Verlockungen war ich ständig auf der Hut. Alles war anders als je zuvor im Leben, ich hatte keine Erfahrung damit, und deshalb hatte ich auch kaum Angst. Bloß vor dem grauen Wölfling, der jeden Abend auftauchte. Wie eine Wunde, die stets von neuem brennt.

Manchmal genügte es, daß irgendwo ein erhelltes Fenster leuchtete. Dahinter saß eine Familie rund um den Abendtisch. Ich blieb auf der anderen Seite der Straße stehen, an eine Häuserwand gelehnt, blickte in das helle Viereck hinüber, konnte nicht weitergehen, und die Wolfszähne der Einsamkeit gruben sich tief in mich ein. Ein andermal trat irgendwo eine Frau auf den Balkon ihrer Wohnung und rief: »Kinder, kommt nach Hause. Das Essen steht schon auf dem Tisch.« Oder ein Pärchen stand eng umschlungen in einem Hauseingang. »Ich muß schon gehen«, sagte das Mädchen, gerade als ich vorbeikam, »Mutter wird sonst unruhig.« Hinter einem Fenster erblickte ich einen Mann, der gemächlich seine Pfeife anbrannte, gähnte und eine Zeitung entfaltete. Sah eine Frau, die ein Kopfkissen zurechtschüttelte, beobachtete eine Mutter und ihre Tochter, die gemeinsam Geschirr spülten.

Das alles nahm ich von der Straße her wahr, sah die Menschen in ihren Heimen, spürte, wie der Tag zu Ende tröpfelte. Es dämmerte, und niemand wartete auf mich. Es gab nirgendwo ein Zuhause mehr.

Neben mir hockte, stumm und mit leerem Blick, mein einziger, unentrinnbarer Weggefährte, der graue Wölfling der Verlassenheit.

Ein Tropfen Blei im Herzen.

Einmal, ein einziges Mal in dieser ganzen Zeit, wurde ich in eine Familie eingeladen, in das Haus eines marokkanischen Juden. Als ich hinkam, stellte ich mit Verblüffung fest, daß der Mann zwei Frauen hatte, wie seine muselmanischen Freunde drüben in der Medina. Eine ältere und eine junge Frau. War das bei Juden überhaupt möglich? Zum Abendesssen gab es in diesem Haus eine große, himmelblaue Torte, die wohl mit allen Gewürzen

Arabiens bedacht worden war. Auf jeden Fall mit all seinem Pfeffer. Niemals hatte ich geahnt, daß Essen so scharf sein konnte. Übrigens war alles ganz anders in diesem Haus, anders als meine Vorstellungen, anders als meine törichte Hoffnung. Ich ging nie wieder hin.

Auch später, zu anderen Zeiten, in anderen Ländern und anderen Städten kam es mitunter vor, daß ich in der Dämmerstunde durch fremde Straßen ging, in den Wohnhäusern leuchteten die Fenster, die Menschen eilten nach Hause …, und plötzlich schlurfte wieder der kleine, graue Wölfling hinter mir her. Wäre es jetzt nicht schön, auch unter einer ganz bestimmten Lampe zu sitzen, in einem Zimmer, das man verläßlich kennt? Aber nun blieb das bloß ein Gedanke, eine kleine Schwäche, vielleicht eine Erinnerung an das einstige Gefühl der Verlassenheit. Sie verflüchtigte sich ebenso rasch, wie sie gekommen war. Es gab keine neue Wunde mehr. Jetzt hatte ich ein Zuhause.

Damals, in Afrika, war der Wölfling vor allem in der abendlichen Dämmerung gefährlich gewesen. Viele Jahre später trat völlig unerwartet eine Zeit ein, da er sich eher in der erwachenden, morgendlichen Dämmerstunde einzuschleichen pflegte.

Auch dagegen muß und kann man sich wehren.

Die Nacht bricht sacht entzwei. Ein schimmernder Lichtfinger schiebt sich vom Fenster her ins Zimmer. Die Dinge ringsum nehmen allmählich wieder ihre vertrauten Formen an. Die Blattpflanze im großen Blumentopf, der Lehnstuhl, der Morgenrock über der Sessellehne. Ein Lastwagen dröhnt durch die Straße. Bremsen kreischen, irgendwo geht eine Tür auf, Milchkannen scheppern über das Pflaster. Im Haus wird ein Wasserhahn aufgedreht. Der Aufzug surrt. In einer Küche klappert Frühstücksgeschirr. Jemand läuft die Treppe hinab. Die Straßenbahn klingelt. Auf dem Hof rasselt die Müllabfuhr. Das Staccato eiliger Schritte. Ein Gruß hallt durch die noch leere Straße.

Ein neuer Tag beginnt, und der Mensch in dem Zimmer mit dem fahlen Morgenlicht weiß nicht warum, ist aus seinem Geleise geworfen, forscht fieberhaft in seinem Gedächtnis nach dem Ursprung, dem Grund für die jäh eingetretene, aushöhlende Leere in seinem Innern, drückend wie heiße Steine in einem ausgetrockneten Flußbett. Ein Tropfen Blei im Herzen, ein Tropfen Blei im Kopf.

Warum kann sich der erwachende Mensch nicht einreihen in die Geschäftigkeit des morgendlichen Hastens wie eh und je? Gestern noch hat er gestöhnt: Jetzt schon der Aufzug? Schon wieder die Müllabfuhr! Müssen die in der Küche unter uns ... Nur noch ein Viertelstündchen!

Heute liegt er mit weit geöffneten Augen und saugt die bekannten Geräusche förmlich auf, lauscht ihnen nach. Alle anderen Menschen müssen aufstehen. Alle anderen haben es eilig, auf sie wartet das Auf und Ab des gewohnten Alltags. Bei ihm hat sich etwas geändert. Bloß was es ist, das ihn so zusammenpreßt in dem anbrechenden Morgen? Sein Alltag schien doch so einförmig zu sein, die ständige Eile lästig. Und jetzt?

Unter dem Fenstersims, an der glatten, zu dieser frühen Stunde noch farblosen Wand hockt der graue Wölfling und blickt mit leeren Augen ins Zimmer. Blickt hinüber zu dem traurigen Menschen, hebt schon die weichen Pfoten, um lautlos zu ihm zu schleichen, öffnet stumm das Maul.

Wehre dich!

Steh auf, Freund Mensch, wer auch immer du bist, zögere keinen weiteren Atemzug mehr. Stell dich auf deine Beine, geh auf den Lautlosen, den Blicklosen zu, zieh den Vorhang hoch, laß das Tageslicht hereinfluten, und der graue Wölfling, der dir aufzulauern vermeint und der es auf den Herz abgesehen hat – ein Tropfen Blei genügt! –, wird sich in Nichts auflösen, in sein eigenes Nichts.

Blick auf die Dächer der Häuser oder blick hinunter in die Straße, betrachte die Bäume und den Himmel, horche auf die Geräusche des Tages, sie grüßen dich, du mußt es nur hören. Wenn ein Vogel fliegt, Rauch aus den Schornsteinen aufsteigt, Blätter sich wiegen und über der Stadt die Kranzadern aus Draht plötzlich in Schwingungen geraten, dann wisse, daß jede dieser Bewegungen auch dir gilt. Denn solange du atmest, lebst du, und es gibt keine Macht der Welt, die einen Lebenden zum Toten stempeln kann, wenn er es nicht will. Kein Wölfling bringt das zuwege.

Schüttle den Schlaf ab, Bruder Mensch, nicht umsonst sagt man ihm nach, daß er mitunter bleischwer sein kann. Richte dich auf, und sieh dich um.

Rings um dich beginnt ein neuer, unwiederholbarer Tag. Vielleicht gerade der, an dem alles möglich ist.

Glas und Porzellan

Es war ein schwüler Augustmorgen. Die Menschen auf der Straße schienen schon zu dieser frühen Stunde von der Hitze niedergedrückt zu sein.

Im Fenster eines der überfüllten Eisenbahnwagen auf dem sechsten Gleis des Prager Hauptbahnhofs schimmerte ein blasses Frauengesicht wie festgenagelt. Ein bewegungsloser weißer Fleck, darin zwei braune Nußschalen, in denen unruhige Flämmchen flackerten. Als der Schaffner zum zweiten Mal an diesem Fenster vorbeikam, trat er dicht an den Wagen heran, blickte hinein und sagte:

»Herrschaften, könnte man für diese Dame nicht irgendwo noch einen Sitzplatz finden? Sie sehen doch, daß ...«

»Nein, nein. Danke. Ich stehe lieber, wirklich.«

Die Stimme klang so erschreckt, daß der Schaffner nur erstaunt die Augenbrauen hochzog und mit den Achseln zuckte. Zerzauste Nerven, da kann man nichts machen.

Ein Mann mit roter Kappe gab das Abfahrtszeichen. Hüben und drüben begann hastiges Winken. Der Zug setzte sich in Bewegung. An den Wagenfenstern zog die alltägliche Landschaft des Spätsommers vorbei. Abgeräumte Felder, Badende an einem Teichufer, Astern und Dahlien in den Eisenbahnergärtchen bei den Streckenübergängen.

Das blasse Frauengesicht lehnte am Fensterrahmen. Zwei schlanke, unnatürlich weiße Hände umklammerten krampfhaft den Riemen einer großen Tasche, als wollten sie sich an ihm festhalten. Die Nägel an den dünnen Fingern waren kurz und gerade geschnitten. Um den Kopf lag dunkles, glattes Haar, da und dort von einem glitzernden Faden durchzogen und im Nacken mit einem blauen Bändchen zusammengehalten.

Ein komisches Frauenzimmer, dachte der junge Mann in der grünen Sportjacke, der neben ihr stand. Wie aus Stein oder eher noch wie aus geblasenem Glas. Wenn man die berührt, klirrt es am Ende, wie so ein Glöckchen am Weihnachtsbaum.

Wahrscheinlich krank, diese Person, erwog der vierschrötige Riese an ihrer anderen Seite und schob sich angewidert ein bißchen weiter.

Der Zug ließ Städte und Dörfer hinter sich, eine Zeitlang begleitete ihn eine von Pflaumenbäumen gesäumte Landstraße, dann ein Fluß, auf einem hohen Schornstein flog ein Storchennest vorbei. Die Frau mit dem weißen Gesicht stand weiterhin regungslos am Fenster. Schaute sie überhaupt hinaus? Nahm sie den friedlichen Augustmorgen ringsum zur Kenntnis?

Sie nahm ihn mit allen Poren auf, sah jede Blume am Wegrand, roch den Duft der reifen Pflaumen, begrüßte mit den Augen die Spatzen, die in einer Pfütze planschten, und die Katze, die sich auf der Schwelle eines einsamen Hauses sonnte. Bei all dem klang in ihr noch die letzte Nacht nach, die sie, bei Freunden aufgenommen, durchwacht hatte, um die ungewohnt tröstliche Stille eines ruhigen Zimmers zu genießen, die schmeichelnde Weichheit des Bettes, das so lange entbehrte Wunder der Dunkelheit. Hinter dem Fenster, vor dem sie den Vorhang nicht zugezogen hatte, erloschen allmählich andere Fenster, alles versank in den schwarzblauen Fluten der Nacht, um in einigen Stunden ebenso unhörbar und unaufhaltsam wieder als neuer Tag zu erwachen. Rosa und hellgrün, ein neuer Morgen.

Eine durchwachte Nacht, in der sie, wie so fürchterlich oft vorher, noch einmal hartnäckig die Gedanken an Mann und Kind verdrängt hatte, die Vorstellung vom Wiedersehen mit ihnen. Es gibt viele schlimme Dinge, die man aushalten kann, aber manche guten, besonders wenn sie schon beinahe greifbar sind, kaum. Dem Schlag einer harten Hand kann man standhalten, aber der Vorstellung eines warmen Kinderhändchens?

Der Zug erreichte den Bahnhof einer größeren Stadt. Der junge Mann in der grünen Sportjacke sagte: »Wenn Sie gestatten, ich trage Ihnen den Koffer hinaus.« Es überraschte ihn kaum, daß er so leicht war, als ob überhaupt nichts darin wäre.

Die Frau bedankte sich und blieb allein auf dem Bahnsteig zurück, wartete ein wenig. Aber so sehr sie auch Ausschau hielt, niemand kam ihr entgegen. Wahrscheinlich war ihr Telegramm nicht rechtzeitig eingetroffen. Enttäuscht, zugleich aber auch fast ein wenig erleichtert – das Wiedersehen war noch ein bißchen hinausgeschoben – ergriff sie ihr Köfferchen und machte sich unsicher in die fremde Stadt auf.

Zuerst mußte sie nach der Straße fragen, die sie auf einem Zettel notiert hatte, konnte sich aber nicht entschließen, wen sie ansprechen sollte.

Drehen sich die Menschen nicht nach mir um? Wie lange bin ich nicht mehr einfach durch eine Straße gelaufen?

Ratlos blieb sie an einer Ecke stehen.

»Suchen Sie etwas? Kann ich Ihnen helfen?«

Ihr Herz begann wild zu klopfen, die Augen versanken noch tiefer in ihre dunklen Schatten, als sich der prüfende Blick eines älteren Verkehrspolizisten auf sie heftete. Die Uniform, gewiß, eine weiße Mütze und keine grüne, aber dennoch ...

»Hier, diese Adresse«, stotterte sie und hielt ihm ihren Zettel hin.

»Mal sehen. Na, da müssen Sie erst dort nach rechts einbiegen, dann geradeaus bis zur Hauptstraße gehen, noch ein Stückchen nach rechts, dann überqueren Sie die Fahrbahn und sind am Ziel.«

»Danke.«

Der Mann legte grüßend zwei Finger ans Mützenschild und ging weiter. Alle Menschen schienen irgendwohin zu eilen.

Und wenn etwas passiert ist? Unsinn, das Telegramm ist einfach noch nicht angekommen.

Jetzt sind wohl weite Röcke in Mode. Kakao in Flaschen. Das ist etwas Neues. Was er kosten mag?

Und wenn wirklich etwas passiert ist? Mit der Kleinen. Es ist Sommer, beim Baden oder ...

Sie mußte ihr Köfferchen für einen Augenblick auf den Gehsteig stellen. Das Herz wollte sich nicht beruhigen. Ein paar Kinder rannten vorbei und schrien: »Wir sind die Feuerwehr!« Petruschka war nicht dabei.

Das Haus Nr. 726 war drei Stockwerke hoch, die Hausbesorgerin wohnte zum Glück im Erdgeschoß. Eine nett aussehende Frau mit sorgfältig zurechtgemachter Frisur.

Sie fragte zögernd nach der Wohnung ihrer Familie.

»Und wer sind Sie?« wollte die Hausbesorgerin wissen, eher neugierig als streng.

»Die Frau von Doktor Starek.«

»Ja, wissen Sie denn nicht, daß der Herr Doktor im Krankenhaus arbeitet und um elf Uhr vormittags nicht zu Hause sein kann? Er hat übrigens nichts von Ihnen gesagt, als er hier kürzlich eingezogen ist.«

»Ich war im Sanatorium. Er wußte nicht, daß man mich schon so bald entlassen wird.«

»Na ja. Er wußte nicht, daß man Sie schon entlassen wird.« Die Frau nickte bloß. Man stellte lieber keine überflüssigen Fragen. »Schließlich geht mich das ja auch nichts an, nicht wahr? Also lassen Sie den Koffer erst mal hier, und gehen Sie zu ihm ins Krankenhaus. Sie können den Trolleybus nehmen.«

»Ich werde lieber zu Fuß gehen.«

»Aber das ist zu weit. Wenn Sie kein Kleingeld haben, leihe ich Ihnen ein paar Kronen. Der Herr Doktor gibt sie mir dann zurück.«

»Nein, nein, danke.«

»Na, wie Sie wollen. Ich dachte bloß, Sie brauchen vielleicht bißchen was, wenn man Sie so plötzlich aus dem Sanatorium entlassen hat. Gehen Sie geradeaus bis an die Ecke. Dort ist die Haltestelle. – Was ist denn? Wollen Sie nicht etwas trinken? Oder sich ein wenig hinsetzen?«

»Nein danke, das ist nichts. Geht schon vorbei. – Und die Kleine, ich meine unsere Petruschka ...«

»Die ist im Schulhort. – Ich würde Sie ins Krankenhaus begleiten, wenn ich nicht zur Schicht müßte. In die Franckfabrik, wissen Sie, das heißt in die Kaffeeprodukte, wie wir jetzt sagen.«

Die Menschen sind gut. Die Menschen sind wirklich gut. Die Frau hat gewiß begriffen, daß etwas los war, und war dennoch so freundlich. Pavel ist nichts passiert. Der Kleinen ist nichts passiert. Es wird schon alles irgendwie ... aber wie?

Der Pförtner im Krankenhaus blickte sie kaum an. »Doktor Starek? Das ist doch der Neue. Interne Abteilung, römisch sieben, Pavillon D, Laboratorium.« Da sie sich nicht von der Stelle rührte, fügte er, schon etwas verdrossen, hinzu: »Den Hauptweg bis nach hinten, dann nach links, dort sehen Sie es schon.«

In der Mittagshitze war der Hauptweg zwischen den weißen Hauswürfeln sehr lang. Endlich fand sie die Abteilung römisch sieben, auch den Pavillon D. Das Laboratorium war im zweiten Stockwerk. Vorsichtig, als ob jeder Schritt eine erschöpfende Leistung wäre, stieg sie die Treppen hoch. Durch die halb geöffnete Tür eines von Sonnenlicht durchfluteten Krankenzimmers sah sie zwei Frauen in weißen Betten. Sie beneidete sie fast.

Ein schwarzer Pfeil wies zum Laboratorium. Ein sauberer Korridor, an seinem Ende eine Glastür. Und dahinter Pavel. Groß, braungebrannt, mit einer kleinen Narbe über dem linken Auge.

Warum heißt Ihr Mann Starek und nicht Stárek wie ein richtiger Tscheche?

Pavel, den sie so lange nicht gesehen, nicht gehört, den sie so lange entbehrt hat.

Sehr interessant, daß er gerade in Frankreich gekämpft hat und daß es ihm überhaupt nicht eingefallen ist, nach Hause zu fahren und sich gegen die Henker des eigenen Volkes zu stellen.

Pavel, den bei einem Überfall auf das Gestapokasino in Paris ein Splitter an der Stirn verletzt hat. Meine, nur und nur meine Stelle, pflegte sie die eingefallene Narbe über seinem linken Auge zu nennen.

Sie streckte die Hand nach der Türklinke aus und ließ sie gleich wieder los, als ob sie sich verbrannt hätte.

»Gehen Sie nur ruhig weiter«, erklang eine freundliche Stimme hinter ihr. Sie wandte sich um. Eine Nonne, ganz in Schwarz, nur mit zwei riesengroßen, steif gestärkten, schwanenweißen Haubenflügeln auf dem Kopf war hinter sie getreten: »Hier wird niemand aufgerufen.«

»Ach so«, flüsterte sie und rührte sich nicht von der Stelle. Sie kann doch nicht nach allem, nach der ganzen langen Zeit, einfach hineingehen. Pavel wird erschrecken, irgend etwas geschieht, und alles beginnt von neuem.

Ein Schädling bleibt immer ein Schädling, der bringt einen Menschen auch mit einem gewöhnlichen Aspirin um die Ecke.

»Könnten Sie bitte so freundlich sein und Doktor Starek herausrufen? Ich fühle mich nicht ganz wohl und fürchte, daß drinnen ...«

Die Nonne verschwand wortlos hinter der Glastür. Nach einer Weile schob sie den Kopf mit den steifen Schwanenflügeln wieder heraus.

»Er ist nicht hier, ist ins Sekretariat gegangen. Sie müssen ein paar Minuten warten.«

Sie stieg die Treppen wieder hinunter, trat in die glühende Sonne, schleppte schon kaum die Füße, ein kühler Tropfen Schweiß rann ihr unangenehm den Rücken hinunter. Da erblickte sie ihn.

In Gedanken, den Kopf leicht gesenkt, in weißem Kittel und weißer Hose ging er langsam auf den Pavillon zu. Plötzlich hob er den Blick. Dann öffnete er nur noch die Arme. Und hatte immer noch die kleine Narbe über dem linken Auge.

»Ich wußte, daß du uns findest. Durftest du nicht telegrafieren? Wir wären doch an die Bahn gekommen. Petruschka spricht immerfort von dir. Géraldine, ma Géraldine!«

Unwillkürlich nannte er sie bei dem Namen, den sie getragen hatte, als sie sich in Paris nach monatelanger Trennung unerwartet wiedersahen. Auch damals hatten sie lange nichts voneinander gehört und die Hauptsache dennoch gewußt.

»Ich gehe mich nur schnell umziehen. Setz dich inzwischen hier auf die Bank. Bin gleich wieder da.«

Sie saß auf der Bank, und ihre Augen brannten unerträglich.

»Weißt du, daß sich Franta ein Motorrad gekauft hat?« zwei hübsche Blondinen rauschten in großgeblümten Kleidern an ihr vorbei. Ein alter Mann zog einen Gartenschlauch heran und begann ihn am Rande des Rasens langsam auseinanderzurollen. Alle haben ihren Platz, irgendein Ziel. Ihre Kehle war zusammengeschnürt, so daß sie nicht einmal leer schlucken konnte.

Warum essen Sie nicht? Sie glauben doch nicht im Ernst, daß wir hier einen Hungerstreik dulden würden? Wollen Sie in die Zwangsjacke?

Ein Mann und eine Frau in Trauerkleidung schüttelten umständlich einen großen Strauß gelber Dahlien zurecht, ehe sie den nächsten Pavillon betraten. Ihr Kopf schmerzte, alles in ihr bebte. Irgendwo schaltete jemand den Rundfunk ein. Aus dem geöffneten Fenster hinter ihr erklangen die weichen Stimmen von Violinen. Plötzlich gab alles in ihr nach. Sie konnte sich gerade noch die Augen verdecken.

Pavel Starek kannte seine Frau gut. Sie hatte nicht geweint, als sie im Krieg von der Gestapo umstellt wurden, sie hatte bei der schweren Geburt ihrer Petra nicht geweint und auch nicht, als man sie an jenem Tag vor zwei Jahren holen gekommen war, wer weiß wegen welcher unsinnigen Beschuldigung. Jetzt war sie nicht zu beruhigen. Was hatte man mit ihr in den zwei Jahren angestellt?

Als sie sich wieder in der Gewalt hatte, gingen sie zusammen einen kleinen Fluß entlang und versuchten, über alltägliche Dinge zu sprechen. Nur die langen Pausen zwischen den einzelnen Sätzen sagten mehr.

»Ich habe bei Hradeckýs geschlafen. Dort habe ich auch erfahren, wo ich euch finde.«

»Ich war sicher, daß du noch im Laufe des Sommers zurückkommst. Nach dem Tod Stalins und dem, was dann folgte, konnte ich es kaum noch ertragen. Morgen lasse ich dich bei uns im Krankenhaus gründlich untersuchen.

Machen Sie sich nichts vor, zu Hause weiß man auch schon allerhand über Sie.

»Du arbeitest im Laboratorium, Pavel? Nicht als Arzt?«

»Vorläufig, weißt du. Ich bin ja auch noch nicht lange hier.«

Ihre Frau sitzt, Sie selbst sind verdächtig, auch wenn wir Sie im Laboratorium anstellen, riskieren wir etwas.

»Kann sich Petra überhaupt noch an mich erinnern?«

»Du Dummes, kann man denn seine Mutti vergessen? Hätte ich das zugelassen?«

Die Stadt ringsum kreischte, schrie, eilte, war ganz mit sich beschäftigt, hatte sonst kein Interesse, hatte keine Zeit. Die Stadt kannte sie nicht, war auf sie nicht neugierig, brauchte sie nicht. Wen kümmerte es, daß sie nun hier leben sollte.

»Pavel, du fragst gar nichts. Ich habe aber wirklich nichts ... Es war zum Wahnsinnigwerden.«

»Mir mußt du doch nichts erklären. Wir gehen jetzt nach Hause – sehr schön ist es nicht gerade, aber es könnte schlimmer sein –, und ich werde Petruschka holen.«

»Gut.« Sie blieb stehen. Konnte sich schon wieder nicht von der Stelle rühren.

Als sie endlich zu dem Haus in der unschönen schmalen Gasse kamen, wies Pavel Starek auf zwei Fenster schon fast unter dem Dach.

»Dort ist unsere Wohnung.« Auf dem Fenstersims rauften Spatzen. »Ich streue ihnen immer morgens die Reste vom Frühstück hin.«

Sie nickte bloß. Fenster, Spatzen, blauer Himmel. Und Pavel. Und in einer Weile Petruschka, Petruschka.

Das ist doch alles, warum juble ich nicht, warum möchte ich am liebsten schon wieder heulen?

»Pavel«, sagte sie und blickte ihn dabei nicht an, »ich bin wie ausgelöscht, jeder Gedanke in meinem Kopf lauert mir auf. Ich kann mir überhaupt nicht vorstellen, daß ich einmal wieder wirklich frei sein werde.«

»Aber Géraldine«, sagte er leise und öffnete das Haustor, »du bist doch unsere Géraldine.«

Die Kleine blieb an der Küchenschwelle stehen. Atemlos. Als ihr Vater mit einemmal im Schulhort erschienen war und sagte: »Komm schnell nach Hause, Mutti ist da!«, war sie den ganzen Weg gelaufen. Auf der Treppe begann sie zu trödeln. Jetzt stand sie in der Tür und richtete denselben Blick auf die Mutter, wie die auf sie.

Warum ist sie so blaß zurückgekommen? Ist sie krank?

Gewachsen ist das Kind, aber auch sehr mager. Kein Knopf an dem Blüschen paßt zum anderen.

»Guten Tag«, sagte die Kleine schließlich artig, so wie zur Frau im Milchladen oder zum Lehrer in der Schule. Sie stand immer noch an der Schwelle.

»Tag Petruschka. Du hast eine sehr schöne Spange im Haar.« Nur nicht verschrecken, das arme Vögelchen.

»Die haben wir noch in Prag gekauft«, schaltete sich Pavel ein und legte dem Töchterchen den Arm um die Schultern. Dankbar schmiegte es sich an ihn und ließ sich bis zur Mutter führen.

»Ich habe auch einen neuen Rock«, bemerkte sie, um ihren guten Willen zu zeigen, »willst du ihn sehen?«

»Selbstverständlich. Wo ist er denn?«

Erleichtert lief die Kleine zum Schrank.

»Sie wird sich bald gewöhnen«, flüsterte Pavel seiner Frau zu und strich ihr dabei übers Haar. Das hätte er nicht tun sollen. Sie konnte ohnehin kaum an sich halten.

»Hier. Ich habe gleich alles gebracht.«

Petruschka schleppte ihre ganze Garderobe herbei. Die Mutter setzte sich zu ihr auf den Fußboden, und sie nahmen gemeinsam Stück für Stück durch.

»Da werde ich dir einen anderen Knopf annähen, und diesen Kragen überbügeln wir ein bißchen. Wie gefällt es dir im Schulhort?«

»Fein«, sagte Petruschka und dachte dabei an den Vanillepudding mit der Himbeere auf der Spitze, den das bravste Kind der Woche am Sonnabend zur Belohnung bekam. »Aber der Toník ärgert mich immer.«

»Den zeigst du mir mal, ja? Damit ich weiß, wie er aussieht.«

Petruschka blickte sie prüfend an. In diesem Augenblick begriff sie, daß sie nun wieder eine Mutter hatte, die sie vielleicht am Nachmittag vom Hort abholen wird wie andere Mütter ihre Kinder, und daß sie möglicherweise nicht mehr allein zum Bäcker gehen mußte, der sie immer vor allen Leuten lächerlich machte. »Na, was will die Mücke heute?« oder so ähnlich.

»Du bist meine Mutti, nicht?« sagte sie auf einmal und berührte dabei ihre Hand. »Wo warst du so lange, und warum hast du uns nur so selten geschrieben?«

»Mutti war krank«, antwortete Pavel Starek schnell, »das habe ich dir doch gesagt.«

»Na, ganz weiß und ziemlich zusammengeschrumpft bist du ja«, stellte Petruschka sachlich fest, »sooo klein.«

»Aber meine Haare sind lang. Soll ich mir einen Zopf flechten?«

»Ich«, jauchzte Petruschka, »ich will ihn dir flechten. Darf ich?«

Das Eis war gebrochen.

Ihr eigenes Kind wird sich Ihrer schämen.

Ihr eigenes Kind schlief an diesem Abend ein Stündchen später als gewöhnlich ein, und ehe es sich unter die Decke verkroch, sagte es noch mit einem kleinen Seufzer der Erleichterung in der schläfrigen Stimme: »Ihr beide seid meine Eltern, nicht wahr?«

Einige Tage später begriff die Heimgekehrte, daß sie zu dritt von Pavels Gehalt nicht leben konnten. Seine Kollegen hatten festgestellt, daß ihr nichts Besonderes fehlte, sie war bloß ziemlich schwach und nervlich völlig erschöpft. »Ordentlich essen, junge Frau«, rieten sie, »essen, schlafen und an die frische Luft gehen. Und sich keine unnötigen Sorgen machen. Das ist die Hauptsache, und in einigen Wochen sind Sie wieder obenauf.«

Sie mußte aber vor allem zur Polizei gehen, um dort

ihre Ankunft und ihren vorläufigen Aufenthalt in dieser Stadt zu melden. Das war die Hauptsache.

»Ich komme mit«, erbot sich Pavel. Das lehnte sie ab. »Laß mich mitgehen«, drängte er. »Wer weiß, wie dir dort zumute sein wird.«

Sie ging allein.

Ein großes Gebäude, ein kahles Treppenhaus mit vielen Türen. Jede trug eine Nummer, keine hatte ein Namensschild. In dem düsteren Korridor dieses Amtsgebäudes überfiel sie panische Angst. Warum war sie bloß nicht Pavel gefolgt? Hinter jeder Tür vernahm sie Stimmen, wußte sie einen Schreibtisch und eine Schreibmaschine ...

Wie heißen Sie? Geburtsdatum, Wohnort, genaue Adresse. Aber ein bißchen Tempo, ja?

»Kann ich Ihnen behilflich sein?«

Sie zuckte zusammen. Hinter ihr stand ein breitschultriger Beamter in Uniform, weder freundlich noch unfreundlich, einfach amtlich korrekt. Sie holte aus ihrer Handtasche einen schmalen Streifen Papier hervor, mit der Bestätigung, daß sie sich von ... bis ... in Untersuchungshaft befunden hatte. Kein Wort mehr. Daß es ein Irrtum war, stand nicht darauf.

»Ich möchte mich anmelden«, sagte sie, und es war ihr unangenehm, daß ihre Stimme dabei ein wenig schwankte. Sie hielt ihm den Papierstreifen hin.

»Aha«, die Bestätigung schien auf den Mann keinen Eindruck zu machen. »Da müssen Sie wahrscheinlich zur Tür Nr. 8.«

Die fand sie am Ende des Korridors.

»Also zeigen Sie«, sagte der Beamte im Zimmer Nr. 8, als er das Papier in ihren Händen erblickte. Dann las er den dürftigen Satz und wendete den Zettel unschlüssig hin und her. »Viel haben die Ihnen nicht gerade mitgegeben.«

»Ich war in Untersuchungshaft. Sie wurde mit positivem Ergebnis für mich abgeschlossen.«

Über das, was hier war, dürfen Sie mit niemandem sprechen.

Aber das ging nicht. Das war einfach nicht möglich. Die Menschen hatten doch ein Recht darauf zu wissen, wen sie vor sich haben.

»Schon gut, ich frage Sie ja nichts. Sie wollen sich wohl anmelden, wie? Ihr Gatte hat sich auch bei mir angemeldet, als er kürzlich hierher übersiedelt ist. Das muß eben sein.«

Er füllte mit schwerer Hand ein Ausweisformular für Sie aus. »Werden Sie Arbeit suchen?« fragte er dann noch und blickte sie über den Rand seiner Brille an. »Na, es wird sich schon etwas finden. Wo das Arbeitsamt ist, wissen Sie?« und da sie mechanisch nickte: »Also gut. Und von jetzt an weisen Sie sich nur mehr mit diesem Papier hier aus, das andere brauchen Sie nicht mehr. Ich meine als Ausweis. Na denn, auf Wiedersehen.«

In einer Kleinstadt ist vielleicht alles ein bißchen anders als in einer großen. Die Menschen hier sind einfacher, manches könnte leichter sein. Die Erzieherin im Schulhort hatte zum Beispiel nur gesagt: »Ich bin froh, daß Petruschka ihre Mutti wieder zu Hause hat.« Sie sagte es herzlich, aber eine feine Spitze hat sie dennoch herauszuhören vermeint.

Über das, was hier war, dürfen Sie mit niemandem sprechen.

In die Schule ging sie vorläufig lieber noch nicht. Dem Lehrer begegnete sie übrigens auf der Straße. »Wir werden uns an der Hand halten, ja?« hatte Petruschka vorgeschlagen, als sie zum Einholen gingen. »Das ist meine Mutti«, verkündete sie im Bäckerladen, bei der Milchfrau und in der Fleischerei. »Guten Tag, Herr Lehrer, das ist, bitte, meine Mutti.« Der junge Mann blieb verlegen stehen, wußte nicht, wie er sich der Frau gegenüber verhalten sollte, über die man allerlei munkelte. Sie war ja auch einige Wochen später in die Stadt gekommen als ihr Mann und das Kind. Doktor Starek hatte allerdings bei jedem Besuch in der Schule betont: »… meine Frau und ich möchten gern … – Meiner Frau und mir liegt sehr daran …« Wer weiß, was in Prag wirklich los war, auch darüber hörte man ja allerhand.

»Guten Tag«, sagte er schließlich, »freut mich sehr. Petruschka ist brav, nur ein wenig unruhig. Na, aber jetzt …«

Na, aber jetzt. Was sich der junge Mann wohl dachte? Was kann ich ihm erklären?

»Ich werde in der Schule vorbeikommen«, versprach sie leise.

»Weißt du, er kannte dich nicht«, belehrte Petruschka sie, als sie weitergingen. »Jetzt kennt er dich. Die Frau Köchin im Hort hast du schon gesehen? Die ist streng, ich mußte immer alles aufessen. Aber ich zeig sie dir, ja? Und Frau Holá auch, das ist die Mutter von Dana, und Dana ist meine beste Freundin. Und du bis meine Mutti, gelt? Jetzt fährst du nirgends mehr hin, nein?« Die kleine Hand schloß sich fester um die ihre, die Augen bettelten.

»Jetzt nicht mehr«, sagte sie und drückte die heiße Kinderhand. Nein, jetzt schon nicht mehr, das mußte einfach wahr sein.

Im Arbeitsamt, das sie am nächsten Tag mit ihrem neuen Ausweis aufsuchte, empfing sie eine junge, auffallend füllige Frau. Auf den ersten Blick wirkte sie faul, so wie sie da aus dem unbequemen Bürosessel aus hellem Holz hervorquoll, der von allen Seiten ihren mächtigen Körper zusammenpreßte. Aber aus dem runden Gesicht blickten zwei lebhafte Augen der unbekannten Besucherin entgegen.

»Kommen Sie nur weiter. Setzen Sie sich, bitte, hierher. Gleich werde ich mich Ihnen widmen.« Sie langte nach dem klingelnden Telefon. »Verzeih, Genosse, ich habe Besuch. – Wie? – Weiß ich nicht, mein Guter, weiß ich wirklich nicht. Sowie ich ein Weilchen Zeit habe, komme ich, mir die Sache anschauen.«

Sie legte den Hörer auf, faltete die kleinen, weich gepolsterten Hände vor sich auf dem Tisch und sagte aufmunternd:

»Also bitte.«

»Ich bin gekommen, um Sie zu fragen, ob Sie mir nicht behilflich sein könnten, eine Arbeit zu finden. Wenn es ginge, möchte ich so bald als möglich . . .«

»Das ist ja unsere Aufgabe, wir sind doch das Arbeitsamt. Sie waren bisher im Haushalt?«

»Ja. Eigentlich nein, ich hatte jetzt bloß längere Zeit keine Anstellung.«

Die junge Frau musterte sie aufmerksam. »Sind Sie voll arbeitsfähig? Seien Sie mir nicht böse, aber Sie sind so blaß. Haben Sie irgendeine Qualifikation?«

»Ich beherrsche einige Fremdsprachen, schreibe auf der Schreibmaschine, stenografiere . . .«

»Du meine Güte! Und da brauchen Sie das Arbeitsamt? Um solche Leute reißt man sich hier. Sie sind nicht aus unserer Stadt, wie? Na, das konnte ich mir denken. Fremdsprachen!«

»Nein, ich bin nicht aus dieser Stadt. Wir sind erst seit

kurzem hier. Mein Mann arbeitet im Krankenhaus. Das sind meine Papiere.«

Sie holte ihren provisorischen Ausweis hervor. Die junge Frau langte danach. Dann erstarrte ihr Gesicht ein wenig, sie legte die Hand auf das wieder sorgfältig zusammengefaltete Papier und fragte sachlich:

»Sie haben keinen Bürgerausweis?«

»Nein. Das heißt, noch nicht. Aber Arbeit brauche ich sehr dringend. Ich würde ungern lange warten.«

Die Frau hinter dem Schreibtisch erhob sich ächzend aus ihrem Stuhl, schritt auf ein schäbiges Ledersofa unter dem Fenster zu und fordert ihre Besucherin fast freundschaftlich auf:

»Wissen Sie was, meine Gute? Wir setzen uns jetzt hier zusammen, und Sie sagen mir, aber offen, was Sie eigentlich brauchen. Wenn wir einander nicht verstehen, kann ich Ihnen nicht helfen. Also kommen Sie, und haben Sie keine Angst.«

Ich werde ihr alles sagen, sie soll wissen, wer ich bin.

Es war eine kurze Beichte. Im Hof spielten junge Leute Handball. Ehe sie das zweite Tor schossen, wurde es still in dem Zimmer, nur eine Feder krachte, als die junge Frau auf dem Sofa unruhig hin und her rückte.

»So ist das also«, bemerkte sie. »Die Fremdsprachen werden Ihnen in diesem Fall kaum nützen. Wenigstens vorläufig nicht. Haben Sie Kinder?«

»Ein kleines Mädchen.«

»Ihr Mann arbeitet im Krankenhaus, sagten Sie. Als Arzt verdient er doch nicht so schlecht, warum bleiben Sie nicht lieber eine Zeitlang zu Hause und ruhen sich gehörig aus, damit Sie ein wenig zu sich kommen? Es geht mich zwar nichts an, aber wenn ich Sie so anschaue ...«

»Mein Mann ist Arzt, aber er hat nur einen Laborantenposten bekommen.«

»Ach der Teufel soll doch …! Wissen Sie was, meine Gute, ich werde Ihnen eine Anstellung finden. Etwas Tolles wird es im Augenblick nicht gerade sein, das werden Sie verstehen, aber ich sage Ihnen noch etwas: Sie rappeln sich wieder hoch, bestimmt. Wenn man an diesem Tisch sitzt, dann kennt man sich allmählich in den Menschen ein bißchen aus. Gehen Sie jetzt ruhig nach Hause, und im Laufe einer Woche finde ich etwas für Sie, darauf können Sie sich verlassen.« Sie stand auf und reichte ihr die kleine weiche Hand. »Alles wird wieder gut«, fügte sie noch hinzu, »ich vertraue Ihnen, auch wenn Ihnen das wohl kaum etwas nützt.«

Sie drückte ihr schweigend die Hand. Die junge Frau merkte, daß ihrer Besucherin die Tränen in den Augen standen. Dennoch konnte sie nicht wissen, was sie soeben für sie getan hatte.

»Pavel, ich habe Arbeit! Die Frau hat Wort gehalten. Schau, was sie schreibt!«

Er warf das Netz mit den Einkäufen auf den Tisch und umarmte seine Frau. Endlich! Die ganze Zeit war sie wie gelähmt, wie hinter einem Nebelvorhang. Jetzt hatte sie zum ersten Mal mit ihrer alten, lebhaften Stimme gesprochen. Er hatte schon befürchtet, man habe sie um ihr Selbstvertrauen gebracht, ihre Frische und unverwüstliche Lebenslust sei hinter den Gittern geblieben. Géraldine pflegte noch heiter zu sein, wenn andere schon langsam alles aufgaben.

»Zeig mir den Wunderbrief. Arbeit ist das wenigste, was sie dir schulden. Ich bin neugierig, was man dir anbietet.«

Er setzte sich in der Küche mit dem tropfenden Wasserhahn, die zugleich auch ihr Wohn- und Badezimmer und Petruschkas Kinderzimmer war, auf den nächsten Stuhl. »Handel mit Bedarfsgegenständen für den Haushalt, Bezirksbetrieb in … stellt Sie als Leiterin der Musterabteilung des Sortiments Nr. 0874 an. Melden Sie sich in der Kaderabteilung …«

Er faßte sich an den Kopf. In der Kaderabteilung. Dort wird womöglich irgendein unerfahrener, eingebildeter Dummkopf sitzen, sie wird sich vor ihm demütigen müssen. Wird das denn niemals aufhören!

»Quäl dich nicht, Pavel«, bat sie leise. »Es ist doch wenigstens etwas. So würde ich wahrscheinlich verrückt werden. Ich laufe in der Wohnung herum und zähle unwillkürlich fünf Schritte hin und fünf Schritte her. Du gehst früh zur Arbeit, Petruschka geht in die Schule, und ich bleibe hier und bin zu nichts nütz.«

»Du sollst dich ausruhen, du brauchst es.«

Sie stand hinter ihm, die Hand in seinem Haar. Auf einmal beugte sie sich nieder und küßte ihn auf die Narbe über dem linken Auge.

»Sei nicht unglücklich, mon vieux. Ich weiß überhaupt nicht, was eine Musterabteilung ist, und die Bedarfsgegenstände für den Haushalt kann ich mir nicht einmal vorstellen. Vielleicht sind es Besen oder Zahnstocher oder Briefkästen für Wohnungstüren. Oder vielleicht Fliegenfänger, gestickter Küchenschmuck oder Klosettbürsten, was weiß ich. Und weil ich Fremdsprachen kann, werde ich vielleicht übersetzen, daß das alles Made in Buxtehude ist oder so.« Er lächelte traurig.

»Mutti«, bettelte Petruschka, die dabei war, eine Hausaufgabe über kurze und lange Selbstlaute zu schreiben, und umarmte sie, »du nimmst mich mit, ja?«

»Mitnehmen? Wohin denn, Liebling?«
»Bis du in die Bedarfsgegenstände gehst.«

Die ganze Sache entwickelte sich dann überraschend schnell.

Sie benötigte nur einen kleinen Anlauf und beschloß deshalb, sich erst in zwei Tagen vorzustellen. Vorher wird sie noch Pavels Hemden waschen und Petruschkas Blusen und Röckchen, damit alles hübsch in Ordnung ist, wenn sie ihre Arbeit antritt. So stand sie über dem kleinen Waschzuber mitten in der Küche, ein wenig atemlos ob der ungewohnten Anstrengung, rang jedoch tapfer mit dem Seifenschaum, der die Wäsche und teilweise auch sie selbst bedeckte, als jemand an die Tür klopfte. Sie trocknete die Hände und ging öffnen. Auf der Schwelle stand ein unbekannter, älterer Mann.

»Guten Tag. Frau Barbora Starková?«
»Sie wünschen?«
»Ich bin Sie holen gekommen«, sagte er gemütlich und schien verblüfft zu sein, daß die Frau vor ihm erblaßte. Sie erstarrte geradezu und blickte ihn so wild an, daß er im Geist brummte: Wohl zu fein oder was? Aber andererseits: Die abgewetzte Hose, die einfache weiße Bluse und statt einer Schürze nur ein durchnäßtes Geschirrtuch um die Hüften, Augen wie ein Kaninchen, das von einer Schlange gebissen wurde – das alles machte nicht den Eindruck einer beleidigten Dame.

»Kann ich einen Augenblick hereinkommen, junge Frau? Ich sehe, Sie sind gerade beim Waschen, aber wir brauchen Sie dringend. Da habe ich mir gesagt, daß ich bei Ihnen vorbeispringe und Sie frage, ob Sie nicht gleich mitkommen könnten. Sie haben heute Wäsche, das ist klar, aber die Musterabteilung Glas und Porzellan funktioniert schon zwei Monate lang nicht.«

Sie brauchen mich! Die Fliegenfänger, Zahnstocher und Besenstiele. Diese wunderbaren gewöhnlichen Dinge. Und ich denke immer nur an jenen Irrsinn, habe immer noch Angst.

»Ich muß den Haushalt ein bißchen in Ordnung bringen. Aber schon morgen wollte ich in die Kaderabteilung gehen.«

»Das eilt nicht. Die Hauptsache ist die Musterabteilung. Ich heiße übrigens Pátek, Frau Stárková ...«

»Freut mich sehr. Aber ich heiße Starková«, verbesserte sie ihn mit einem kleinen Lächeln und reichte ihm endlich die Hand, »ich habe ein Strichlein zu wenig.«

»Sie haben was? Ach so! Das ist gut, ha – ha, das ist wirklich gut. Besser, als wenn Sie ein Rädchen zu viel hätten, wie? Schauen Sie, junge Frau, lassen Sie hier alles stehen und liegen, und kommen Sie gleich mit mir. Schließlich bin ich auch aus der Kaderabteilung, also keine Angst. Ihre Papiere bringen wir schon noch in Ordnung. Das Arbeitsamt empfiehlt Sie, das genügt. Und in der Musterabteilung wird es Ihnen gefallen, Sie werden schon sehen.«

»Gut. Ich schlüpf nur in einen Rock und schreibe meinem Mann ein paar Worte auf, damit er weiß, wo ich bin. Um wieviel Uhr werde ich zurück sein?«

»Nach vier. Also spätestens. Und schreiben Sie ihm, daß es gleich hinter dem Schloß ist, Glas und Porzellan, wird ihm schon jeder sagen wo, damit er Sie findet, wenn er Sie vielleicht abholen möchte.«

Sie nahm ein Zeichenpapier, auf dem sich Petruschka vergeblich bemüht hatte, das Porträt des ekelhaften Bäckers festzuhalten, und schrieb in großen Schriftzügen:

»Ich habe meine Arbeit angetreten! Abteilung Glas und Porzellan (unterhalb des Schlosses), bin spätestens um 16 Uhr zurück. Die Musterabteilung kann nicht länger warten. Die Wäsche mache ich am Abend fertig. Géraldine.«

Der alte Pátek sah die Unterschrift, sie füllte den halben Bogen aus. In den Papieren, die in seiner Tasche steckten, stand Barbora. Aber er fragte lieber nichts. Genossin Marková vom Arbeitsamt hatte gesagt, die Frau sei ein ganz besonderer Fall, und man solle sie nicht mit überflüssigen Fragen beunruhigen.

Als sie zusammen die Treppe hinunterstiegen, bemerkte er deshalb nur:

»Frau Starková, wenn Ihnen im Betrieb jemand den Nerv töten sollte – Sie wissen ja, wie das so ist, ein neuer Angestellter, da sind die Leute neugierig wie Ziegen –, machen Sie sich nichts daraus. und die Superneugierigen schicken Sie ruhig zu mir. Ich werde schon mit ihnen fertig. Aber Ihr Chef ist zufällig prima, wirklich.«

Der prima Chef, ein junger Mann, empfing sie mit unverhohlener Neugierde. Allem Anschein nach hatte er gewußt, daß Pátek sie holen gegangen war. Er hielt nach ihnen in der krummen Gasse der Altstadt Ausschau, stand vor dem Eingang eines kleinen Ladens, in dessen verstaubtem Schaufenster ein Sträußchen gläserner Vergißmeinnicht lag. Dann gab es dort noch ein Thermometer in Form einer Glaspalme, unter der ein winziges Negerlein saß, und drei kleine Blumentöpfchen mit einer weißen, einer roten und einer gelben Minitulpe, alles aus Glas. Auf einem einstmals himmelblauen, nunmehr aber nur noch traurig grauen Stück Stoff war eine schwarze Tafel befestigt mit der silbernen Aufschrift: Glas und Porzellan, Bezirksbetrieb in ...

»Hier bringe ich sie dir«, rief der alte Pátek schon von weitem triumphierend. »Das ist Ihr Chef, Frau Starková. Na und jetzt könnt ihr schon alles selbst besprechen, nicht? Und wie ich schon sagte: wenn Sie etwas brauchen, kommen Sie ruhig zu mir. Aber ansonsten wird Ihnen unser Jaroslav alles bestens erklären und einrichten. Ich muß noch bei der Elektroabteilung vorbeischauen. Also bis dann!«

Unsere Werktätigen kennenlernen, das wäre für Sie das Richtige, kennenlernen und eine Zeitlang unter ihnen arbeiten.

»Hrabal«, sagte der junge Chef, der wie ein hochgeschossener Kater mit dem Kopf einer lustigen Mickymaus aussah, und betrachtete sie interessiert. »Ehrlich gesagt, ich habe Sie mir ganz anders vorgestellt. Sie können wirklich sechs Sprachen?«

»Wirklich«, antwortete sie, »aber was eine Musterabteilung ist, weiß ich nicht, und vom Geschäft verstehe ich überhaupt nichts.«

»Macht nichts. Das ist kinderleicht, ich habe es auch erst lernen müssen. Kommen Sie, ich stelle Sie nur schnell den Herrschaften hier vor, und dann gehen wir gleich zusammmen in die Musterabteilung, und ich zeige Ihnen alles. Hier haben wir nur ein Büro.«

Sie betraten den dunklen Laden. Drei alte Männer hoben schlagartig die Köpfe von irgendeiner Schreibarbeit. Wie drei Molche, die rücksichtslos aus dem Schlaf geschreckt wurden.

»Das hier ist unsere Lagerevidenz«, erklärte Chef Hrabal. »Herr Vojtěch ...« Ein kleines trockenes Gesicht mit harten Zügen und stechenden Augen, Schutzärmel aus schwarzem Kloth. Er blickte sie kaum an. Ein ehemaliger Gendarm, aber das erfuhr sie erst später.

»Herr Kamnický, der Älteste unter uns.« Ein wackelnder Kopf mit großen farblosen Augen, die zur Hälfte von schweren Lidern bedeckt waren. Er erhob sich und begann dabei fürchterlich zu husten. Ein Steuerbeamter im Ruhestand, wie man sie gleichfalls später belehrte.

»Herr Klapka, unser einziger Kavalier.« Ein schnurgerader Scheitel auf grauem Kopf, unter der Nase ein sorgfältig gestutzter dichter Schnurrbart, ein leicht glänzender, aber gut erhaltener dunkler Anzug. Er verneigte sich, fast als wollte er ihr die Hand küssen. Der einstige Besitzer eines kleinen Juwelierladens.

Unsere Werktätigen kennenlernen, das wäre für Sie das Richtige.

»Und jetzt die Damen. Frau Kučerová, das ist Frau Starková.«

Die üppige, im Abblühen begriffene Blondine mit mächtigem Busen, Witwe eines Eisenbahnbeamten, widmete ihr ein vorsichtiges, sauersüßes Lächeln.

»Freut mich, junge Frau, hoffentlich wird es Ihnen bei uns gefallen.«

»Und das ist Lída, das heißt Fräulein Dvořáková.« Das Fräulein hatte den schlechten Teint eines nicht mehr ganz jungen Mädchens, war vierschrötig und ungelenk. Sie war jedoch die einzige, der das neue Gesicht scheinbar Freude machte.

Einen Tisch für die Neue hatten sie noch nicht.

»Sie werden ohnehin mehr in der Musterabteilung sein als hier.« Lída stellte bereitwillig noch einen Stuhl zu ihrem Tisch.

»Irgendwie werden wir schon zurechtkommen.«

»Frau Starková wird, wie ich euch schon gesagt habe, unsere neue Leiterin der Musterabteilung sein«, verkündete Herr Hrabal.

»Sind Sie vom Fach? Sie verstehen etwas von Glas und Porzellan? Mich geht es schließlich nichts an, es ist nur wegen der Karteikarten, damit da nicht alles durcheinander gerät.«

Herr Vojtěch sprach ebenso unfreundlich, wie er aussah. Sie wurde unruhig. Den sollte Petruschka nicht kennenlernen. – Auch, Unsinn, aber die trockene harte Stimme ruft Erinnerungen an bekannte Gefahren wach.

»Ich werde der jungen Frau schon alles zeigen«, Lída nahm sich der Neuen gutmütig an.

»Nach Prosit!« zischte Herr Vojtěch.

»Frau Kučerová, geben Sie uns bitte die Schlüssel. Ich werde Frau Starková selbst einarbeiten.«

Die beiden Frauen tauschten einen vielsagenden Blick aus, Herr Klapka lächelte für alle Fälle dienstbeflissen, aber der junge Chef ließ sich nicht beeindrucken. Er nahm die Schlüssel an sich und trat mit ihr auf die Straße. »Es ist gleich nebenan. Nur ein paar Schritte von hier.«

Tatsächlich blieb er nach knapp fünfzig Metern stehen und steckte den Schlüssel in das Schloß eines morschen Holztores.

»Erschrecken Sie nicht, es sieht hier ziemlich wüst aus.«

»Wo willst du hin, du Strolch, ich laß dich sowieso nicht rein!«

Erschrocken zuckte sie zurück. Auch Hrabal blieb stehen. Aus einer runden Öffnung, die eher einer Schiffsluke glich als einem Fenster, unmittelbar über der Tür, fuhr der zerzauste Kopf einer zornigen alten Frau hervor. Sie überschüttete die Eindringlinge mit einer Flut grober Schimpfworte, schloß dann jäh den Mund, in dem bedrohlich ein einziger Zahn wackelte, und fragte in verändertem, beinahe weinerlichem Ton:

»Wer ist das Fräulein? Die habe ich hier noch nicht gesehen.«

»Das ist unsere neue Leiterin der Musterabteilung. Sie wird jetzt jeden Tag hierherkommen. Beschimpfen Sie sie nicht, Frau Hrubá.«

»Warum sollte ich sie beschimpfen, du Dummkopf, die ist gut, das sieht man an den Augen. – Haben Sie keine Angst vor mir, Kindchen, ich tue Ihnen nichts. Sie werden mir auch nichts tun, wie?«

»Nein«, flüsterte sie verwirrt, aber die Alte verstand sie seltsamerweise. »Wir zwei werden einander bestimmt nichts tun.«

»Die ist gut«, wiederholte die Alte beruhigt und schloß das Fenster.

»Eins zu null für Sie«, meine Hrabal und drehte endlich den Schlüssel im Schloß herum. »Die Alte ist verrückt, aber wirklich.«

»Lebt sie dort oben ganz allein?«

»Ja«, sagte der gleichmütig, »soll sogar eine entfernte Verwandte von Antonín Dvořák sein.«

Eine neue Welt. Nicht die aus Dvořáks symphonischer Musik, hier erschloß sich ihr die gegenwärtige neue Welt einer Kleinstadt, von der sie bisher kaum etwas gewußt hatte, verwesend und zugleich auch schon wuchernd, ineinander verwoben wie das frische Moos und der stinkende Schimmelpilz an den Wänden des düsteren Kellergewölbes, das soeben ihre neue Wirkungsstätte geworden war.

Sie gewöhnte sich überraschend schnell ein. Fand sogar Gefallen an der Musterabteilung, obwohl es dort den ganzen Tag dunkel war und das ganze Jahr hindurch feuchte Kälte in die Knochen biß. Aber was gab es hier nicht alles! Dickbäuchige Speise-, schlanke Kaffee- und

Mokkaservice aus Porzellan und Steingut, mit Blümchen, Tupfen oder Goldstreifen, Likör- und Weingläser aus gemaltem, gepreßtem, geschliffenem und geblasenem Glas. Gurkenflaschen, Behälter zum Eindünsten von Fleisch und Einweckgläser für Obst. Rosa, blaue, gelbe und rauchgraue Glaskugeln als Grabschmuck und Zylinder für Petroleumlampen. Blumentöpfe aller Größen und ein volles Dutzend verschiedener Nachttopfsorten, bemalt, glasiert, aus Porzellan, Tonerde oder Glas, groß und klein, elegant geschwungen und von derber Schlichtheit. Parfumflacons und Bierkrüge. Milchaufpasser, Spiegel und die mannigfaltigsten Blumenvasen. Sätze von Steingutschüsseln und geschliffene Glasjardinieren. Und erst die Zierfiguren! Aus geschliffenem, geblasenem und Hüttenglas, aus Porzellan und Ton. Einfarbig, bemalt und vergoldet. Winzig und gigantisch. Wanderburschen, Fliegenpilze, Eisbären (am Rande von Aschenbechern in Form von blaugrünen Eisschollen), Rehe, Pferde und tanzende Rokokopaare, Klement Gottwald, Bedřich Smetana und Stahlwerker beim Abstich. Ballettratten, Stalin und der sagenhafte Toman, der eine Waldjungfer entführt, wie es in einem klassischen tschechischen Poem geschrieben steht. Toman glasiert und unglasiert, aus Porzellan, Gips und Terracotta, die steife Jungfrau an einem Rockzipfel auf einem vorwärts stürmenden Hirsch mitschleifend. »Wie lebendig«, pflegten die Leiter der lokalen Verkaufsstellen zu sagen, wenn sie zum monatlichen Einkauf in der Musterabteilung vorsprachen, »ungeheuer gefragt.«

Chef Hrabal versprach Bretter zum Bedecken der feuchten Bodenfliesen zu besorgen und beabsichtige die Musterabteilung sogar geschmackvoll einzurichten. Tatsächlich ließ er die langen Holztische, auf denen die

Muster ausgestellt waren, mit großflächigen Scherben von Spiegelglas bedecken. Jedes Hündchen, jedes Glühwürmchen, jede Gänseliesel und jede Tänzerin gab es nun zweimal, Stalin und Gottwald standen zugleich auf dem Kopf und auf den Füßen, jede Vase nahm neue, ungeahnte Formen an.

In dem gewölbten Kellerraum war es wohltuend still. Zwei kleine Fenster führten auf eine Wiese unter dem alten Schloß. Dort wippten Blümchen im Wind, hie und da ragte eine sattgelbe Sonnenblume in die Höhe, schwankte fröstelnd in der grünen Feuchtigkeit, sehnte sich, wie die Frau an dem kleinen Fenster, nach mehr Wärme und Licht. Die Mustergegenstände aus Glas auf den langen Tischen glänzten und glitzerten, wenn ein Sonnenstrahl in das Gewölbe eindrang, und wenn sie die Hand der Frau sacht berührte, klirrten sie leise, jedes mit der ihm eigenen Stimme, die sie mit der Zeit zu unterscheiden lernte. So verlebte sie in dem Verließ voll von Spinnweben und Mäusegeraschel Stunden eigenartiger Verzauberung.

Man hat mich an einem neuen Ufer ausgesetzt. Das ist nicht mehr der geräuschvolle, unruhige und wilde Strom, den ich von früher gewohnt war. Das ist ein Bächlein, das ganz woanders fließt, durch ein unbekanntes, vielleicht sogar überflüssiges Flußbett. Und das ist gut so, weil ich ja ohnehin zu nichts anderem mehr nutze bin. Jetzt schon nicht mehr, nach all dem, was gewesen ist.

»Wirklich, ich habe Sie mir ganz anders vorgestellt«, wiederholte Chef Hrabal nach einigen Wochen noch einmal. »Als man mir in der Direktion eröffnete, daß sie mir ein Frauenzimmer schicken, das jetzt in unserer Stadt lebt, weil es irgendein Malheur hatte – sie haben mir nichts Näheres gesagt, angeblich wissen sie selbst nicht mehr, das ein halbes Dutzend Fremdsprachen kann und in der halben Welt herumgekommen ist, da habe ich mir gesagt: Na Mahlzeit! Das hat uns gerade gefehlt! Stellen Sie sich vor, daß ich mir eingebildet habe, Sie würden eine entfärbte Blondine sein, mit rot lakkierten Fingernägeln und so. Lustig, nicht? – Sagen Sie, und das dort, Sie wissen schon, was ich meine, das war alles Unsinn, nicht?«

»Ich darf darüber nicht sprechen.«

»Also wirklich Unsinn. Na, mir kann es egal sein, Hauptsache, Sie sind keine entfärbte Blondine. Möchte Ihre Kleine nicht mal mit meinen Kindern spielen? Sie sind zwar ein bißchen jünger, aber das macht wohl nichts.«

Petruschka besuchte ihre Mutter gern in der Musterabteilung. Sie bewunderte »die schönen Sachen«, durfte einen kleinen Pinguin mit angebrochenem Flügel mit nach Hause nehmen und fürchtete sich allmählich nicht einmal mehr vor Frau Hrubá.

»Fräulein«, rief die Alte mit ihrer rauhen Stimme, sowie sie Petruschka von ihrem Beobachtungsposten an der runden Fensterluke erblickte, »Fräuleinchen, wo stecken Sie? Ihre Kleine kommt.«

Einmal stieg sie mühsam auf die Straße hinunter, klopfte an die Tür der Musterabteilung und bat:

»Ich habe nichts, woraus ich trinken kann. Leihen Sie mir ein Töpfchen, Fräuleinchen, ich gebe es Ihnen wieder zurück. Ich habe nichts woraus zu trinken.«

Sie gab ihr einen Kaffeetopf mit fehlerhaftem Muster. Zwischen rote Tupfen waren ein paar schwarze geraten.

»Haben Sie nichts mit Blumen?« brummte die Alte unzufrieden.

»Dieses Töpfchen müssen Sie aber nicht zurückbringen, Frau Hrubá. Ich gebe Ihnen noch einen Teller dazu, den können Sie auch behalten.«

Die Alte hob eine zitternde Hand, strich ihr mit schmutzigen Fingern übers Gesicht und brach in Tränen aus. Wortlos humpelte sie mit ihren Schätzen in ihre Behausung zurück.

»Die ist verrückt«, sagten die Frauen im Warenlager, »aber sie tut niemandem etwas zuleide. Nur wenn sie jemand reizt. Herr Vojtěch beschimpfte sie einmal, nannte sie eine Hexe. Da warf sie ihm einen Topf mit Speiseresten nach, und seither spuckt sie jedesmal aus dem Fenster, wenn er vorbeigeht. Was wollen Sie, die Arme ist alt und ganz allein.«

Alt und ganz allein. Wie war das überhaupt möglich? Die wohl noch einzige lebende – wenn auch entfernte – Verwandte eines weltberühmten Komponisten in ihrer greisenhaften Verwirrung die Spottfigur einer Kleinstadt! Eines Tages war es dann soweit, daß man sie gewaltsam wegholen und in einer Irrenanstalt unterbringen mußte, weil sie allein nicht mehr zurechtkommen konnte, den ganzen Tag und auch nachts schrie und die wenigen Passanten in der stillen Straße, die zu dem alten Schloß führte, wütend beschimpfte. Nur mit der blassen Frau zwischen den Porzellanwaren und Glasfiguren in dem modrigen Gewölbe unter ihrer Behausung machte sie eine Ausnahme.

»Fräuleinchen«, sagte sie ihr einmal, »Sie haben viel Leid im Gesicht. Das erkenne ich, weil ich selbst voll von Leid bin. Aber sagen Sie es niemandem. Großes Leid ist ein Geheimnis, so wie große Freude. Die gibt es aber nur selten.«

Und als man sie fortbrachte, wehrte sie sich und schrie: »Gebt mir wenigsten meinen Teller mit, ihr Vagabunden, und auch meinen Kaffeetopf. Und schlagt die unten nicht tot, weil sie ihn mir gegeben hat.«

Noch tage- und nächtelang verfolgten Barborka die Schreie der verrückten armen Alten.

Die Arbeiterinnen im Lager des Betriebs waren gutherzig und lustig und nahmen sie ohne überflüssiges Gerede unter sich auf. Erst mit der Zeit erfuhr sie, daß sie freilich allerhand über sie wußten.

»Sie haben ein schönes Mannsbild«, sagte eine von ihnen, nachdem Pavel sie am Tage zuvor mit Petruschka von der Arbeit abholen gekommen war, »das ist fürs Leben die Hauptsache. Auf alles andere husten Sie!«

Frau Mašková, eine hochgewachsene, kräftige Brünette mit regelmäßigen Gesichtszügen und ausgeglichenen Bewegungen, die in dem ganzen Haufen der eifrigen, schwatzenden und fleißigen Frauen, die am Morgen aus den Dörfern in der Umgebung auf dem Fahrrad zur Arbeit kamen und am Nachmittag nach Hause eilten, zu ihren Kindern, Kaninchen und Hühnern, in den Garten und ins Haus, zu den Hemden, Launen und der unentbehrlichen Wärme ihrer Männer, Frau Mašková, die hier den Ton angab, bot ihr eines Tages einen mit Pflaumenmus bestrichenen und mit geriebenen Nüssen bestreuten Kuchen an und sagte:

»Gestern bin ich auf der Straße Genossin Marková vom Arbeitsamt begegnet, junge Frau. Sie hat nach Ihnen gefragt, und ich soll Sie von ihr grüßen. Da ist mir so eingefallen, ob Ihnen bei uns nicht manchmal ein bißchen schwer ums Herz ist. Wir sind schon an die ewige Rackerei und Scheißkälte hier gewöhnt. Aber Sie? Die Direktion hat Ihnen nicht einmal eine Pelzweste zugeteilt? Na, denen werde ich wohl mal was erzählen müssen. Hören Sie, wenn Sie etwas brauchen – sagen Sie es mir bitte, ich weiß doch, wie das Leben ist. – Nehmen Sie noch ein Stück Kuchen, er ist ganz frisch, na greifen Sie nur zu, und nehmen Sie auch für ihre Kleine ein paar Stücke mit.«

»Frau Starková«, sagte eine andere Arbeiterin eines Tages, »ich habe Ihnen zwei Blumentöpfe mit Petunien aus unserem Garten mitgebracht. Stellen Sie sie zu Hause zwischen die Fenster, das macht die Wohnung gleich freundlicher.«

Wenn sie mit ihren kleinen Geschenken zu Hause anrückte, freute sich Pavel mit ihr, zeigte jedoch keine besondere Begeisterung.

»Ich bin froh, daß du dich bei den Kaffeetöpfen eingewöhnt hast«, scherzte er, aber es klang nicht überaus fröhlich. »Du wirst dort noch Karriere machen.«

Sie verstand, worauf er aus war. »Was kann ich tun, Pavel«, wehrte sie sich, »vorläufig würde ich sowieso nichts anderes fertigbringen. Was immer ich schreiben oder sagen würde, würden sie unter die Lupe nehmen und prüfen und …«

»Also aufgeben, Géraldine?«

Sie lagen nebeneinander auf einer Wiese am Fluß, Petruschka planschte mit anderen Kindern im Wasser, das Gras unter ihnen war von den letzten Strahlen der Herbstsonne durchwärmt, ihr Kopf lag geborgen in der Armbeuge des Mannes.

»Man könnte sich eigentlich einreden, daß schon alles in Ordnung ist, nicht? Wir sind zusammen, die Sonne scheint, ich habe Arbeit – bloß …«

»Bloß, daß wir uns niemals etwas eingeredet haben und du schon gar nicht.«

Sie seufzte. »Das war ein Glück, daß du damals in Paris der Gestapo entwischt bist, Pavel.«

»Und daß ich dich nicht aufgegeben habe«, sagte er leise und strich ihr über das magere Gesicht. »Nicht aufgeben, darauf kommt es vor allem an. Kannst du dich nicht zufällig erinnern, wer mich das gelehrt hat?«

Sie wollte etwas antworten, aber da kam Petruschka angelaufen, naß wie ein gebadetes Hündchen: »Ich habe schrecklichen Hunger. Gerade bin ich als erste von Amerika herübergeschwommen. Dana ist erst bei England, dort bei dem Baum, seht ihr? Dort ist die Grenze.«

»Und hast du überhaupt einen Paß?« fragte Pavel.

»Einen Paß? Du meinst, ob ich aufpasse? Aber natürlich passe ich auf, außerdem kann ich doch schwimmen.«

Petruschka war mit dem Leben in der Kleinstadt durchaus zufrieden. Es gab hier eine Menge neuer Erlebnisse. Im Schulhort, wenn etwa beim Nachmittagsspaziergang auf der Wiese auf offenem Feuer Kartoffeln gebraten wurden, oder zu Hause auf dem Hof, wo sie an aufregenden Expeditionen über die Dächer der Holzschuppen teilnahm. Nur am Morgen machte ihr das Frühstück Schwierigkeiten, weil sie noch verschlafen war und Mutter immer so eilte. Vater ging bereits im Morgengrauen weg, lange vor ihnen. In der Wohnung war es ungemütlich kalt. Selbst im Winter lohnte es sich nicht, für das hastige Stündchen am Morgen in dem großen Ofen Feuer anzufachen.

»Hurtig laufen, nicht verschnaufen«, munterten sie einander gegenseitig auf, wenn sie zusammen durch die kurze Gasse liefen, ehe sie an der Ecke der Hauptstraße voneinander Abschied nahmen. Petruschka überquerte noch unter Mutters wachsamem Blick die Fahrbahn und schlenderte dann auf der anderen Seite dem Schulhort zu. Meistens war sie dort der erste Schützling der Putzfrau. Das brachte ihr eine gewisse Vorzugsstellung ein gegenüber den anderen Kindern, die »nicht so früh zur Arbeit gingen«.

Die Stellung ihrer Mutter im Betrieb Glas und Porzellan hatte nichts Vorzugshaftes, sie war eher ein wenig sonderbar. Der Leiter der Kaderabteilung des Zweigbetriebs, erstaunlicherweise ein ehemaliger Schuhfabrikant, nannte sie gnädige Frau und benahm sich ihr gegenüber mit der familiären Nonchalance einer verbündeten Seele. Der einstige Gendarm Vojtěch behandelte sie vom ersten Augenblick an mit kaum verhülltem Widerwillen. »Hergelaufene mag ich nicht«, erklärte er bald nach ihrem Antritt unüberhörbar in dem kleinen Büro. »Menschen ohne Wurzeln sind bei mir Menschen ohne Charakter.«

Eine Zeitlang in Frankreich, dann wieder weiß Gott wo. Menschen wie Sie haben keine Wurzeln und keine Heimat. Kosmopoliten.

Chef Hrabal benahm sich ihr gegenüber freundschaftlich, mit einer begreiflichen Portion ungeduldiger Neugier. Sie sprach fast nie über ihre Vergangenheit, die doch verflucht interessant sein mußte. Eines Tages kam er zu ihr in die Musterabteilung, kontrollierte eine Weile ungewohnt schweigsam die Preiskarten, plötzlich sagte er:

»Ich habe vorhin im Rundfunk die Nachrichten gehört. In Moskau haben sie Wyschìnski von seiner Funktion abberufen.«

»So?« sagte sie und stellte den geschliffenen Glasteller, den sie gerade abstaubte, vorsichtig auf seinen Platz zurück. Wyschìnski war in den dreißiger Jahren der mitleidlose Staatsanwalt der Moskauer Prozesse. Hrabal war gekommen, um ihr diese Neuigkeit mitzuteilen, das war offenkundig. Aber warum? Hat man ihn vielleicht beauftragt festzustellen, wie sie darauf reagieren wird? Bewacht er sie etwa?

Genug, genug! Ich kann doch nicht den Rest meines Lebens in Angst und Verdächtigung verbringen. Als getretener, mißtrauischer Mensch.

»Was soll ich machen, Pavel, damit mir nachts nicht mehr davon träumt und damit es mich auch tagsüber nicht mehr verschreckt? Es kommt vor, daß ich im Betrieb etwas sagen will, gar nichts Besonderes, und im letzten Augenblick traue ich mich nicht. Eigentlich bin ich immer noch hinter Gittern.«

»Ich könnte dir Beruhigungspillen verschreiben lassen, werde es aber nicht tun. Die helfen schwachen Menschen, du kommst ohne sie wieder zu dir. Das weiß ich bestimmt, Géraldine. Auch als du dort warst, habe ich nicht daran gezweifelt.«

Er hat nicht gezweifelt. Weil er nicht DORT war.

Der Herbst war schwierig. Zu Hause schleppte sie Eimer mit Kohle aus dem Keller ins vierte Stockwerk, wenn Pavel im Krankenhaus zurückgehalten wurde, räumte ständig in der zu kleinen Wohnung auf, trug die Asche hinunter in den Hof, brach vor Müdigkeit beinahe zusammen, verschlief den halben Sonntag, und Bücher waren Requisiten aus einer anderen Welt. Und doch! Die Bäume unter dem alten Schloß loderten in allen Farben. Es genügte, das kleine Fenster in der Musterabteilung zu öffnen, und die Freude an der lebendigen, allgegenwärtigen Natur, an Luft und Sonne, Wind und Regen, half wirklich besser als ein Röhrchen mit Pillen. Sie beugte sich hinaus und atmete begierig den feuchten Duft der Wiese ein. Wie lange hatte sie so etwas entbehren müssen!

»Altweibersommer. Jetzt kommt bald der Winter«, erklang eine zitternde Stimme hinter ihr. Opa Tichý brachte auf seinem Wägelchen neue Muster aus dem Warenlager. Der gebrechliche Alte mit dem traurig herabhängenden weißen Schnurrbart und großen, oft vertränten Augen lief emsig und lautlos wie ein Eichhörnchen zwischen dem Lager und der Musterabteilung hin und her. Manchmal lächelte er ihr scheu zu, meistens legte er nur zwei Finger an das krumme Schild seiner Mütze: »Da sind wir wieder, junge Frau«, lud behutsam die neuen Muster ab und eilte wieder zurück ins Lager.

Einmal erlitt er dort zwischen den hohen Regalen mit den Warenstapeln einen Ohnmachtsanfall.

»Kann sich der Opa noch nicht in den Ruhestand versetzen lassen?« erkundigte sie sich damals. »Er ist doch alt und schrecklich schwach, der sollte lieber schon zu Hause bleiben.«

Das könne er nicht, erklärten ihr die Frauen, sein Sohn sei im Gefängnis, er ernähre die Oma und zwei Enkelinnen, ihre Mutter habe sie verlassen. Der Sohn soll im Jahr 1948 Flugblätter einer subversiven Gruppe verteilt haben, seither sei er in Haft. Der Alte hat schon das siebte Kreuz auf dem Buckel, aber weitermachen muß er, weil er doch für die beiden Kinder sorgt.

Weitermachen. Einer so und ein anderer wieder so. Früher hätte ich sofort etwas für den Alten unternommen. Aber jetzt? Nicht daran denken. Mich geht das alles ja schließlich auch nichts an. Habe selbst genug zu schleppen.

Während der Mittagspause an jenem schönen Herbsttag sagte Frau Mašková, als sie zusammen vor dem Lagergebäude auf einer Kiste in der Sonne saßen:

»Ich weiß nicht, ob man Ihnen schon mitgeteilt hat, daß morgen um vier Uhr eine Gewerkschaftsversammlung des ganzen Betriebs stattfindet. Irgendwelche neuen Lohnverordnungen und so. Dort sollte man etwas über den Opa sagen.«

»Über Opa Tichý?«

»Ja. Er soll nämlich entlassen werden, angeblich ist er für die Arbeit schon zu alt. Das stimmt schon, aber ich glaube, es ist vor allem wegen seines Sohnes. Am Montag war irgendeine Kommission in der Direktion. Heute morgen hat der Alte geweint, er weiß nicht, was er tun soll. Er braucht die Arbeit dringend, eine andere findet er doch nicht mehr. Und die Kinder sind noch klein.«

Sie schwiegen. Der Gedanke an den klapprigen Alten mit den drückenden Sorgen schien mit einem Mal den strahlenden Himmel über ihnen verdüstert zu haben.

»Sie werden bei der Versammlung etwas dazu sagen, Frau Mašková?«

»Weiß ich noch nicht. Ich kann das nicht so richtig vor vielen Leuten. Ich könnte es nicht ordentlich erklären. Das will geschickt und verständlich gesagt sein, damit die Schreiberlinge aus der Administration aufwachen. Was wissen die schon in ihren Büros! Wenn es jemand gut vorbringen würde, würde ich mich selbstverständlich gleich anschließen. Ich werde auch zu schnell wütend, möchte dem Opa ungern noch mehr kaputt schmeißen.«

Ich auch nicht. Ich bin die Letzte, die dazu etwas sagen könnte.

Als sie nach Arbeitsschluß am Büro der Lagerevidenz vorbeiging, kam Frau Kučerová herausgelaufen.

»Haben Sie schon gehört, Frau Starková? Die wollen

angeblich Opa Tichý feuern. Das ist schrecklich, er hat doch nicht, wovon zu leben mit seiner Frau und den beiden Kindern. Also ich bin darüber ganz außer mir. Das sind jetzt Verhältnisse, was? Jesus Maria!«

Sie können damit rechnen, daß wir ein Auge auf Sie haben werden. Sich anständig aufführen, das ist es, was wir jetzt von Ihnen erwarten.

Sich nicht um den verzweifelten Opa und die beiden Kinder scheren – ist das anständig?

Er hat einen Sohn, der wegen nachgewiesener staatsfeindlicher Tätigkeit im Gefängnis ist. Interessant, daß sein Vater gerade Ihnen so am Herzen liegt.

Der Opa mit seiner Alten und den beiden kleinen Mädchen hat nichts verbrochen. Das weiß ich, und wenn ich schweige ... Petruschka, Pavel. Pavel und Petruschka!

Mit ihrem Mann sprach sie nicht darüber. Aber nachts stöhnte sie im Schlaf. Pavel weckte sie:

»Hab keine Angst, Liebes, du bist zu Hause.«

»Ich bin immer noch nicht zu Hause«, flüsterte sie. Er zog sie an sich.

»Erinnerst du dich, wie häßlich das Hotelzimmer in Marseille war, in dem wir es fertigbrachten zu Hause zu sein? Und wie wir notfalls auch unter freiem Himmel zu Hause waren?«

»Das war etwas anderes, Pavel. Aber jetzt, jetzt kann ich irgendwie nicht zurückkommen.«

»Ich habe so auf dich gewartet und doch ständig das Gefühl gehabt, daß du bei mir bist. Das habe ich von dir gelernt, Géraldine, nicht einmal bei der Gestapo habe ich die Sicherheit verloren, nicht allein zu sein.«

»Ja«, sagte sie unglücklich, »das war bei der Gestapo.«

Auch im Flüsterton klang ihre Stimme so gequält, daß er ratlos verstummte. Eine Weile lagen sie bewegungslos nebeneinander. Dann vergrub sie plötzlich ihr Gesicht in seiner Schulter und sagte fast unhörbar:

»Ich will aber zurückkommen.«

»Du warst doch immer mit uns. In der Nacht habe ich dich geflüstert, aus jedem Buch habe ich dich herausgelesen, habe dich getrunken, wenn ich Durst hatte, und habe dich nie gerufen, so wie man sich selbst nie ruft. Wenn du trotzdem noch zurückkommen mußt, quäl dich nicht. Wahrscheinlich wurdest du allzu weit davongejagt – und jetzt schlaf schon.«

Sie schlief wirklich ein.

Zur Gewerkschaftsversammlung des Bezirksbetriebs Handel mit Bedarfsgegenständen für den Haushalt kamen viele Menschen. Die Angestellten der Direktion und all der verschiedenartigen Zweigstellen: Küchengeräte, Papierwaren, Elektroinstallationen, Eisenwaren, Glas und Porzellan. Der große Saal, routinemäßig mit einer roten Fahne und einer Gipsbüste Lenins geschmückt – die zu diesem Zweck aus der Musterabteilung Glas und Porzellan zur Verfügung gestellt wurde –, füllte sich allmählich bis zum letzten Platz. Die Menschen riefen einander die üblichen Schwerzworte zu, und Frau Kučerová informierte die neue Kollegin:

»Der dort in dem prima grauen Anzug, das ist der Generaldirektor. Der neben ihm mit dem offenen Hemdkragen, das ist der Hauptkaderchef. In der Ecke unter dem Fenster sitzt die Leiterin der Papierwaren und neben ihr der Chef der Planabteilung. Die beiden haben etwas miteinander, aber ich kann ihn nicht verstehen. Er ist verheiratet, und seine Frau hat wenigstens eine

Figur. Aber die da! – Guten Tag, Genosse! – Das war der Funktionär vom Bezirkssekretariat der Gewerkschaften. Sie haben es gut, Frau Starková, Sie kennt hier keiner, was gehen Sie da die Leute an, nicht?«

Sie haben es gut, Frau Starková.

Opa Tichý saß gleich bei der Tür. Er trug ein sauberes kragenloses Hemd, aus dem sein verrunzelter dünner Hals hervortrat. In den zitternden Händen verknautschte er seine Mütze. Er blickte zu Boden und sprach mit niemandem.

Wer wohl hier »ein Auge auf mich« hat? Der vom Bezirk oder der Hauptkaderchef? Oder beide? – Der Opa muß für zwei Kinder ohne Mutter sorgen. Petruschka ist auch ein Kind, war lange ohne Mutter, und wer hat sich ihrer angenommen?

Die Frauen aus dem Warenlager der Abteilung Glas und Porzellan saßen am Nebentisch, ihre vollgestopften Einkaufstaschen hatten sie unter den Stühlen verstaut, die Fahrräder vor dem Gebäude festgemacht. Sie winkten ihr zu. Frau Mašková war nicht unter ihnen. Warum?

Die Versammlung wurde vom Bezirksfunktionär der Gewerkschaften eröffnet. Die üblichen Phrasen, mit eintöniger, gelangweilter Stimme vorgebracht. Dann sprach der Generaldirektor, ein gut aussehender eleganter Fünfziger, über Betriebsprobleme. Etwas matt, aber mit Kenntnis der Dinge, über die er redete. Über die neuen Lohnvorschriften referierte der Kaderchef, ein gedrungener Mann mit leicht gerötetem Gesicht. Der rief begreifliches Interesse hervor, aber aus unbekannten Gründen sprach er irgendwie gereizt, was er vorbrachte, war von unausgesprochenen Drohungen durchzogen.

Ich werde den Mund nicht aufmachen. Es ist die erste

Versammlung, an der ich überhaupt wieder teilnehme, sie könnten noch glauben, daß ich auf jeden Fall die Aufmerksamkeit auf mich lenken will. Und das will ich wahrlich nicht. Dem Opa würde es wohl auch kaum nützen, wenn gerade ich etwas über ihn vorbringen würde. Es geht nicht, es geht einfach nicht.

»Man stimmt ab«, flüsterte Frau Kučerová, und ihre mollige weiße Hand, verziert durch einen Goldring mit einem blutroten Stein, schnellte in die Höhe. Sie hob auch die Hand. Wußte nicht einmal richtig wofür. Ohnehin war es egal. Sie wird jetzt einfach immer die Hand heben, wenn die anderen es tun, und wird Ruhe haben. Sie werden ruhig leben, Pavel, Petruschka und sie. Wie alle anderen.

»Du liebe Zeit, der Opa ist wohl nicht ganz bei Trost!«

Fräulein Dvořáková bekam am Halsausschnitt rote Flecken vor Aufregung. Kicherte nervös.

Sie drehte sich zur Tür um. Opa Tichý zerknautschte weiterhin seine Mütze in beiden Händen, ein junger Mann neben ihm stieß ihn an, es werde abgestimmt, aber der Alte rückte bloß ein wenig von ihm ab, hob die Hand nicht, senkte den Kopf nur noch etwas tiefer.

Sie sind allein, Sie einfältige Person, wie oft soll ich Ihnen das noch erklären! Mit uns gehen alle, und Sie sind einfach abgeschrieben. Allein. Kein Mensch wird Ihnen helfen.

»Angenommen«, flüsterte Frau Kučerová erleichtert und stieß ihrerseits, allerdings überaus delikat, die Neue an. Was wußte diese Person überhaupt? Selbst von der normalen Versammlungspraxis schien sie keine Ahnung zu haben. Wird die Hand wohl bis Weihnachten in der Höhe halten.

Der oberste Kaderchef hob das Kinn und blickte sich

um. Im hinteren Drittel des Saales stak noch eine Hand in der Luft.

»Du stimmst dagegen, Genossin?«

»Nein, nein. Ich – ich möchte nur ums Wort bitten, falls wir schon beim Punkt Verschiedenes angelangt sind.«

Stille breitete sich aus. So etwas hatte es hier noch nicht gegeben. Solche Extravaganzen pflegten bei den Gewerkschaftsversammlungen in den Bedarfsgegenständen für den Haushalt nicht vorzukommen.

»Na dann bitte!« Der volltöndende Baß des Kaderchefs erdröhnte wie Donner im Vergleich zu der zögernden leisen Frauenstimme. »Ich wußte nicht … Aber bitte, bitte Genossin, du hast das Wort. Sag uns nur deinen Namen und die Arbeitsstätte.«

»Starková. Glas und Porzellan.«

Die Neue. Alle wandten sich um. Der Kaderchef preßte den Verschluß seines Patentstiftes so heftig, daß ihm sichtbar die Fingerknöchel hervortraten. Der Generaldirektor neigte sich ihm zu:

»Das ist die aus Prag?«

»Ja«, und laut: »Also bitte, Genossin, wir warten.« Und dann wieder leise: »Jetzt werden wir wenigstens sehen, was in ihr steckt.«

Sie erhob sich. Die Menschen im Saal, die Buchhalter, Lagerverwalter, Verkäufer, Fahrer, Verkaufsstellenleiter, Packer, Direktoren, Sekretärinnen, Kaderchefs und Funktionäre verschwammen zu einem einzigen grauen Fleck, der sich auf sie zuwälzte, abebbte, von neuem auf sie zukam. Und es gab nichts, woran sie sich festhalten konnte.

Ich kann auch noch etwas anderes sagen. Nein, darüber muß ich sprechen. Sie werden mich hinauswerfen, und wir haben doch auch ein Recht auf ein bißchen

Ruhe. Warum muß ich, warum gerade ich? – Wegen der Gitter in meinem Kopf.

»Bei uns in der Abteilung Glas und Porzellan geht das Gerücht um, daß der alte Genosse Tichý gekündigt werden soll. Das hat beträchtliche Unruhe hervorgerufen im Hinblick auf seine schwere Lage, die wir alle kennen.«

»Kennen?« Der Kaderchef schob das Kinn vor wie ein Stier vor dem Angriff. »Würden Sie uns gefälligst mitteilen, was Sie kennen?«

Jetzt kann ich nicht mehr weiter. Er hat mich in die Ecke gedrängt. Ich werde sagen, daß ich nichts Näheres weiß.

»Opa Tichý ist ein alter Mensch, und er muß eine vierköpfige Familie ernähren. Deshalb bitten wir Sie um Auskunft, ob an dem Gerücht etwas wahr ist.«

Der Kaderchef sprang auf.

»Ich bin nicht hergekommen, um über Kadermaßnahmen zu diskutieren, Frau Starková. Davon abgesehen, es ist mir auch nicht klar, warum Sie Ihre persönliche Ansicht in der Mehrzahl vortragen.«

»Na vielleicht gerade auch in meinem Namen«, erklang vom anderen Ende des Saales die feste Stimme von Frau Mašková. »Auch wir werden zunächst nicht diskutieren, Genosse, erkläre uns erst einmal, warum ihr den Opa feuern wollt.«

Und auf einmal war alles geradezu lächerlich einfach. Barborka, die Barborka Rezková, der die Gestapo den liebsten Menschen erschlagen hat, die gequält ihre von den Nazis ermordete Mutter und Schwestern überlebt und nach Kriegsende Pavel Starek geheiratet hat, ihren Gefährten aus den schlimmen Jahren, und die dann auch noch ratlos und verzweifelt um ihr eigenes Leben kämpfen mußte, gegen die ungeheuerlichen Mißbildungen von allem, das bisher seinen Inhalt gebildet hatte, Barborka, die sie nach Hause geschickt hatten, ohne ihr dabei die drückende Last der konstruierten Beschuldigungen abzunehmen, die unter dieser Last nicht atmen konnte und die Welt nur durch das Schattenspiel von Gittern sah – atmete auf. Zum ersten Mal hatte sie wieder laut gesagt, was sie dachte. Wie früher.

Der Kaderchef klopfte mit seinem Patentstift auf den Tisch. Er drohte ihr in düsteren Andeutungen und staunte über »solche Courage«. Sie müsse schließlich wissen, worauf sie, gerade sie, sich da einlasse, wenn sie leichthin eine Maßnahme in Frage stelle, die von kompetenter Stelle erwogen wurde. Im übrigen ...

Aber jetzt schloß sich nicht nur Frau Mašková Barborka an, auch die übrigen Arbeiterinnen aus dem Warenlager zogen nun wütend los, selbst Chef Hrabal ließ sich vernehmen und nach ihm sogar, wenn auch mit weinerlicher Stimme, Frau Kučerová.

Als Barborka an diesem Abend nach Hause kam, fielen Pavel Starek sofort ihre Augen auf. Endlich hatten sich wieder die alten Funken in ihnen entzündet.

»Was ist los?« fragte er und wandte den Blick nicht von ihrem Gesicht.

»Nichts Besonderes«, sagte sie lächelnd. »Ich habe nur eben ein wenig Glas und Porzellan zerschlagen.«

●

Der Ausflug zum Schwanensee

An einem strahlenden Sonntag saß ich einmal am Genfer See und schaute zu, wie Dutzende Segelschiffe gemeinsam in die durchsonnte Helle über dem Wasser ausliefen. Es war ein herrlicher Sommermorgen. Der Himmel selbst glich einem straff aufgespannten, tiefblauen Segel, dem die schneebedeckten, glitzernden Grate des Montblanc eine prächtige, wenn auch leicht altmodisch wirkende Dekoration verliehen. Mit den phantasievollen, in allen Farben und geometrischen Formen geradezu schwelgenden Verzierungen auf den bunten Segeln der ausfahrenden Jachten und Sportboote konnte sie keinesfalls Schritt halten.

Ich saß verzückt auf einer Bank an dem gepflegten Seeufer, hinter mir ein bis zur Samtweichheit gepflegter grüner Rasen, links und rechts wuchtige Steinvasen mit gelb und grellrot leuchtenden Begonien. Alles duftete und funkelte, nicht nur die Menschen, auch die Natur schien an jenem Tag ein fröhliches Fest zu feiern.

Da erblickte ich den schwarzen Schwan.

Er zog einsam über das Wasser, bald hierhin, bald dorthin, ein dunkler Punkt in all dem farbfreudigen Jubilieren.

Ich bekam Herzklopfen und konnte mir selbst nicht erklären warum. Da saß ich auf diesem schönen Fleckchen Erde, vor mir auf dem spiegelglatten See das unbeschwert heitere Schauspiel der Segelregatta, alles *ringsum war heiter und freundlich – und ich konnte den Anblick eines schwarzen Schwans nicht ertragen. Eben zog er in elegantem Bogen um den mit Girlanden behängten kleinen Landungssteg.*

Ich schloß die Augen und suchte fieberhaft in meinem Gedächtnis. Wann und wo war ich schwarzen Schwänen begegnet? Und was war damals geschehen?

Als Kind kannte ich sie aus Märchenbüchern. Dort trugen sie zumeist kleine goldene Krönchen auf dem Kopf und waren fast immer verwunschene Prinzen, um die ich ein wenig zittern mußte, ehe sie spätestens auf der übernächsten Seite glücklich befreit wurden. Das konnte es nicht sein.

Dann erwachte in mir das Bild eines dunkelgrünen Gewässers. Breitflächig hingen fächerförmige Blätter darauf herab, die von einem Gewirr krauser Büschel mit milchig weißen Kügelchen und ein paar bunten Blütenzweigen durchwoben waren. Palmen, Lianen und Mistelzweige über einem kleinen, von modrigem Gestein eingefaßten Wasserbecken im Chapultepec-Park in der Hauptstadt von Mexiko. Dort gab es auch schwarze Schwäne, genau gesagt, ein schwarzes Schwanenpaar...

Und plötzlich wußte ich, woher meine jähe Unruhe kam. Das hatte nichts mit Mexiko zu tun und schon gar nicht mit Märchenprinzen, ja nicht einmal mit einem schwarzen Schwan. Er hatte mich bloß an etwas erinnert. An einen Ausflug, eine Begegnung mit seinesgleichen, an einen Tag, den ich lieber vergessen würde, der jedoch in mir geblieben ist wie ein durchdringender und unüberwindbarer Schrecken. Übrigens war es ein weißes Schwanenpaar gewesen, das ich damals gesehen hatte, erst in meiner Erinnerung hat es sich verfärbt.

Ziehen weiße Schwäne ins Reich des Hades?

Ich öffnete die Augen und blickte von neuem hinaus auf den schönen See mit dem frohen Gewimmel, mit den mühelos dahingleitenden Booten und ihren vom Wind geblähten, gestreiften, geblümten, beringten oder einfach in allen Farben leuchtenden Segeln.

Über die Bank, auf der ich saß, fiel inzwischen der Schatten eines großen Baumes. Der schwarze Schwan auf dem Wasser war verschwunden.

Reif lag auf den Bäumen zu beiden Seiten der Landstraße. Die Felder waren wie festgefroren. Ein Windstoß wirbelte Eisnadeln vom Wegrand auf, sie stichelten in der Luft. Alles war kalt. Eine Krähe erhob sich mit schwerem Flügelschlag in das harte Graublau. Verschwommen und ohne Wärme hing die Sonne über einem Scheunendach. An der Regenrinne darunter bildete der Rauhreif kleine Schlingen.

War ich zu einem Begräbnis unterwegs?

Die beiden Männer vor mir im Wagen unterhielten sich. Worte glitten an mir vorbei, manche fing ich auf, andere summten bloß so vorüber. Steif und unbeweglich saß ich in meiner Ecke und beneidete ein wenig die Krähe, die allmählich aus meinem Blickfeld verschwand.

Warum fuhr ich eigentlich dorthin? Alles war doch ganz anders und meine verspätete Angst auf jeden Fall sinnlos.

Ich war niemals beim Begräbnis von jemandem aus der Familie gewesen. Andere hatten das für mich besorgt, gründlich und restlos. So restlos, daß gar nichts übriggeblieben ist, kein ausgetretener Pfad, nicht einmal eine Stelle, an der man stehenbleiben könnte.

Als ich noch klein war, starb mein Großvater, ein stattlicher Mann mit einem eisgrauen Schnurrbart, der stets ein wenig nach Tabak roch, mit einer ziemlich großen Uhr in der linken und einer nicht sehr großen Bonbontüte in der rechten Westentasche. So pflegte er uns zu besuchen, so war er, wenn wir ihn besuchten, und so blieb er auch in meiner Erinnerung. Mit einemmal war er weg, man erklärte uns Kindern nicht viel, und etwas später ging ich öfter mit meiner Mutter auf den Friedhof. Das war gar nicht schrecklich. Sie nahm mich wohl nur im Frühjahr und Sommer dorthin mit, denn wenn ich daran denke, vermeine ich noch heute den Duft von voll erblühten Rosen zu spüren und von dem weißen Fliederbäumchen, das auf dem Grab meines Großvaters sproß und ein Verlobungsgeschenk meines Schwagers für meine ältere Schwester gewesen sein soll. Schweigend standen wir um den sorgfältig bepflanzten Hügel ein wenig herum, dann nickte mir meine Mutter zu, und ich wußte, daß ich nun ein Steinchen aufheben und auf den niedrigen Sockel des glatten, schwarzen Grabsteins legen sollte, auf dem nichts anderes eingemeißelt war als der Name und das Geburts- und Sterbedatum meines Großvaters. War das geschehen, schlenderten wir langsam wieder zurück. Sehr langsam, denn meine Mutter traf unterwegs immer wieder Bekannte, blieb stehen, plauderte ein bißchen, setzte sich mit dem einen oder anderen auf eine Bank im Schatten der alten Bäume, in denen es von Bienen surrte und wo mitunter ein Vogel auf den Weg hüpfte oder auf einen der blumenbedeckten Grabhügel. Auch die Namen auf den Steinen flößten mir kein Grauen ein. Lederer, Kopecký, Baum, Weltsch, Kafka, Pick. So hießen auch die lebenden Freunde meiner Mutter, selbst die Damen und

Herren, denen sie hier begegnete. Nichts Schreckliches war je vor meinen Kinderaugen in dem sorgsam bestellten Garten mit den glänzenden schwarzen Steinen und den gesetzt und still zwischen ihnen herumhuschenden Menschen geschehen. Der Prager Friedhof war für mich eine wohl geheimnisvolle, aber friedliche Stätte der Ruhe.

Im Wagen wurde es allmählich warm. Ich knöpfte den Mantel auf und versuchte an etwas anderes zu denken. Aber das Bild, dem ich nachfuhr, das Bild, von dem ich bisher nur gehört hatte und das ich nun bald sehen sollte, ließ sich durch nichts verdrängen.

Wir fuhren durch ein Dorf. Kinder rannten in die Schule. Blaue Wollmützen und rote Wollmützen. Ein Fußball streifte den Kotflügel. Der Rücken vor mir straffte sich, der Mann am Steuer mußte nun sehr aufpassen. Erst am Dorfende drehte er sich zu mir um: »Ist dir schon ein bißchen wärmer?«

»Ja, danke.«

Wohin war die Krähe mit dem schweren Flügelschlag entkommen?

Schnurgerade führte die Straße durch einen gemischten Wald. Wenn das Auto herabhängende Zweige streifte, fielen Reifflöckchen leicht klirrend auf das Wagendach. Dann gab es wieder Flachland zu beiden Seiten, Buschwerk, Birken, vereinzelte Baumgruppen. So also sah es hier aus. Eine harmlose, freundliche Gegend.

»Jetzt müssen wir bald nach rechts abbiegen«, sagte der Mann am Steuer, und der neben ihm holte eine Karte hervor. »Noch etwa fünfhundert Meter«, meinte er nach einer Weile, »dann Richtung Lychen. Oranienburg-Sachsenhausen haben wir schon vorhin passiert.«

Haben wir? War das vor dem Dorf mit den vielen, ordentlich numerierten Scheunen oder danach? War das dort, wo rechter Hand eine lange Mauer stand, oder dort, wo plötzlich nichts war, nur Wind und dampfender Nebel, der selbst die Krähen verschluckte. Oranienburg-Sachsenhausen, weiß überhaupt noch jemand ...

Im letzten Städtchen vor der Wegkreuzung gab es eine Gaststätte und ein Kino. Einen Bäckerladen mit süßen Stollen im Schaufenster, das Namensschild einer diplomierten Hebamme und ein Friseurgeschäft mit Parfümfläschchen und herzförmig arrangierten Lippenstiften. Von Himbeerrosa bis zu Rubinrot.

Wir bogen nach rechts ab.

Dort, wo sich das asphaltgraue Band der Landstraße gabelte, stand ein Denkmal. Ein paar dünne Gestalten, Röcke an den steckenähnlichen Beinen. Frauen. Aber unter ihren Kitteln gab es keine Rundung, in der festgehaltenen Bewegung keine Weichheit. Frauen mit kahlgeschorenen Köpfen, mit viel zu tief eingefallenen Augen und mit einer erbärmlichen Tragbahre in den mageren Händen, auf der etwas lag. Etwas Flaches, Unwahrscheinliches. Ein gewesener Mensch. *Zur Mahn- und Gedenkstätte Ravensbrück* stand auf einem grauen Täfelchen darunter, aus dessen Mitte rot das Dreieck der politischen Häftlinge leuchtete. Rubinrot, wie die Lippenstifte ...

Ich hätte Blumen mitbringen sollen. Oder sonst irgend etwas.

Auf dem Hang zur linken Seite standen solide, gut erhaltene Ein- und Zweifamilienhäuser. Vorgärtchen, Garten, dunkles Fachwerk.

»Hier haben sie gewohnt«, sagte der Mann am Lenkrad, »die Schweine von der SS.«

Ich aber mußte jetzt auf die andere Seite schauen, wo der Blick plötzlich durch nichts gehemmt wurde. Milchig weißes Licht zerfloß über einer völlig ruhigen Wasserfläche, nur da und dort segelte ein goldbraunes Blatt über die winzigen Wellen. Zwei Schwäne zogen erhobenen Hauptes von Ufer zu Ufer. Zwei schöne weiße Schwäne. Ein alter Baum lag schwarz und drohend über dem See. Hat er alles gesehen?

»Ich wußte gar nicht, daß Ravensbrück an einem Wasser liegt.«

Der Wagen blieb stehen, wir drei stiegen aus. Es war sehr ruhig ringsum und kalt. Das machten die großen Bäume am Ufer, die jedes Geräusch auffingen und die Sonne am Himmel verdeckten.

Ich blickte mich um. Kiesbestreute Wege, Blumenbeete. Wo war das Lager? Mich fröstelte. Ein wuchtiger Steinblock, in den ein paar tröstliche Sätze von Anna Seghers eingemeißelt sind. Mahn- und Gedenkstätte, ja doch, aber wo war das Lager? Ich sah nur zwei niedrige, graue Steingebäude, länglich hingestreckt. Auf das erste strebten wir zu. Aber das war gar nicht das erste, das war das allerletzte, das Lagerkrematorium.

Die geschlossene Tür war aus Glas, und drinnen dämmerte fahles Grau.

Sollte ich hier das Bild finden? Das Bild, das mich unterwegs zwischen den Birken anlächelte, am eisigen Himmel verblaßte, an kleinen Schlingen von den bereiften Regenrinnen hing?

»Komm!« Der Mann neben mir faßte mich am Arm, und wir gingen zu dritt auf das andere Gebäude zu.

»Sie befinden sich nun an der eigentlichen Mahn- und Gedenkstätte, die hier, im ehemaligen Strafbau, untergebracht ist.«

Ich fuhr herum. Den hageren Alten, der plötzlich hinter uns stand – Lodenmantel, Schaftstiefel, Knotenstock –, hatte keiner von uns kommen gehört.

»Wünschen Sie eine Führung?« fragte er höflich.

Nein, wir wünschen gar nichts an dieser Stelle zwischen dem ehemaligen Krematorium und dem ehemaligen Strafbau. Ich mußte das Bild sehen, sonst nichts.

Wer einmal aus dem Blechnapf frißt, hat Hans Fallada eines seiner Bücher betitelt. Wer einmal auf einer Gefängnispritsche lag. Wer einmal eine metallbeschlagene Tür zwischen sich und der übrigen Welt wußte. Wer einmal den Atem anhielt, wenn draußen Schritte näherkamen. Wer einmal reglos hinhörte, auf das Klappern und Rasseln, auf Kommandorufe und tonlose Häftlingsstimmen irgendwo draußen – der mußte ebenso zögern wie ich, ehe er diesen Korridor betrat. Wohl hatte man alle Türen aus den Angeln gehoben und entfernt, wir bewegten uns frei von einer Zelle in die andere. Dennoch. Kann sich ein Mensch je frei von einer Zelle in die andere bewegen?

Meine Augen glitten über Fotos und Sprüche und suchten. Das alles habe ich schon gesehen. Gewiß, anderswo, nicht an diesem Ort, aber all das kannte ich schon. Sprüche und Fotos. Gute Sprüche und gräßliche Fotos. Genug davon, schon genug.

Wo war das Bild?

Mit einemmal erschrak ich. Was, wenn es gar nicht hier war? Wenn ich es nicht finden würde? Mir wurde so schwach, als ob man mir jetzt, gerade in diesem Augenblick, auch noch das Letzte genommen hätte.

Eine Schulklasse trippelte vorbei. Scheues Flüstern, ungläubige Blicke. Und Eile, ach wie begreifliche Eile. So viele Fotos, so viele Sprüche. Kennen wir schon, haben wir schon gehört und gesehen. Läßt man uns immer wieder hören und sehen. Genug davon, schon genug.

Wahrscheinlich war das nicht die richtige Abteilung, nicht die, derentwegen wir hergefahren sind durch den kalten Wintermorgen. Ich mußte es den beiden sagen.

»... wende ich mich flehentlich an das Bezirksgericht Fürstenberg ...« Ein Brief lag unter Vitrinenglas. Der verstörte Brief einer zu Tode erschrockenen Mutter.

Fürstenberg? Da sind wir doch eben durchgekommen. Heute Eisbein mit Sauerkraut. Mandelduft frischgebackener Stollen. Fliederseife, kalte Dauerwelle. Auch damals?

Noch eine Zelle und noch eine. Vielleicht war das Bild drüben oder unten im Erdgeschoß. Wo waren die beiden Männer? Der eine lief nervös von Dokument zu Dokument. Wortlos, die Pfeife ohne Feuer zwischen die Zähne geklemmt, schritt der andere von einem Schriftstück zum anderen. Auch sie suchten, das machte mich ruhiger.

Auf einmal blieb mein Blick stecken. Das dunkle Frauengesicht dort hinten. Das habe ich doch schon irgendwo ...

Ausgeschlossen.

Aber diese Gesichtszüge, die schön sein könnten, wenn sie nicht so grob wären. In der linken Ecke oben stand der Name: Carmen Maria Mory.

Weiß Gott, die habe ich hier nicht gesucht!

Es war ein ungewöhnlicher Tag damals in der öden Kette der übrigen, im Herbst 1939. Draußen regnete es, die letzten Blätter sanken raschelnd von dem alten Kastanienbaum vor dem vergitterten Fenster. Ich lief in meiner Zelle auf und ab, um die vor Kälte klammen

Füße ein wenig warm zu bekommen. Dann kehrte ich wieder zu dem runden Schemel zurück und versuchte weiterzulesen.

Seit Wochen saß ich nun in dem Pariser Zuchthaus, und was in diesem abgegriffenen Buch aus der Gefängnisbibliothek geschrieben stand, war für mich in höchstem Maße aufschlußreich und interessant. Der französische Offizier, der mir als Untersuchungsrichter zugeteilt war, hatte mir auf meine Frage, wo man mich denn eigentlich gefangenhalte, bereitwillig und höflich mitgeteilt, die Anstalt hieße La Petite Roquette. Der Name klang angenehm. In dem fensterlosen Polizeiauto, das mich vom Justizpalais durch Paris zurückschaukelte, wiederholte ich ihn wie den Refrain eines Chansons: La Roquette, La Petite Roquette … Zurück in der Zelle, blätterte ich sofort in dem französisch-englischen Wörterbuch nach, das ich gleichfalls aus der Bibliothek geliehen hatte, und stellte fest: roquette – tendril. Das englische Wort tendril heißt so etwas wie wilde Ranke. Ich befand mich also im Haus zur kleinen wilden Ranke.

Am Abend desselben Tages brachte man mir ein Anstaltshemd. Grobes Leinen, dem der säuerliche Geruck der Gefängniswäscherei anhaftete. Am Rande des viel zu großen Ausschnitts entdeckte ich einen häßlichen schwarzen Stempel mit der Aufschrift: Maison de Saint-Lazare. Und das war ein berüchtigtes Gefängnis schon zu Zeiten der Französischen Revolution.

Nun las ich die phantastische Geschichte von Mata Hari, der schönen Tänzerin, die die berühmteste Spionin des ersten Weltkriegs gewesen war und von den Franzosen erschossen wurde. Auch sie war in diesem Gefängnis gesessen, sogar in derselben Abteilung. Auch in jener Nacht, da sie die Offiziere holen kamen und, von ihrer Schönheit bewegt, einen Teppich auf die Fliesen des Korridors legen ließen, damit die Gefangene ihre Schritte nicht schon von weitem hörte, ehe die Abordnung bis zu ihrer Zelle gelangte, der letzten. Neben dem Arzt und dem Geistlichen soll auch eine Nonne von Saint-Lazare die Mata Hari bis vor die Gewehrläufe des Exekutionspeletons begleitet haben.

Ich legte das Buch weg und betrachtete die schwere Zellentür, das vergitterte Fenster, das Eisengestell des Bettes, den Schemel, den Eimer, den irdenen Wasserkrug. Die letzte Zelle im Korridor. Ich lag in der letzten Zelle.

Am Abend konnte ich lange nicht einschlafen. Alles war hier beklemmend. Die Stille, ein Schluchzen, das von irgendwo zu mir herüberklang, ein merkwürdiges Pfeifen draußen vor dem Fenster. Das Haus zur kleinen wilden Ranke. Sie muß giftig gewesen sein, aus solchem Boden.

Ich warf mich von einer Seite auf die andere, hielt krampfhaft die Augen geschlossen, aber der Schlaf wollte nicht kommen. Da mischte sich ein neuer Ton in das Rauschen der Nacht. Erst von weit her, dann immer stärker anschwellend, immer näher kommend. Sirenen. Schon heulten sie vom Gefängnisdach auf. Flugalarm!

Ich Gebäude gingen schlagartig die Lichter aus. Ich sprang aus dem Bett, langte im Finstern nach der Gasmaske, die zur pflichtgemäßen Ausrüstung jedes Häftlings gehörte, warf den Mantel über und stellte mich, wie es die Vorschrift für solche Fälle gebot, unter das Guckloch. Draußen wurden Türen auf- und zugeschlagen. Meine blieb verschlossen. Manche Frauen begannen in ihren Zellen hysterisch zu schreien. Die Sirenen

winselten weiter. Endlich wurde auch meine Tür aufgerissen, jemand leuchtete mir mit einer Taschenlampe ins
Gesicht: »Venez! – Kommen Sie!«

Jemand schob mich durch den schwarzen Korridor,
stellte mich neben jemanden. Dann scharrten viele
Füße. Scheinbar bewegte sich ein ganzer Zug von
Menschen durch die Finsternis. Eine Tür ging auf. Ein
Lichtschimmer. Man drängte uns eine Treppe hinab. Ein
schwach erleuchtetes Kellergewölbe tat sich vor uns
auf, an den Wänden ringsum ein paar roh zusammen-
gezimmerte Bänke.

»Niedersetzen! Es darf nicht gesprochen werden!«

»Und atmen darf man in diesem Loch?«

Ich wandte mich um. Die Frau, die das gesagt hatte, hochgewachsen, mit schwarzem Haar, buschigen,
schwarzen Augenbrauen, ziemlich blaß, in einen eleganten Pelzmantel gehüllt, lächelte spöttisch. Sie zeigte nicht
die geringste Spur von Nervosität.

Damals habe ich sie zum erstenmal gesehen.

Wir mußten uns auf die Bänke setzen. In der Mitte
des Kellers standen einige Männer von der Garde Mo-
bile, das Gewehr im Anschlag. In jeder der zahlreichen
Ecken des Raums saß eine Nonne zwischen uns. Eine
hatte ein wächsernes, von scharfen Furchen zerklüfte-
tes Gesicht. Sie war sehr alt. Ich konnte den Blick nicht
von ihr wenden, vergaß darüber die Aufregung über
den Flugangriff. War sie es gewesen? Hatte sie die Tänzerin auf ihrem letzten Weg begleitet, bis vor die Gewehrläufe des Exekutionspelotons?

»Silence! – Ruhe dort!«

Zwei Gefangene hatten miteinander geflüstert.

»Gesprochen werden darf nur laut!«

»Also doch!«

Die Frau in dem eleganten Pelzmantel lachte mit rauher Stimme. Sie war zweifellos die auffallendste Erscheinung, anmaßend, selbstbewußt, fast herrisch.

»Die ist schon lange da«, raunte ein Mädchen mit merkwürdig verstörten Augen neben mir. »Eine Schweizerin.«

In diesem Augenblick wandte sich die Frau im Pelzmantel mir zu. »Neu?« fragte sie, wer weiß warum ironisch, und maß mich ungeniert von oben bis unten in einer überheblichen Art.

Ich verspürte keine Lust zu antworten.

Später erkannte ich die Stimme dieser Frau durch die geschlossene Zellentür. Keine andere Gefangene sprach so laut, keiner anderen wäre es eingefallen, den Direktor der Militärabteilung des Gefängnisses, einen farblosen, dürren Offizier, bei der Zelleninspektion anzufahren: »Sie sehen ja wieder aus! Wie eine ausgequetschte Zitrone! Gehen Sie weg, es ist ohne Sie schon scheußlich genug hier!«

»Die Mory hat heute ihren Prozeß!« hieß es nach ein paar Monaten. Die ganze Division wußte es. Ich hatte sie noch zwei- oder dreimal im Keller gesehen, stets gleich beherrscht und anscheinend allem überlegen. Der wachhabende Offizier forderte uns jedesmal auf, laut zu sprechen, um geflüsterte Unterhaltungen zu unterbinden. Einmal redete man über die Gefängnislektüre, und ich erkundigte mich, ob die Mata Hari tatsächlich aus diesem Gebäude zur Exekution geführt worden war. Da hob die alte Nonnne wortlos den Kopf und blickte mich zum erstenmal an. Die Mory war fasziniert. »Die Mata Hari, sagen Sie, in diesem Haus? Sans blague!«

Nun ging sie vor die Richter. Die Aufseherinnen waren erregt, liefen wie aufgescheuchte Hennen hin und her. Sie selbst schien wie immer ruhig zu sein. Ihr Schritt klang fest und regelmäßig, als sie durch den Korridor geführt wurde. Eine Stunde später mußte ich zum Verhör. Als ich am Abend ins Gefängnis zurückgebracht wurde, schien sich die Nervosität in der Division noch gesteigert zu haben.

»Ich haben Ihnen die Suppe warm gestellt«, sagte die Aufseherin, eine ältere Frau. Das kam sonst nicht vor. Als sie mir den Napf hinhielt, zitterten ihre Hände derartig, daß die Suppe überschwappte. Sie blieb in der Tür stehen und sah mir zu, während ich aß. Auch das war ungewöhnlich.

Todesurteil, hieß es am Abend von Zelle zur Zelle, sie haben die Mory zum Tode verurteilt. Als man sie endlich zurückbrachte, raste sie, schrie unverständliches Zeug. Mit einemmal wurde sie ruhig. Als der Direktor nach ihr sehen kam, warf sie ihn wie immer wütend hinaus.

»Du kennst diese Frau?«

Der eine der beiden Männer blickte mich fast besorgt an. Ich starrte noch immer auf das dunkle Foto.

»Wir saßen zu Kriegsbeginn in Paris im selben Gefängnis.«

Blockälteste von Nr. 10, stand auf einem weißen Schild unter der Aufnahme, gefährliche Zuträgerin, von den Gefangenen »der schwarze Engel des Todes« genannt.

Was bedeutete der Block Nr. 10 in Ravensbrück? Warum war die Mory gerade dort Blockälteste, warum wurde sie von ihren Mitgefangenen »der schwarze Engel des Todes« genannt?

Noch wußte ich es nicht. Auch war ich zu sehr mit dem Bild beschäftigt, das hier sein sollte und das ich sehen mußte.

Aber vorher mußte ich wohl noch vieles andere sehen. Da stand ich mit einemmal vor einem weißen Blatt Papier, das ein paar Ziffern enthielt. Was sollte ich mit ihnen anfangen? Sie waren zu vielstellig, zu nichtssagend in ihrer Unvorstellbarkeit.

Ein Mensch. Das ist ein jeder von uns, ein Mensch – das heißt leben. Zwei Menschen, das sind du und ich. Ich liebe dich, und du liebst mich, zwei Menschen sind schon unsagbar viel. Drei Menschen, das ist bereits ein Wunder: Vater und Mutter und ihr erstes Kind. Vier Menschen, das sind die Nachbarn von nebenan, die richtige Familie. Fünf Menschen, sechs Menschen, zehn. Zehn Frauen sitzen im Wartezimmer eines Entbindungsheims. Zehn Menschen, bald werden es zwanzig sein. Das alles ist wirklich, das alles gibt es.

Zweiundneunzigtausend Frauen sind in Ravensbrück ums Leben gekommen.

»Kannst du dir das vorstellen ...« Ich faßte den Mann am Arm.

Er nahm die kalte Pfeife aus dem Mund, hob den Blick von dem weißen Blatt Papier und sagte leise: »Alle Einwohner einer mittelgroßen Stadt.«

Einer mittelgroßen Stadt. Aber keine Straßenbahn klingelt dort mehr, kein Auto fährt durch ihre Straßen. Aus den Schornsteinen der Fabriken quillt kein Rauch. In den Bäckereien werden die Brote hart, in den Parkanlagen welken die Blumen. Man erkennt nicht, wo die Schule ist, kein Laut dringt aus den großen Fenstern. Im Theater liegt der Taktstock unberührt auf dem Dirigentenpult, Ballettschuhe baumeln nutzlos in der Garderobe hinter den Kulissen. Niemand kauft das Brautkleid aus dem Schaufenster auf dem Hauptplatz, niemand flüstert auf der Uferböschung des Flusses zärtlichen Unsinn. Keiner zieht den Fisch hoch, der an der Angelrute zappelt. Nur der Wind liest in dem Buch, das unter der blütenschweren Linde liegt. Hier küßt nie ein Mund.

Aus zehn Menschen können zwanzig werden. Drei Menschen sind ein Wunder, zwei Menschen sind schon unsagbar viel, ein Mensch, das heißt leben.

Zweiundneunzigtausend Frauen wurden in Ravensbrück umgebracht, stand auf dem weißen Blatt Papier vor mir.

Hat das der Baum draußen am See gesehen? Haben die Schwäne davon gewußt?

»Du mußt dir nicht alles vorstellen können«, sagte der Mann und zog mich sanft fort.

Gefangene Frauen mußten in Ravensbrück Häftlingskluft für gefangene Männer weben. Sie mußten auch Pelzfäustlinge nähen, für die Ostfront. Zehntausend Stück. Staub und Haare in der Luft, Tuberkulose. Hunderttausend Stück. Manchmal starben hier hundert Frauen an einem Tag. Das Krematorium arbeitete ohne Unterbrechung. Die Asche wurde in den See gestreut. In den See, auf dem die Schwäne lautlos von einem Ufer zum anderen segeln und nur dann und wann ihren schlanken Hals beugen, um einen silbrig glänzenden Fisch zu schnappen. Er soll voll von fetten Fischen sein, der schöne Schwedtsee zwischen Fürstenberg und Ravensbrück.

Man muß sich nicht alles vorstellen können.

Die Hunde der SS in diesem Lager durften nur knappe Futterrationen bekommen, um scharf zu bleiben. So scharf, daß sie keinerlei Anhänglichkeit empfinden konnten, selbst für ihren Herrn nicht. Weich sein heißt schwach sein. Wer schwach ist, kann nicht siegen.

Etwas Ähnliches galt auch für die Aufseherinnen, für die SS weiblichen Geschlechts. Ihre Fotos hingen vor mir. Auch sie wurden, wie die Hunde, an diesem unwahrscheinlichen Ort kurzgehalten und jeden Monat von neuem instruiert, daß jeglicher menschliche Kontakt verboten war. Nicht nur mit den Häftlingen, jeglicher menschliche Kontakt schlechthin.

Ich aber habe die Frau gekannt, die hier die Blockälteste von Nr. 10 war. Ich habe sie in ihrem eleganten Pelzmantel gesehen, dessen hoher Kragen sich weich um ihren interessanten Kopf legte. Sie trug eine weiße Seidenbluse und eine gutgeschnittene, flaschengrüne Wolljacke über einem schottisch karierten Rock. Da war auch von einem Verlobten die Rede. Wie umarmt man eine Frau, die von anderen Frauen »der schwarze Engel des Todes« genannt wurde und in Ravensbrück Blockälteste von Nr. 10 war?

Vielleicht, wünschte ich mir plötzlich, vielleicht ist es am besten, wenn ich das Bild überhaupt nicht finde. Vielleicht war alles ein Irrtum, eine Verwechslung, niemand hat es hier gesehen, warum auch.

Warum auch, um Himmels willen!

Ich wollte an ein Fenster treten, um hinauszuschauen in den silbergrauen Wintertag. Ich wollte die Bäume sehen und den See und die Schwäne, wie sie hinziehen. Aber es gab keine Fenster.

Über eine schmale Eisentreppe gelangten wir hinunter, ins Erdgeschoß. Bei der letzten Stufe stand der Alte im Lodenmantel, mit dem Knotenstock in der Hand und den schwarzen Schaftstiefeln an den Füßen.

»Sie betreten jetzt die eigentliche Gedenkstätte«, sagte er mit eintöniger Stimme. »Jedes Land hat hier für seine Heldinnen und Märtyrerinnen …«

Er soll still sein. Soll er doch bitte still sein!

Namen. Holland und das schmale, wissende Kindergesicht der Anne Frank. Belgien. Manche Namen klingen bekannt, manche sind es. Dänemark, Frankreich, Norwegen. Zögernd, immer langsamer betrat ich eine Zelle nach der anderen. In jeder hing an der Stirnwand eine Flagge in den Farben des betreffenden Landes, in jeder gab es Namen. In Stein eingemeißelt, zu langen Verzeichnissen zusammengestellt. Sie sahen hier völlig anders aus als sonst im Leben. Tot, als ob auch sie gestorben wären. Als ob sie nie mit Mühe und rührender Sorgfalt auf das Schildchen des ersten Schulheftes gemalt worden wären. Jahre später stand dann mancher von ihnen in feinen Buchstaben auf einem weißen Kärtchen: Mudr., Dr. Ph. Und wurde in der Handtasche mitgetragen. War es doch nach all den durchwachten Nächten endlich soweit. Die schlanke Mädchenhand zitterte ein wenig, da sie, noch etwas später, zum erstenmal mit einem neuen Namen unterschrieb. War das ein Spaß, auf einmal als Madame angesprochen zu werden, als Signora oder paní. An Wohnungstüren standen die Namen dieser Frauen und Mädchen, auf Briefumschlägen mit guten und bösen Nachrichten. Und auf dem Haftbefehl.

Nun waren sie alle tot. Die Namen, zu Verzeichnissen erstarrt, mit Blumen geehrt und von strengen Fahnen bewacht. Hörst du mich noch? Ne m'oubliepas! Nicht weinen, Marie.

Nicht weinen.

Ich schritt von Foto zu Foto und blickte in jedes Gesicht. Sind wir einander begegnet? Ich konnte sie doch gar nicht alle gekannt haben, die Jüngeren, Gleichaltrigen und die so viel Älteren. Die Wege der meisten von uns haben sich nie berührt, wieso kam es, daß sie mir alle so vertraut erschienen, die Gesichter, die hier am Schwanensee niemals so ausgesehen haben, wie sie nun für immer von den Bildern lächeln. Mädchenhaft zart, mütterlich gütig, hübsch zurechtgemacht. Neben solchen Frauen sitzt man im Kino, läßt ihnen respektvoll oder galant den Vortritt beim Einsteigen. Sie verabreichen schmerzstillende Injektionen, tippen auf der Schreibmaschine, verkaufen Milch oder Strümpfe, bringen ihre Kinder zur Schule, kommen am Sonnabendnachmittag rechtzeitig zum Rendezvous, öffnen die Wohnungstür, wenn sie unseren Schritt auf der Treppe erkennen. Und sterben zu bald, wenn sie vor uns sterben.

Lange konnte ich diesen Rundgang nicht mehr aushalten. Wer einmal aus dem Blechnapf frißt. Wer einmal auf der Gefängnispritsche lag. Wer einmal eine metallbeschlagene Tür zwischen sich und der übrigen Welt wußte.

Und die Mory? Was war mit ihr geschehen, seit sie mit dem Todesurteil in die Petite Roquette, in das Pariser Gefängnis zur kleinen wilden Ranke zurückgebracht wurde? »Laßt mich raus!« hat sie damals geschrien. »Ich will fort von hier!« Wie gelähmt stand ich an der kalten Wand in meiner Zelle. Eine Frau war zum Tode verurteilt worden, eine Frau, die ich kannte, die ich gesehen hatte und deren Stimme ich in diesem Augenblick noch hörte. »Laßt mich raus! Ich will fort von hier!« So ist es also, dachte ich damals, und immer wieder, wie in einem Kreis gefangen: So ist es also!

Auf welchen Wegen war sie hierhergekommen, wie war aus dieser Marie »der schwarze Engel des Todes« geworden, aus Carmen Maria Mory die Blockälteste von Nr. 10?

Österreich stand über der nächsten Zellentür. Das ernste, verschlossene Gesicht einer Ordensschwester blickte mich an, Maria Benedicta Restituta. Zum Tode verurteilt, umgebracht. Neben, über und unter ihr fröhliche Mädchen im Dirndl, Studentinnen, Hausfrauen. Dazwischen eine Zeichnung. Von dieser Frau mit den starken Brillengläsern war wohl nicht einmal ein Foto übriggeblieben. Ich schaute nach dem Namen. Anna Peczenik. Und mußte mich schnell an der Wand festhalten.

Die Anni ist eine phantastische Frau. So wie die Anni müßtest du einmal sein.

Sie war als Emigrantin nach Prag gekommen, da Hitler als »Befreier« nach Wien kam, und wo sie auftauchte, verdrehte sie jungen Männern den Kopf. Schon damals trug sie eine dicke Brille, aber merkwürdigerweise störte das gar nicht. Ihr gleichmäßiges Gesicht verlor dadurch nichts von seinem herben Reiz. Sie war ein wenig älter als ich und von Beruf Krankenschwester.

Die Samstagabende pflegten wir in jener Zeit im Hause eines befreundeten Ehepaares zu verbringen. Der Mann, Jossek, nicht allzu groß, eher wuchtig von Gestalt, mit einem breitknochigen Gesicht, hatte ungewöhnlich klare helle Augen. Seine ganze Person strahlte Freundlichkeit und Warmherzigkeit aus. Sein Vater, so erzählte er einmal, ein jüdischer Fleischer, wäre eine nicht gerade wohlhabende, aber sehr geachtete Persönlichkeit in seinem Geburtsort, einem polnischen Städtchen gewesen. Wir hörten Jossek immer mit Vergnügen zu, weil sein osteuropäischer Akzent jeder seiner Geschichten eine drollige Note verlieh. Den Namen der

kleinen Stadt, in der er zur Welt gekommen
ßen wir sofort wieder. Er war uninteressant,
ten ihn nie zuvor gehört. Unser Freund Jos
aus Auschwitz.

Frau Siddy, schlank, nervös, bald lustig,
Hausfrau, Gattin und Mutter von zwei kleinen Mädchen, traute der Zukunft nicht. Die leicht verspielte
Sorglosigkeit ihres Mannes beunruhigte sie. Deutschland nach Hitlers Machtantritt war ein ständiger Alp-
druck für sie.

Wer zeitig zu diesen beiden kam, brachte etwas zum
gemeinsamen Abendessen mit. Es war ein schlauchar-
tiges Zimmer, in dem wir uns versammelten. Man saß
auf dem alten Ledersofa, auf ein paar Stühlen, haupt-
sächlich aber auf dem Fußboden. Überall standen Kaffeetassen herum, Gläser mit Wein und Teller mit beleg-
ten Broten. Wer später kam, brachte etwas zum Trinken
mit. Zuerst wurde stets musiziert. Corelli, Beethoven,
Debussy. Später dann Duke Ellington, Dunajewski, Jaroslav Ježek.

Die Anni saß fast immer unter uns, stets lag irgendein
Arm um ihre Schultern, immer wieder zog sie jemand
hoch und tanzte mit ihr in dem Rechteck zwischen Sofa
und Klavier. Ebenso ausgelassen oder so verträumt wie
die beiden anderen Paare. Für mehr als drei war kein
Platz. Gab es neuen Kaffee, öffneten wir das Fenster,
ließen frische Luft herein, die Musik verstummte für
eine Weile, und wir sprachen über dies und jenes. So ist
mancher Plan in jenem Zimmer entstanden. Auch manche unverhoffte Liebe.

Als wir einmal an der Scheide zwischen Nacht und
Tag endlich aufbrachen und uns im klirrenden Frost vor
dem Haus schnell gegenseitig verabschieden wollten,

rkte die Anni: »Nächste Woche müßt ihr mir alle
n Daumen halten. Da werde ich schon unterwegs nach
Frankreich sein. Ihr wißt doch, daß ich Krankenschwester bin. Bei den Interbrigaden in Spanien gibt es fast
keine gelernten Schwestern.«

Dann habe ich lange nichts von ihr gehört. Nur daß
sie den Krieg in Spanien überlebt hatte, wußte ich. Im
Frühling 1941, als sich deutsche Soldaten und deutsche
Spitzel schon in fast ganz Frankreich breitmachten,
verbrachte ich zwischen Haft und Haft ein paar Wochen unter Freunden in Marseille. Gleich am ersten Tag
zeigten sie mir, in welchem Gasthaus man mit ganz wenigen Lebensmittelkarten, schlimmstenfalls sogar ohne
sie, verhältnismäßig satt werden konnte. Wir saßen an
einem langen Holztisch, löffelten eine abscheuliche
Suppe aus Fischflossen und tranken dazu unerwartet
guten Rotwein, als plötzlich eine Frauenstimme sagte:
»Wie kommst denn du hierher?« Eine Frauenstimme,
die wie Annis klang. Ich fuhr hoch. Aber hinter mir
stand eine junge rumänische Ärztin, die in Prag studiert
hatte und dann auch nach Spanien gegangen war.

»Ach, Anjuta! Im ersten Augenblick, der Stimme nach,
habe ich gedacht, du bist jemand anders. Die Anni aus
Österreich, die in Prag war. Kennst du sie nicht zufällig?«

»Die Anni Peczenik? Ob ich die kenne! Habe mit ihr
bis vor kurzem im Lager auf einer Pritsche geschlafen.
Ein wunderbares Mädchen.

Nun stand ich vor der Zeichnung einer älteren, strengen,
völlig freudlosen Frau. Eine Mitgefangene hatte sie wohl
aus dem Gedächtnis nachgebildet.

»Denk dir, diese Frau habe ich gut gekannt«, sagte

ich zu dem Mann, der an seiner Pfeife nagend hinter mir stand. »War ein bildhübsches Mädchen und hat in Prag viele Männer verrückt gemacht. Kann man sich schwer vorstellen, wenn man diese Zeichnung sieht, nicht?«

Er nickte zerstreut. Dann sagte er still: »Nebenan ist die tschechoslowakische Abteilung«, legte mir für einen Augenblick die Hand auf die Schulter und ließ mich allein hinübergehen.

Hier also war das Bild. Hier mußte es sein. Ich senkte plötzlich den Kopf und starrte auf den braunroten Fußboden. So konnte ich es natürlich nicht sehen. Ich mußte die Augen heben und auf die Wand schauen. Ich wußte doch schon, wo in den anderen Abteilungen die Bilder hingen.

Ich konnte auch noch hinausgehen. Dann mußte ich nichts sehen.

Wo war das Bild?

Vor meinen Augen.

Ein schlanker Hals, ein Mädchengesicht im Profil. Eine stumpfe Nase, kräftig geschwungene Augenbrauen. Schwermütige Augen, aber auf dem Bild lächeln sie. Über dem glatten dunklen Haar ein lässig im Nakken geknotetes Tüchlein. Meine kleine Schwester.

»... hat im Lager an allen politischen Aktionen teilgenommen. 1942 nach Auschwitz deportiert, von wo sie nicht zurückgekommen ist.«

1942, als sie nach Auschwitz deportiert wurde, von wo sie nicht zurückgekommen ist, war sie noch keine einundzwanzig Jahre alt. Da hatte sie aber schon fast zwei Jahre hinter sich, in denen sie bei jedem Schellen an der Wohnungstür zusammenfahren mußte und nicht mehr ruhig schlafen konnte. Was rings um sie geschah, war so ungeheuerlich, so menschenfeindlich, daß sie, um überhaupt atmen und unter diesen schlimmsten Umständen in sich frei bleiben zu können, einfach etwas tun mußte. Ein halbes Jahr lang wurde sie, als das Unglück über sie hereinbrach, im Gestapogefängnis auf dem Prager Karlsplatz geprügelt. In demselben alten Gebäude, in dem sich nun ein Standesamt befindet, wo Menschen getraut werden, die kaum jünger und zumeist älter sind, als sie es damals war. Ein Jahr verbrachte sie dann hier, im Frauenlager Ravensbrück. Wann ist sie jung gewesen? Hat ihr das Leben dazu überhaupt ein bißchen Zeit vergönnt? Warum war es so geizig zu meiner kleinen Schwester?

Wie war der Tag, an dem sie dich hierhergebracht haben? Schien die Sonne am Himmel, hat es geregnet oder geschneit? Konntest du den See sehen, mit den alten Bäumen ringsum und den Schwänen, die still von Ufer zu Ufer ziehen? Hast du an unsere Mutter gedacht oder an deinen Liebsten, den sie noch vor dir geholt und gehenkt haben? Oder war schon alles tot und ausgebrannt in dir?

Als du geboren wurdest, bin ich noch nicht zur Schule gegangen. Du bist in einem Wäschekorb gelegen, alles war weiß und rosa und frisch gebügelt, und man durfte es nicht anfassen und dich auch nicht, weil du auch noch ganz frisch warst. Trotzdem bin ich stundenlang bei dir gestanden und habe dir immer wieder behutsam die winzigen Fäuste aus dem Mund geholt, weil du nicht an ihnen lutschen solltest. Und habe an dir geschnuppert, was ich eigentlich auch nicht durfte, aber du hast so schön nach Milchflasche geduftet, nach Streupuder und Babyseife.

Später habe ich im Park aufgepaßt, daß kein Junge dein Holzentchen zertritt, das du überall mit dir mitgeschleppt hast. Denn du warst meine kleine Schwester, und niemand durfte dir etwas zuleide tun.

Dann sind wir zusammen in die Schule gegangen. Ich habe dich an der Hand geführt, und wenn wir über die Straße gingen und ein Auto kam, sagte ich: »Bleib stehen!«, und wenn es vorüber war: »Jetzt komm!« Manchmal hast du gemurrt: »Das weiß ich selbst!«, und da habe ich dich ein bißchen gepufft, weil ich streng sein mußte, denn ich hatte Angst um dich.

Einige Jahre danach haben die Leute gelacht, wenn ich sagte: »Das ist Alice, meine kleine Schwester.« Ein hochgewachsenes Geschöpf war aus dir geworden, gut einen Kopf größer als ich. Dennoch bemutterte ich dich weiter, wann immer es ging. Als ich dich in einem Ferienlager von Arbeiterkindern anmeldete, fragte man dich bei der Einschreibung: »Du übernimmst wohl eine Gruppe, wie? Möchtest du die Jüngsten?« – »Danke, nein«, hast du damals geantwortet, »ich fahre, bitte, als Kind.«

Aber eines Tages hörtest auch du auf, ein Kind zu sein. Aus deinen rundlichen Kinderhändchen wurden schmale Mädchenhände. Das winzige Zelluloidpüppchen, das du überall mit dir herumtrugst (erst das Holzentlein, dann das Püppchen, aber zum Schluß nichts, da durftest du gar nichts mehr bei dir tragen), verschwand aus deiner Manteltasche und machte verschiedenen Zetteln mit flüchtig hingekritzelten Notizen Platz. Einmal war es der Titel eines Buches, ein andermal eine Telefonnummer, ein Datum, ein Vers, eine Adresse.

Wir waren beide verspielt. Das begann mit den kuriosen kleinen Dingen, die wir in unserem gemeinsamen

Zimmer zusammentrugen. Dazu gehörte eine Reihe von Ausdrücken, denen wir einen neuen, nur uns beiden zugänglichen Sinn gaben. Auch das komische Morgenritual, nach dem wir uns beim Aufstehen richteten, war ein Teil unserer Verspieltheit. Zuerst der linke Fuß, hieß es da, auf jeden Fall zuerst der linke. Dann eine kleine Pause, in der wir einander gegenseitig das Programm des Tages abhörten. Es folgte: Morgenrock, Vorhang hoch, Badezimmer. Wer zuerst am Frühstückstisch erschien, mußte zur Strafe (ungebührliche Hast!) alle Brote streichen, die andere brühte inzwischen den Tee auf und erforschte die Wetterlage. So und ähnlich ging es weiter, bis wir in größter Eile, denn meistens wurde es fast zu spät, aus der Wohnung schossen.

Prag hatten wir auf unsere besondere Weise aufgeteilt. Da gab es einen »Weg der absoluten Verzweiflung«, der nicht allzu lang sein durfte und beschritten wurde, wenn alles schiefging. Er führte von unserer Wohnung unter dem verrußten Eisenbahntunnel hindurch, durch die lärm- und raucherfüllte Hybernergasse, am häßlichen Masarykbahnhof vorbei, eintöniges Grau in Grau, bis zum Pulverturm. Dort war dann der Ausgangspunkt für den »Weg der größten Eile« sowie für den kurzen und den verlängerten »Trödelweg«. Wir hatten auch einen »Weg des absoluten Glücks«, dessen Betreten nur in Ausnahmefällen und nur in Begleitung einer gleichgestimmten Person gestattet war. Er führte durch die Nerudagasse auf der Kleinseite hinauf zum Hradschin und von dort durch die alten Schloß- und Adelsgärten wieder hinunter bis zum Blindenheim auf dem Klárov-Platz. Durch welche Gärten, das war der freien Wahl überlassen, weil ja Glück – zum Glück – keine Reglementierung verträgt.

Hast du dich hier wenigstens einmal daran erinnert, wieviel Spaß wir an unseren Spielen hatten, besonders wenn etwas »aufging«? Eine Wette, die wir mit uns selbst abgeschlossen hatten, eine Beschwörung, von der nur wir beide wußten.

Bloß hier, in Ravensbrück am Schwanensee, hat keine unserer geheimen Zauberformeln genutzt. Waren wir zu weit entfernt voneinander? Oder war es deshalb, weil Träumereien an diesem Ort keine Macht mehr hatten?

Als die Zeit kam, da in unserem Land alles drunter und drüber zu gehen begann, habe ich nicht mehr zu Hause gewohnt. Aber die letzten Wochen und Monate – wir wußten, daß es für lange die letzten waren, ahnten jedoch nicht, daß dieses »lange« niemals ein Ende nehmen sollte – bin ich wieder bei euch eingezogen. Wieder haben wir in unserem winzigen Zimmer gehaust. Eigentlich nur nachts, denn tagsüber rannte jede von uns ihrer Arbeit und ihren Sorgen nach. Mutter schlief im Nebenzimmer. Jeden Abend machte sie uns etwas zum Essen zurecht und wartete im Bett, bis eine von uns den Schlüssel in die Wohnungstür steckte. Da erschien sie sofort in unserem Zimmer, in einen viel zu weiten und schon viel zu schäbigen kaffeebraunen Morgenrock gehüllt, von dem wir uns aber alle drei nicht trennen mochten. Kurz darauf kam dann auch die zweite von uns, und wir aßen und schwatzten und lachten mitten in der Nacht und taten so, als ob wir nicht wüßten, daß das alles blad aufhören würde. Daß die Totschläger und mit ihnen der Krieg schon hinter unserer Wohnungstür standen. Aber wir haben es gewußt, meine Mutter, meine kleine Schwester und ich, gerade deshalb wollten wir in jenen ruhigen Nachtstunden noch soviel wie möglich beisammen sein.

War es richtig, daß ich dir Bücher zu lesen gegeben habe, die dich zum Nachdenken nötigten? Ich wollte nicht zusehen, erklärte ich dir einmal, wie Gewalt und rücksichtslose Besitzgier nacheinander Länder, Menschen, die Kunst und das ganze Leben vergewaltigten, ich wollte etwas dagegen tun. Ich, ein Mädchen aus Prag, wollte auch gegen den Krieg etwas tun. Du hast mir zugehört und hast mir dabei unverwandt ins Gesicht geblickt, als ob du auch den letzten, den zögerndsten Gedanken aus mir herausholen wolltest. Gesagt hast du damals nichts, aber weil du ernst warst und unverrückbar im einmal gefaßten Entschluß, hast du dann alles auf dich genommen. Alles, das getan werden mußte, und auch alles, was dann unvermeidbar war.

Ich wußte schon, daß es ein Spätsommertag des Jahres 1942 war, als der große Transport von Ravensbrück nach Auschwitz durchgeführt wurde. Über den Wipfeln der Bäume am Seeufer sollen damals zwei Habichte gekreist sein, auf der Lagerstraße wirbelten Holzpantinen und nackte Füße grauen Staub auf.

»In Fünferreihen antreten!«

Alle wußten, was das bedeutete. Deshalb kamen die Frauen aus den Baracken gelaufen, ließen sich von den Aufseherinnen anschreien, schlagen, zurückdrängen. Und waren gleich wieder von neuem da.

Die angetretenen Frauen waren ruhig, schrecklich ruhig. Nur wenige weinten still vor sich hin.

Sie brachten sogar ein Lächeln fertig, die Gefangenen hüben und drüben. Sie nickten einander zu. Den Aufseherinnen gingen allmählich die Nerven durch. Kommandorufe überschnitten sich, Trillerpfeifen, Hundegebell.

Da summte in dem stillen Viereck ein merkwürdiger Laut auf. Ein Seufzer aus Hunderten Kehlen, ein letzter Abschiedsgruß? Die Frauen am Rande der Lagerstraße richteten sich unwillkürlich auf. Voll Zärtlichkeit blickten sie auf ihre Gefährtinnen hinter der Absperrungskette. Leise und doch so eindringlich, daß sie das hysterische Chaos des Wachpersonals übertönte, mehr hingehaucht als gesungen, stieg aus dem Viereck der zum Tode Verurteilten eine Melodie auf.

»... erkämpft das Menschenrecht!«

Auch meine kleine Schwester hat damals zum letztenmal gesungen.

Jetzt stand ich hier vor diesem Bild. Ist Mutter vor dir gestorben oder du vor ihr? Ich weiß es nicht, denn als man euch aus Prag fortbrachte, saß ich in Paris in einem Gefängnis, das den Namen Kleine wilde Ranke trägt, und ein paar Zellen weiter saß eine Frau, die zum Tode verurteilt, aber nicht hingerichtet wurde und die dann hergekommen ist, an diesen lieblichen Schwanensee, und von euch »der schwarze Engel des Todes« genannt wurde. Hat sie deinen Namen auf das Verzeichnis gesetzt im Spätsommer des Jahres 1942? Hat sie dich von der Pritsche gezerrt, als es soweit war? War es etwa ihre Hand, die hinter dir den Riegel am Viehwagen zuschob?

Und ich habe gezittert, als sie geschrien hat: »Laßt mich raus! Ich will fort von hier!«

Bald zwanzig Jahre sind inzwischen nach dem Krieg vergangen. Eine lange Zeit. Lang genug, habe ich gedacht. Aber nun stand ich hier, und vor mir war das Bild, und ich konnte nicht fortschauen, und ich konnte nicht fortgehen und nichts zu Ende denken. So oft schon mußte ich tapfer sein und war es. Was blieb mir auch anderes übrig? Sooft man mir gesagt hat, ich müsse dies oder jenes begreifen. Immer, vielleicht zu oft, habe ich es versucht. Aber nun, da ich hier war und das Bild gefunden hatte, das Bild meiner kleinen Schwester, von dem ich so lange gewußt und das ich so lange nicht gekannt hatte, nun stand ich fassungslos und konnte gar nichts begreifen. Für manches im Leben sind zwanzig Jahre überhaupt keine Zeit. Zweiundneunzigtausend Frauen sind aus Ravensbrück nicht mehr zurückgekommen. Wie soll man sich so etwas vorstellen können?

Aber eine von den zweiundneunzigtausend Frauen, eine einzige von ihnen, hat ihre Kinderhand vertrauensvoll in meine geschoben, einer einzigen habe ich heimlich, damit Mutter nicht schimpfte, alle abgerissenen Knöpfe so gut es ging wieder angenäht. Nur eine hat mir eines Abends leise gesagt: »Du, ich glaube, ich habe mich verliebt.« Eine war meine kleine Schwester.

Im Korridor zwischen den Zellen leuchteten Neonröhren. Grauweißes Licht gerann in allen Ecken. Zwei junge Soldaten – graue Wintermäntel, knarrende, glänzend gewichste Stiefel – strebten, die Mützen in der Hand, dem Ausgang zu.

»Ich möchte schon gehen.«

Der Mann packte seine Pfeife in die Tasche und sah sich suchend nach dem anderen um. Durch eine schmale Seitentür trat ich ins Freie.

Ins Freie? Sand knirschte unter meinen Füßen auf dem Weg zwischen dem Strafbau und dem Krematorium. Mußten sie hier immer barfuß gehen, die Anni aus Österreich und meine kleine Schwester? Oder haben sie sich in Holzpantinen die Füße wund gescheuert?

146

Rechts und links von der Barackentür mußten unsere Holzpantinen aufgereiht sein. Kam jemand von draußen herein, rieselte eine Handvoll Eiskristalle mit, setzte sich an den aufgereihten Holzwänden fest, weißer Flaum, vorgetäuschtes Wintermärchen. Comme c'est beau! Comme c'est froid!

Die Wege zwischen den Baracken im Frauenlager Rieucros waren schmal. Nicht ein Meter ebener Erde. Waren sie vereist von gefrorenem Regen oder festgestampftem Schnee, konnte man in den Holzpantinen rutschen und hinfallen, man konnte sich ein Bein brechen, in die starren Füße Späne einrennen, kaum zugeheilte Risse wieder aufreißen. Nur gehen konnte man in ihnen so gut wie gar nicht.

Wir waren rund achthundert Frauen in dem abseits gelegenen Gebirgslager in Mittelfrankreich. Als die deutschen Besatzer zur ersten Kontrolle erschienen, rot im Gesicht, das lederne Koppelzeug von Schweiß durchtränkt, die Zungen vom ungewohnt schweren Wein Frankreichs bedrängt, wurden wir auf dem kleinen Platz vor dem Steinhaus der Kommandantur zusammengerufen.

»Jüdinnen links antreten, alle anderen rechts!«

Die Französinnen, die Italienerinnen, die Spanierinnen und Polinnen blickten sich fragend um.

»Les femmes juives à gauche, toutes les autres à droite!« übersetzte ich leise.

Eine kalte Hand faßte nach meiner kalten Hand. Eine Frauenstimme, hell wie ein Vogelschrei an einem sonnigen Frühlingsmorgen, schwang sich hoch:

»À gauche, mes filles, tout-le-monde à gauche! – Links antreten, Mädchen, alle nach links!«

Wie ein Trommelwirbel, wie die Marseillaise, klapperten damals die Holzpantinen über die stein- und eisharten Erdschollen.

Etwa ein Jahr später war ich in einem Wüstenlager am Rande der Sahara. Wie dickflüssiger Brei stand die Luft in den Wellblechbaracken. Bis hierher, fast bis hierher, fuhr die Eisenbahn. Weiter führte sie nicht. Trat man hinaus aus der brütenden Hitze der Baracke, durchglühte heißer Sand die durchschlissenen Schuhsohlen. Wir stopften und flickten sie mit Gräsern und Lappen, um nicht auf die grünlich-schillernden Fliegen zu treten, die in dichten Schwärmen von den offenen Latrinen und Abfallgruben kamen und in jedes nackte Stückchen Fleisch ihre Eier stachen. Keiner von den sechshundert europäischen Internierten in Oued Zem wußte, wie man sich gegen die Wüste, gegen ihren sengenden Atem und die winzigen Pest- und Seuchenträger schützen könnte. Und hätten wir es gewußt, wir hätten ohnehin nicht die Möglichkeit gehabt, zu tun, was ratsam war. Worin würden wir laufen, wenn der glühende Sand das letzte Paar Schuhwerk zerrieben hatte? Dann würde nichts anderes übrigbleiben, als sich die bloßen Füße zu verbrennen, eiternde Blasen zu bekommen, kaum zugeheilte Schrammen von neuem aufzureißen und auf giftige Skorpione zu treten.

Eines Nachts vernahm ich Laute, wie ich sie nie zuvor gehört hatte. Langgezogenes, heiseres Winseln, so leer und trostlos, daß es mich von der Pritsche hochriß.

»Halt!« Eine Taschenlampe leuchtete mir ins Gesicht, nagelte mich in der Barackentür fest. »Wo willst du hin«, fragte der Wachsoldat und wies mit dem kurzen Gewehrlauf auf meine bloßen Füße, »bist du verrückt?«

Da kam wieder das Jaulen, endete diesmal in trockenem Gebell. Ich hielt mir die Ohren zu.

»Schakale«, sagte der Soldat, nahm den Lichtkegel von meinem Gesicht und stampfte gleichmütig hinaus in die schwüle Finsternis.

Der Sand knirschte unter meinen Füßen, brachte mich zurück nach Ravensbrück. Aber nirgends, dachte ich, weder in den französischen Bergen noch am Rande der Sahara, hatte man Hunde auf uns gehetzt. Hunde und Aufseherinnen, die kurzgehalten wurden, damit sie sich ja nicht an die Menschen gewöhnten. Das hatte es erst hier gegeben, am Ufer des Schwanensees und im Schatten der alten Bäume, die es fertigbringen, weiterhin jedes Frühjahr zu blühen, als ob gar nichts gewesen wäre. Zu blühen und zu duften wie damals.

Hinter dieser grauen Mauer hing das Bild. Nun wußte ich es, nun hatte ich es selbst gesehen. Ein Lächeln. Lächelnde Augen. Ein lächelnder Mädchenmund. Das Bild meiner kleinen Schwester, die nie mehr älter wird.

Die beiden Männer warteten bereits am Wagen. Wortlos öffnete der eine die Tür, wortlos nahmen wir alle drei Platz. Der Motor sprang an. Ich blickte aus dem Fenster zum See. Ein Mann mit Angelgerät hielt nach einem geeigneten Platz für Fischfang Ausschau. Das Schwanenpaar segelte dem gegenüberliegenden Ufer zu. Zwei Sowjetsoldaten warfen flache Steinchen in Wasser. Zwei sehr junge Soldaten.

»Die wären wohl auch lieber bei sich zu Hause«, sagte der Mann am Steuer und gab Gas.

Unter dem Wagen floß die Straße dahin, ein glattes, graues Band. Links glänzte das Wasser, rechts standen in kleinen Gärten mit vorsorglich verhüllten Obstbäumen und Blumenbeeten die Ein- und Zweifamilienhäuser. Über den Schwanensee, der auf der Landkarte als

Schwedtsee zu finden ist, und den die Havel mit Berlin verbindet, pflegten Dampfer mit Material nach Ravensbrück zu fahren. Am Landungssteg warteten die Frauen. Keine Lastautos und keine Zugpferde, die gefangenen Frauen. Sie schleppten Ziegel, Koks und Briketts an Land. Trugen Säcke mit Sand und weißem Betonpulver auf dem Rücken, bauten Stunde um Stunde, Tag um Tag die hübschen Häuser der SS. Rissen sich die Hände an Kanalisationsrohren wund, fügten die einzelnen Teile dieser Rohre mit ihren blutenden Händen zusammen, schichteten Ziegel auf Ziegel. Wohnzimmer, Speiseraum, Küche, Schlaf- und Kinderzimmer.

Sie haben auch die Straße gebaut, auf der unser Wagen so mühelos dahinglitt. Als sie gewalzt wurde, die neue Straße, zogen die hungernden Frauen die Walze. Weil sie billig waren, billiger als Tiere.

»Möchtest du eine Decke?« fragte mich der Pfeifenraucher. Ich schüttelte den Kopf. Da wandte er sich wieder um, rückte aber ein wenig vor, damit ich meine Hand zwischen die Polsterung und seinen Rücken schieben konnte. Am liebsten hätte ich mich ganz dorthin verkrochen.

Von den Köpfen der Bronzemädchen an der Wegkreuzung war inzwischen der Rauhreif verschwunden. Nun wirkten sie noch kahler. Nationale Mahn- und Gedenkstätte. Zu große Worte, zu oft gehört, zu oft schon achtlos wiederholt: Sie befinden sich nun ... Unser Rundgang beginnt ...

Pssst, dachte ich, nicht so laut.

In Fürstenberg hielt der Mann am Steuer. »Wir sollten etwas essen, sonst wird es zu spät.«

Wir stiegen aus, gingen zu dritt hinüber zu der HO-Gaststätte auf der anderen Seite der Straße.

Schmorbraten mit Rotkohl. Kasseler Rippchen. Noch ein kleines Helles. Tante Irma muß mal. Heinz-Dieter ist schon in Stimmung, gleich beginnt er zu singen. Bin sofort bei Ihnen, mein Herr. Wohin so eilig, junge Frau?

»Seid mir nicht böse, aber ...«

»Schon gut«, sagten die beiden. Auch sie wollten nicht hier bleiben. Das ging jetzt einfach nicht.

»Wißt ihr was«, der Mann am Steuer zündete sich eine Zigarette an, bevor er wieder anfuhr, »ich kenne ein gewöhnliches Fuhrmannsgasthaus ein paar Kilometer weiter von hier. Dort kriegen wir bestimmt auch etwas zu essen, ohne den Trubel da drinnen.«

Die Stadt entschwand. Birken zu beiden Seiten der Landstraße. Ein Hase hockte auf einem leeren Feld. Ein schütteres Wäldchen. Der Schwanensee entschwand. Das Bild fuhr mit. Eichen an der einen Seite der Straße, dahinter ein behäbiges, einzeln stehendes Haus. Buntkarierte Vorhänge an den kleinen Fenstern.

»So. Da sind wir.«

An den fünf Tischen in der geräumigen Gaststube saß niemand. Bloß an der Theke unterhielt sich ein älterer Mann halblaut mit der Wirtin. Wir setzten uns auf die Holzbank in der einen Ecke. Vom hohen Kachelofen strömte angenehme Wärme herüber.

»Was darf es sein?« fragte die Wirtin und wischte mit einem Geschirrhandtuch über die bunte Tischdecke.

»Erst mal ein Korn für jeden«, bestellte der Mann, der diesen Gasthof schon von früher kannte. »Können wir auch etwas zu essen bekommen?«

»Bockwurst mit Kartoffelsalat.«

»Sehr gut. Aber zuerst den Korn, uns ist kalt.«

Im Gesicht der Frau bewegte sich nichts. Sie lächelte nicht, sagte auch nichts mehr, kehrte wortlos zu der

Theke zurück und füllte drei Gläschen mit dem klaren Schnaps.

»Bitte. – Dreimal die Bockwurst mit Salat?«

»Jawohl.«

Als sie die gläserne, mit farbigem Papier beklebte Tür öffnete, die zur Küche führte, knurrte dort ein Hund. Freundlich, fast zärtlich, beruhigte sie ihn.

Das Getränk war scharf, brannte wohltuend in Kehle und Magen. Meine klammen Hände wurden warm, ich fühlte, wie mir das Blut auch in die Wangen stieg.

»Das tut gut.«

»Korn ist nicht schlecht. Und nach dem Essen bekommst du noch einen Kaffee.«

Die Pfeife lag auf dem Tisch, neben ihr der wohlvertraute Tabaksbeutel. In der Stube war es still. Die Frau wirtschaftete in der Küche, der Mann an der Theke qualmte bedächtig an einer kurzen, dicken Zigarre.

Vielleicht war alles gar nicht wahr. Vielleicht war alles ganz anders. Vielleicht …

Was sollten die Ausflüchte? Mag sein, daß alles noch ganz anders war. Schlimmer.

Nach dem Essen rauchten die beiden Männer, ich trank meinen Kaffee. Im Fenster summte eine einsame Fliege, die hier anscheinend überwinterte.

»Du hast die Frau dort auf dem Foto wirklich aus dem Pariser Gefängnis gekannt?«

»Die Mory? Ja, sicher.«

Am ersten Abend in der Petite Roquette vernahm ich plötzlich ein Flüstern. Woher? Die Zelle war verhältnismäßig groß, der Korridor, durch den ich geführt worden war, recht breit, alle Mauern des alten Gebäudes schienen ungewöhnlich dick zu sein.

»Hé, la petite nouvelle! Hör mal, Neue: Stell deinen Schemel zur Tür und klettere da rauf. Die Aufseherin verteilt am anderen Ende der Division die Abendsuppe. Tu dein Ohr an das Gitter über der Tür. Ich spreche von gegenüber, kannst du mich hören?«

Ich tat, was mir geraten wurde, und konnte sie hören.

»Ich heiße Gilberte und bin Französin. Und du?«

»Ich bin Tschechin.«

»Mais alors! Das ist interessant. Warum bist du hier?«

»Weiß ich nicht.«

»Weißt du nicht? Hier ist die Spionageabteilung, mon chou, das weißt du auch nicht?«

»Doch, doch. Aber ...«

»Wirst dich schon gewöhnen. Was ist draußen los, was gibt es Neues?«

»Seit zwei Wochen Krieg.«

»Das weiß ich, obwohl ich schon bald ein Jahr hier bin. Attention, die Aufseherin kommt! Iß deine Suppe, bis sie die Eßschalen sammeln geht, können wir wieder reden. À tout à l'heure! Auf bald!«

Jeden Morgen, jeden Mittag und jeden Abend haben wir von da ab ein paar Sätze miteinander gewechselt. Das war sehr wichtig, denn draußen konnte jeden Tag etwas geschehen, das entscheidenden Einfluß auf unser Schicksal haben konnte. Die ganze Abteilung tauschte politische Nachrichten aus. Nebenbei erfuhr ich so auch allerhand über die Insassinnen unserer 11. Division. Was ich hörte, verschreckte mich zunächst etwas, aber dann überlegte ich: Man hatte mich und meine Freundin Tonka hierhergebracht, weil man uns – zu Recht – entschiedener Sympathien für die Sowjetunion verdächtigte, was im französischen Chaos der ersten Kriegswochen und im Hinblick auf den kürzlich abgeschlossenen deutsch-sowjetischen Nichtangriffspakt – zu Unrecht – als staatsfeindliche Haltung eingeschätzt wurde. So saßen wir beide in der Spionageabteilung des Pariser Frauengefängnisses, und Gilberte klärte mich auf:

»Die kleine Rothaarige neben mir war die Geliebte eines französischen Offiziers, der gottweißwarum – sie jedenfalls weiß es nicht – vor einigen Wochen verhaftet wurde. Eine Zelle weiter sitzt eine Frau, die betet den ganzen Tag, bien bête, ça, hübsch blöd so was! Die Frau in der Zelle neben dir wurde hier wahnsinnig, die redet Tag und Nacht mit einem deutschen General Milch, dem sie ununterbrochen Meldung erstattet.«

»Und du, Gilberte?«

»Ich? Pech gehabt. Meine Affäre hängt mit der Redaktion des *Figaro* zusammen, genauer gesagt, mit einem Redakteur des *Figaro*, mit dem wiederum ich ziemlich zusammenhänge. Über ein Jahr sitze ich jetzt schon in diesem Loch. Wenn das so weitergehen sollte, mache ich Schluß. Toi et ta copine, du und deine Freundin, ihr seid bisher die einzigen von der anderen Seite, die sie zu uns gesteckt haben. Die Mory sagte gestern, das ist typisch für die Idiotie der Behörden.«

»Die Mory?«

»La plus grande personalité de la division, sitzt im Korridor um die Ecke, die mit der lauten Stimme, daran kannst du sie erkennen. Ist noch länger hier als ich.«

»Weiß man warum?«

»Oui et non, ja und nein.« Gilberte kicherte leise. »Goebbels weiß es bestimmt. Sie ist übrigens Schweizerin, die Mory, eine tolle Frau.«

»Warum?«

Dieses Gespräch führten wir an einem Morgen. Mittags war ich beim Untersuchungsrichter, die Flüsterunterhaltung fiel deshalb aus. Am Abend bot mir Gilberte an:

»Wenn du deiner copine etwas bestellen willst, kannst du es mir sagen, ich gebe es hinüber durch, in die Zelle neben dir, von dort geht es dann wieder herüber und so im Zickzack weiter bis zu ihr.«

»Nicht nötig«, sagte ich, »danke.«

Gilberte schwieg eine Weile, dann flüsterte sie: »Wie du willst. Aber hier hat noch keine eine andere aufgeschmissen. Du mußt keine Angst haben, auch wenn du von der anderen Fakultät bist.

»Merci, vielleicht später.«

Aber später gab es Gilberte nicht mehr. Eines Abends hat sie sich mit einer kleinen Scherbe beide Pulsadern aufgeschnitten. Man brachte sie weg, und ob sie es noch überlebt hat, habe ich nie erfahren.

»Und die Mory?« fragte der Mann neben mir und zündete sich eine weitere Zigarette an. Seine Hände zitterten ein wenig. Ich blickte ihm ins Gesicht. Es war gespannt, als ob er auf Schlimmes gefaßt wäre. »Die aus Ravensbrück.«

Carmen Maria Mory war eine ungewöhnlich intelligente Frau. Die dunklen Haare und die großen schwarzen Augen hatte sie wohl von ihrer Mutter, die italienischer Herkunft gewesen sein soll. Woher aber kamen die Härte und überraschende Schärfe in ihrem Blick? Von ihrem Vater, der, so hieß es, Arzt in Bern war? Was hatte den Weg des jungen Mädchens gekreuzt, wo war der Bruch in ihrer Entwicklung entstanden? Wann hatte sie sich zum erstenmal an dem Gedanken heimlicher

Macht über Menschen berauscht, wann hatte sie sich entschlossen, diesem Machtrausch alles unterzuordnen? Gewiß, die Möglichkeit, Macht auszuüben, hat schon viele Menschen unter den verschiedensten Umständen an den Rand katastrophaler Entscheidungen und Lebenslagen gebracht. Und nicht nur an ihren Rand. Je beschränkter die Möglichkeiten vorher waren, je dürftiger die Quellen ihres inneren Reichtums, um so zügelloser strapazierten sie die Verlockungen geraubter oder ihnen törichterweise anvertrauter Macht.

Aber dieses wohlbehütete, sorgfältig erzogene und gebildete Mädchen aus der geruhsamen Stadt Bern?

Als ich der Mory im Gefängnis zur kleinen wilden Ranke begegnete, hatte sie schon Verrat, indirekten, nichtsdestoweniger bewußten Mord hinter sich. Aber noch war sie menschlicher Regungen fähig.

»Ich habe deine Freundin gestern im panier à salade, in der grünen Minna, gesehen«, flüsterte sie Tonka einmal von Zelle zu Zelle zu. »Sie sieht schlecht aus und war auch zu dünn angezogen. Kannst du nicht etwas tun? Sprich doch mit deiner Anwältin.«

Zwei, drei Jahre später lief sie gemeinsam mit den Polizeihunden der SS vor den Transportzügen herum, und wo sie hinkam, kam der Tod mit ihr. Auf wen sie zeigte, wessen Namen sie niederschrieb, wen sie mit dem Ochsenziemer oder mit der Injektionsnadel berührte, den hatte »der schwarze Engel des Todes« berührt.

Als junges Mädchen hatte die Mory in München Journalismus studiert. Von Haus aus daran gewöhnt, mehrere Sprachen zu beherrschen, kam sie leicht vorwärts und erhielt auch bald eine Stellung beim Ullstein-Verlag.

Hatte sie sich wohl gefühlt in der schönen Stadt an der Isar? Was hatte auf die Studentin der Publizistik einen tieferen Eindruck gemacht: die großartigen Kunstwerke in der Alten Pinakothek und die gepflegte Ruhe im Englischen Garten oder das Getöse und die harten Worte im Hofbräuhaus? Als der Putschist Adolf Hitler in Deutschland die Macht an sich riß, war Carmen Maria Mory achtundzwanzig Jahre alt. Vielleicht saß sie mit an einem der langen Holztische in dem düsteren Gewölbe der Bierhalle, mitten unter den grölenden und rülpsenden Trinkern, die mit den Füßen stampften und die hohen gläsernen Litergefäße schwangen, »Heil Hitler!« schrien und »Juda verrecke!«. Vielleicht hatte sie damals noch der Ekel gewürgt, aber vielleicht hatte sie sich gerade dabei zum ersten Mal gesagt, daß sie mit von der Partie sein möchte, bis diese Männer, die alles wollten und alles um jeden Preis, loszogen, um die Welt zu erobern, auch wenn sie sie dabei kurz und klein schlagen mußten.

Hatte sich die junge Frau aus der kleinen Schweiz in München für Großdeutschland entschieden, hatte ihr die Maschinerie der Macht so imponiert?

Carmen Maria Mory muß als junges Mädchen schön gewesen sein. Nicht rührend, nicht ergreifend, eher beunruhigend, umheimlich schön. Vielleicht ist sie gerade dadurch dem kleinen Mann mit dem verkümmerten Klumpfuß aufgefallen. Mag sein, daß es Hitlers Propagandaminister war, der sie davon überzeugt hatte, daß Macht ohne Skrupel, Macht um der Macht willen, Macht über Menschen das erregende Abenteuer ist, das einem das Leben bieten kann.

Als sie nach Frankreich kam, die Schweizerin Mory, waren ihre Gesichtszüge bereits hart. Die Aufträge, die sie in Deutschland übernommen hatte, ließen keine weibliche Unberechenbarkeit, keine frauliche Weichheit zu. Der eine war bereits abgeschlossen, von der Zeit und den Ereignissen überholt, als uns der Zufall zusammenführte, ein richtiges Bravourstückchen. Beim abendlichen Flüstergespräch im Pariser Gefängnis gab sie es einmal zum besten:

»Emigranten? Quatsch!« sagte sie damals, als jemand erfahren hatte, im Erdgeschoß seien die Massenzellen voll von deutschen Emigrantinnen. »Wahnsinnige, die partout ihren Kopf riskieren wollen. Als ob man im Reich nicht alles von ihnen wüßte. Da gab es in Paris eine Gruppe, die hatte sich auf das Saargebiet spezialisiert. Ein gewisser Max Braun hatte ein Büro, in dem er illegale Kuriere aus Deutschland empfing. Die sind dann wieder brav zurückgegangen an die Saar und haben sich gewundert, wenn sie oder ihre Komplizen mit der Zeit einer nach dem andern geschnappt wurden.« Hier hielt sie inne, lachte kurz. Später haben wir erfahren, daß sie die Nebenwohnung von Max Braun gemietet hatte, eine Wand entsprechend herrichten ließ und, wenn er seine Kuriere empfing, sie sozusagen in seinem Schrank mit dabeisaß.

Meine Freundin Tonka lag in der Zelle neben der Mory. Manche ihrer Geschichten verschlug ihr buchstäblich den Atem. Dann schwieg sie. Das mochte die Mory nicht, sie brauchte Erfolg, selbst hinter den Gittern im Haus zur kleinen wilden Ranke.

»Kennst du eigentlich Stalin?« fragte sie Tonka einmal. Die verneinte lachend, so kurios erschien ihr das. »Was ist da so komisch?« brauste die Mory auf. »Ich zum Beispiel kenne Goebbels.«

Als wir beide, Tonka und ich, ebenso abrupt und ohne

Erklärung, wie wir eingeliefert worden waren, aus der Petite Roquette wieder abtransportiert wurden, saß Carmen Maria Mory noch in der 11. Division. Nach ihrer Verurteilung war sie wortkarger geworden.

»Hast du Berufung eingelegt?« fragten die anderen Frauen immer wieder flüsternd. »Hast du an den Präsidenten der Republik geschrieben?«

»Ich warte«, pflegte die Mory jedesmal zu antworten. »Laßt mich in Ruhe, ich warte.«

Ins Lager Rieucros, wohin man uns aus dem Gefängnis gebracht hatte, verirrte sich ab und zu eine Zeitung, zumeist als Packpapier. Eines Tages las ich in der Lagerküche unter einem neuen Topfdeckel eine kurze Nachricht, ließ alles liegen und stehen und lief zu Tonka. Monsieur Lebrun, hieß es da nämlich, der Präsident von Frankreich, habe die zum Tode verurteilte Carmen Maria Mory begnadigt. Wir waren nicht sonderlich überrascht.

Später, sehr viel später erfuhr ich, was der eigentliche Grund für die Verhaftung von Carmen Maria Mory zu Beginn des Jahres 1938 gewesen war. Nicht die Tatsache, daß sie im Schrank hockend Namen und Adressen deutscher Widerstandskämpfer aus dem Saargebiet notiert hatte, um sie der Gestapo und dem Sicherheitsdienst auszuliefern. Das beunruhigte die französischen Behörden nicht sonderlich. Aber in den Monaten, da ganz Europa den Atem anhielt, weil die Generalprobe des künftigen Krieges bereits im Süden des geplagten Kontinents, auf der Iberischen Halbinsel, stattfand, bereiste die Schweizerin mit den perfekten, akzentfreien Französischkenntnissen scheinbar völlig bedeutungslose Dörfer im Norden Frankreichs. Schwatzte mit Schulkindern auf ihrem Heimweg, verwickelte Bauern im Gasthaus, Frauen beim Einholen in harmlose Plaudereien. Aber die scheinbar bedeutungslosen Dörfer lagen samt und sonders in unmittelbarer Nähe der Maginot-Linie, und die harmlosen Plaudereien holten zielsicher von der deutschen Wehrmacht angeforderte Informationen über den französischen Verteidigungswall an der Grenze des Landes aus den ahnungslosen Menschen heraus. Deshalb war die Mory zum Tode verurteilt worden.

Begnadigt wurde sie auf Grund eines durchaus realen Handels. Sie könnte weiterleben, hieß es da, falls sie in Hinkunft statt für den deutschen nunmehr für den französischen Nachrichtendienst zu arbeiten bereit wäre. Die Schweizerin war von keinerlei patriotischen Komplexen behaftet. Statt einer Kugel neue Macht? Präsident Lebrun konnte dem Gnadengesuch stattgeben.

»Ich warte«, hatte die Mory im finsteren Haus zur kleinen wilden Ranke erklärt. »Laßt mich in Ruhe, ich warte.«

»Heutzutage klingt so etwas schon wie ein billiger Roman«, bemerkte der Mann mit der Pfeife. »Eine Spionin, die sich im Schrank versteckt, Kinder und Hausfrauen aushorcht, auf den primitivsten Kuhhandel eingeht. Die nüchternen jungen Menschen von heute können das alles gar nicht mehr glauben.«

»Ich weiß«, sagte ich und tauchte einen Würfel Zukker in den inzwischen kalt gewordenen Kaffee, »jeder Verlag würde diese Geschichte als unwahrscheinlich ablehnen.«

»Und jeder gescheite Filmregisseur würde danach schnappen«, meinte der andere Mann. »Weißt du noch mehr über diese Person?«

Noch mehr? Ich lutschte an dem kaffeegetränkten Würfel und zögerte. Mein Kopf schmerzte. Am Schwanensee hängt das Bild, an der Wegkreuzung stehen, für immer erstarrt, die kahl geschorenen Bronzemädchen, und ich saß hier, in der warmen Wirtsstube, und gab eine hot story zum besten.

»Bist du müde? Soll ich dir noch einen Kaffee bestellen?« Der Mann mit der Pfeife blickte mir aufmerksam ins Gesicht. »Hör auf zu erzählen, wenn du nicht mehr kannst.«

Ob die alte Nonne wohl noch dabei war, als die Mory aus der Petite Roquette entlassen wurde? Ob wohl noch eine von den Frauen aus der 11. Division, die einander nur im Luftschutzkeller zu sehen bekamen, bewegungslos in der Mitte ihrer Zelle stand, von wo man die Geräusche aus dem Korridor am besten hören und enträtseln konnte, als die schwere Tür im Treppenhaus hinter der »Prominenten der Elften« zum letztenmal ins Schloß fiel?

Paris versuchte damals noch an seine Verteidigung zu glauben. Die Bauersfrauen aus den Dörfern in unmittelbarer Nähe der Maginot-Linie brachten Käse und Wein aus den Kellern ihrer Häuser und bewirteten damit die Soldaten und Offiziere ihrer französischen Armee. Als sie dann wieder allein blieben, die Frauen, hielten sie voll Sorge Ausschau in den Himmel. Werden die dröhnenden schwarzen Vögel wiederkommen? Wird es in diesem Frühling nur deutsche Bomben regnen?

Und sie kamen. Die metallenen Vögel und die krachenden Bomben. Und Panzer auf den schlammbedeckten Landstraßen und Fallschirmjäger in gefleckten

Uniformen. Und hinter ihnen die Geheime Staatspolizei, der Sicherheitsdienst und die schwarze Schutzstaffel SS. Mit verschlossenen Gesichtern betrachteten die Frauen, Kinder und alten Männer die Deutschen, von denen viele einen Totenkopf über dem Mützenschild hatten. Was brachten sie? Was sollte nun werden? Oh, mon Dieu!

Carmen Maria Mory befand sich zu jener Zeit in Mittelfrankreich. Hatte sie ihr Wort gehalten? Versuchte sie in den kurzen Wochen der allgemeinen Auflösung überhaupt, Frankreich nützlich zu sein? Das Land, das sie zum Tode verurteilt hatte, bewarb sich um ihre Dienste. Statt zur Wand, von der es keinen Rückweg gibt, schritt sie neuen Abenteuern entgegen. Das war entscheidend. Das allein.

Tours an der Loire. Hinter den schmalen Türen der spitzgiebeligen Bürgerhäuser und hinter den hohen Fenstern der Kathedrale schienen Träume von Jahrhunderten verwunschen zu sein. Wenn der Mond nachts mit zitternden Strahlenfingern den stillen Flußwellen seine Botschaft anvertraute, dort, wo die schöne Loire ihren Liebsten, den Strom Cher in sich aufnimmt, mochten Träume Wirklichkeit werden.

Haben die beiden Flüsse an ihren Ufern jemals die dunkelhaarige Fremde mit den unruhigen Augen gesehen, die sich einen Teufel um ihre Schönheit scherte? Sie war in die Tourraine gekommen, weil die Waagschalen der Macht ins Wanken geraten waren. Hier wollte sie abwarten, welche, von größerer Wahrscheinlichkeit beschwert, eher zum Stillstand kam.

Tours zählte, bevor es der Flüchtlingsstrom erreichte, rund neunzigtausend Einwohner. Zweiundneunzigtausend Frauen sind in Ravensbrück ums Leben gekommen.

In Tours wurde die Mory von den Deutschen verhaftet.

Anni Peczenik aus Österreich lebte damals noch in Frankreich und meine kleine Schwester in Prag. Im Lager Rieucros, wo ich gefangen war, erschien die erste deutsche Kommission. In Paris trafen sich kommunistische Arbeiter zu ersten gemeinsamen Beratungen mit Vertrauensleuten eines nach London entkommenen französischen Generals. Er hieß Charles de Gaulle, und man wußte damals noch nicht allzuviel von ihm. Die Soldaten der deutschen Wehrmacht waren noch von dem angenehmen Wahn befangen, der ganze Krieg sei ein vergnüglicher Spaziergang, von dem man allerhand nützliche oder auserlesene Geschenke nach Hause schicken konnte. Reichsprotektor von Böhmen und Mähren war noch der monokelbehaftete Freiherr von Neurath. In Berlin flüsterte man von den ersten Zusammenstößen zwischen Admiral Wilhelm Canaris, dem Chef des deutschen Abwehrdienstes im Ausland, und SS-Obergruppenführer Reinhard Heydrich, dem ehrgeizigen jungen Chef der Sicherheitspolizei und des Sicherheitsdienstes.

In Tours hatte man die Schweizerin Carmen Maria Mory wegen deutschfeindlicher Tätigkeit zugunsten Frankreichs hinter Schloß und Riegel gesetzt. Dieselbe Mory, die Goebbels persönlich kannte, die in Paris in einem Schrank saarländische Emigranten bespitzelt, die für das Dritte Reich an der Maginot-Linie Spionage getrieben hatte und deshalb von einem französischen Gericht zum Tode verurteilt worden war. Zum Tode verurteilt, aber begnadigt, um für Frankreich und gegen das Dritte Reich Spionage treiben zu können.

Jetzt saß sie abermals im Gefängnis, die Mory, selbst-

sicher und arrogant wie immer, und wieder einmal wartete sie.

Aber nicht lange. Eines Tages erschien eine Ordon-
nanz und legte den Leuten des Admirals Canaris und
dem Kommandanten des Gefängnisses Papiere vor,
versehen mit einem Stempel und einer Unterschrift, die
eine magische Kraft auszuüben schienen. Welcher
deutschen Stelle auch immer sie in Tours unterbreitet
wurden, stets riefen sie dieselbe Reaktion hervor: neue
Stempel, weitere Unterschriften. Zu Befehl! Heil Hitler! Bitte sehr, Herr Kamerad! Sieg Heil!

Auf Grund des letzten Stempels und der letzten Unterschrift wurde die Mory einem jungen Offizier der SS
übergeben. Als man sie holte, langte sie nach ihrem
Pelzmantel, überpuderte das Gesicht (niemand mußte
erkennen, daß sie trotz ihrer scheinbaren Ruhe doch etwas blaß geworden war), strich den großen Mund mit
dem Lippenstift nach und ließ sich hinausführen. Auf
dem Gefängnishof stand ein Auto bereit. Hinter der
Stadt wartete ein Flugzeug. Ein Sonderflugzeug.

»Können Sie mir erklären …«, fragte die Mory am
Rande des improvisierten Flugfelds, nun doch nicht
mehr imstande, ihre Unruhe zu verbergen.

Der junge Offizier schlug die Hacken zusammen, half
ihr beim Einsteigen in die Maschine, sagte jedoch kein
Wort. Sonderbefehle von Reinhard Heydrich wurden
niemandem erklärt.

Als die Anni Peczenik in Wien verhaftet wurde, legte
man ihr schwere Handschellen an. Als meine kleine
Schwester in Prag von der Gestapo geholt wurde, hat
man ihr dabei einen Zahn ausgeschlagen. Nichts dergleichen, bei weitem nichts dergleichen drohte der Mory.

Das Flugzeug, in dem sie bequem saß, stieg elegant

zum Himmel, zum Kriegshimmel des Jahres 1940 empor, überflog einige Staatsgrenzen, die inzwischen ihre Bedeutung verloren hatten, überflog vorrückende deutsche Armee-Einheiten, ratlose Flüchtlingsströme und nicht enden wollende Transporte von Kriegsgefangenen. Es landete in Berlin. Dort stand abermals ein Auto bereit. Carmen Mara Mory wurde höflich aufgefordert umzusteigen. Ohne zu zögern, kam sie diesem Ersuchen nach. Sie war kein Anfänger, und ihre Erfahrung besagte: Per Sonderflugzeug und Sonderwagen fährt man nicht seinem Ende entgegen.

Sie witterte neue Abenteuer. Und das war entscheidend. Das allein.

Man brachte sie in das Gebäude des Polizeipräsidiums. In dasselbe Gebäude, in dem es üblich war, neu eingelieferten Häftlingen die Knochen zu brechen und die Zähne auszuschlagen.

Und wiederum drohte nichts dergleichen Carmen Maria Mory. Keiner der Totschläger wagte sich an sie heran, denn sie stand unter mächtigstem Schutz. Und unter strengstem Geheimbefehl. Zur persönlichen Verfügung des Chefs. Der hatte jedoch kein persönliches, vielmehr ein durchaus sachliches Interesse an der deutsch-französischen Spionin aus der Schweiz. Warum sollte er nur auf die Nachrichten und Spekulationen des Abwehrdienstes von Admiral Canaris angewiesen sein? Weitaus vorteilhafter und verläßlicher war es, eigene Informationen zu sammeln. Diese Frau mußte mehr über die deutsch-französischen Beziehungen, als es ein Mosaik von mitunter zweifelhaften Berichten und Meldungen zu vermitteln vermochte. Und zudem mußte sie ihre Kenntnisse ausschließlich ihm persönlich zur Verfügung stellen. Das war der Preis für ihr Leben.

»In drei Wochen hatte ich ihn soweit ...«, sagte die Mory später über ihre Gespräche mit Reinhard Heydrich aus. Wie weit aber hatte sie ihn, den Mann, der sie jeden Augenblick vernichten konnte? Was war mit im Spiel, wenn diese beiden miteinander sprachen? Wenn die eisig blauen Augen des Obergruppenführers der Schwarzhemden mit dem Totenkopf über der Stirn und die harten, fiebrig glänzenden Augen der machtbesessenen Abenteurerin einander begegneten, muß es geknirscht haben, wie wenn Steine aufeinanderschlagen.

»Aber wie ist sie dann nach Ravensbrück gekommen? Und wieso als Häftling, als Blockälteste, und nicht als Aufseherin oder etwas Ähnliches?«

»Das weiß ich nicht. Vielleicht war Heydrich enttäuscht, weil sie weniger wußte, als er angenommen hatte. Vielleicht hat jemand von den Canaris-Leuten seine Abwesenheit von Berlin ausgenützt. Schließlich wurde er ja eines Tages Reichsprotektor von Böhmen und Mähren.«

»Sicher. Eines Tages wurde er auch in Prag erschossen.«

Die beiden Männer, meine Freunde, waren unverkennbar ungeduldig und nervös. Das merkte ich an der Unzahl von Zigarettenstummeln, mit denen der eine den Aschenbecher füllte, an der Art, wie der andere seine Pfeife ausklopfte. Schluß, schienen ihre fahrigen Gesten zu besagen, genug. Für Männer ist wahrscheinlich die Vorstellung eines Lagers, in dem Frauen mißhandelt wurden, besonders unerträglich.

»Und von den beiden Frauen, ich meine von dieser Wienerin und deiner Schwester ...« Er sprach den Satz nicht zu Ende, holte von neuem die Zigarettenschachtel hervor, schaute an mir vorbei zur Theke, wo sich der Einheimische und die Wirtin angeregt unterhielten.

»Da weiß ich fast nichts. Die Anni ist aus Frankreich nach Wien zurückgekehrt und wurde dort verhaftet. Viel später hat mir das jemand erzählt.«

»Und deine Schwester?«

Meine kleine Schwester? Ich sehe eine Schachtel vor mir, eine ziemlich große, ganz gewöhnliche Schachtel, deren Deckel ich lange nicht hochheben wollte. In der Schachtel waren Fotos. Meine kleine Schwester als Baby, wir beide zu Besuch bei der Großmama, meine Mutter als junges Mädchen mit einer dunklen Schleife im blonden Haar. Das letzte Foto meiner Mutter, einer verhärmten, häßlich gewordenen Frau, die älter aussah, als sie es je geworden ist. Meine kleine Schwester beim Skilaufen. Beim Würstebraten vor einem Zelt. Auf der Straße mit einer Freundin. Auf einem Dampfer. Einige Paßfotos. Meine kleine Schwester von hinten, einen Rucksack aufgeschnallt, und neben ihr, gleichfalls von hinten, ein junger Mann. Ein halbes Foto: meine kleine Schwester auf einer Wiese, mit einem Männerarm um ihre Schultern. Im Schwimmanzug, wie sie jemanden, der weggeschnitten ist, lachend bespritzt. Noch ein zerschnittenes Foto, noch eines und noch ein paar. Ein Reisepaß, der niemals benützt wurde. Ein Brief aus dem Gefängnis. Eine Postkarte aus dem Lager.

Hinter dem Pulverturm, dort, wo unser »Weg der absoluten Verzweiflung« endete, war ich eines Abends in eine schmale Gasse eingebogen, zwei Treppen hochgestiegen, habe an einer Wohnungstür geschellt. Eine freundliche, alte Frau öffnete mir, führte mich in ein Wohnzimmer mit schweren, dunklen Möbeln, zog an einer Lade, die ging nicht gleich auf, bockte, knarrte ein wenig, gab schließlich nach. In der Lade war eine Schachtel, eine ziemlich große, ganz gewöhnliche Schachtel.

»Da hast du«, sagte die alte Frau, und ihre Stimme klang unsicher und sehr dünn, »das habe ich für dich aufgehoben, damit du wenigstens etwas hast, falls du zurückkommst.«

Ich hatte ihr ein Sträußchen Schneeglöckchen mitgebracht, das hielt ich immer noch in der Hand, und als sie mir die Schachtel reichte, da dachte ich zuerst, die Blumen werden welken. Dann konnte ich gar nichts anderes denken. Die Blumen werden welken. Immer wieder dasselbe.

Später saßen wir an einem runden Tisch, auf dem eine Decke lag mit goldenen Fransen rundherum. Die alte Frau hatte die Schneeglöckchen inzwischen in eine kleine Vase gesteckt, vorläufig ohne Wasser, weil sie nicht hinausgehen wollte, um es zu holen. Weil sie mir erzählen wollte. Alles, was sie wußte. Von meiner Mutter in Theresienstadt und von meiner kleinen Schwester.

»Eine Frau, die mit meiner Mutter befreundet war, hat mir manches erzählt. Sie hat meine kleine Schwester auch einmal im Gestapogefängnis besucht. Als Tante, sonst hätte sie keine Bewilligung bekommen. Meine Mutter war damals schon deportiert.«

In diesem Augenblick flog die gläserne Küchentür plötzlich auf und der Hund, den wir knurren gehört hatten, raste heraus. Raste geradenwegs auf unseren Freund zu, der mit der Brieftasche in der Hand zur Theke geschritten war, um unsere Rechnung zu begleichen. Gelbgraue Borsten, wütendes Gekläff, ein zähnefletschendes Bündel. Meine Hände wurden zu Blei, meine Füße wurden zu Blei. Der Mann neben mir fuhr hoch, warf seine Zigarette fort und war mit einem Sprung gleichfalls bei der Theke. Die Wirtin rief das Tier mit gellender Stimme zur Ordnung: »Nieder, Wotan, nieder!« Nur der Einheimische war sitzengeblieben. Er schüttelte sich vor Lachen.

»Der hätte Sie ganz schön in den Hintern gebissen«, prustete er vergnügt, »wenn Sie ihm nicht so schnell den Fuß vors Maul gehalten hätten. Jaja, ein Wachhund ist eben scharf. Muß er ja auch sein.«

Meine beiden Freunde kamen zu unserem Tisch zurück. Als mir der mit der Pfeife in den Mantel half, lächelte er mir beruhigend zu: »Ist aber ganz geblieben, der Hintern.«

»Ein Wachhund muß scharf sein«, brummte der andere. »Eine verfluchte Tradition in dieser Gegend.«

Wir traten hinaus auf die Landstraße.

Und dann saßen wir wieder im Wagen, der Motor tukkerte regelmäßig, die beiden Männer vor mir unterhielten sie ruhig. Über den Hund, die Wirtin, den Mann mit der Zigarre, das ganze einsame Gasthaus an der Straße. Über den Betrieb in der ersten Gaststätte, aus der wir davongelaufen waren, über das Bronzedenkmal an der Wegkreuzung, die Villen am Seeufer, die Schulkinder vor der Glastür des Krematoriums und über die Schwäne auf dem ruhigen Wasser. Über dieses Land, auf dessen tadelloser Landstraße wir fuhren, und das unser Nachbarland ist.

Schwanensee, Schwanensee ...

Ich saß hinter ihnen, fror in meinem pelzgefütterten Mantel, wäre gerne zwischen ihnen gesessen, scheute mich, es ihnen zu sagen. Draußen pickte eine große Krähe an einem noch dampfenden Pferdeapfel. Ein paar Spatzen hockten mit aufgeplustertem Gefieder daneben und sahen ihr neidvoll zu.

Hat meine kleine Schwester die Anni gekannt? Hat die Anni gewußt, daß »der schwarze Engel des Todes«, so wie sie, aus Frankreich gekommen war? Hat die Mory die kurzsichtige Wienerin, die meine Freundin war, umgebracht? Hat sie die junge Tschechin, meine kleine Schwester, in den Tod geschickt? Wie war das alles gewesen, und warum? Warum?

Was sollen solche Fragen. Sie können doch nichts ändern an den unwiderruflichen Tatsachen.

Als sie nach Ravensbrück gebracht wurde, die Carmen Maria Mory, auf Grund eines dummen Versehens oder einer verwickelten, undurchsehbaren Absicht, wer weiß, begann für sie ein Abenteuer, von dem selbst sie bislang keine Vorstellung hatte. Sie wäre ohnmächtig geworden, behauptete sie später zum ersten Mal in ihrem Leben ohnmächtig, als man sie in das Lager einlieferte.

Hat sie sich damals geschworen, alles zu tun, aber auch buchstäblich alles, um hier nicht leben zu müssen? Wurde die arrogante, anmaßende und herrschsüchtige Mory von würgendem Grauen geschüttelt, als sie die mageren, kahlköpfigen Frauen in den Fetzen der Lagerkluft erblickte? Waren solche Wesen denn überhaupt noch Frauen? Bekam sie, die bisher so selbstsicher war, Angst, sie könnte eines Tages auch so aussehen, so grau und verloschen, so unauffallend, übersehbar, mehr tot als lebendig, eine Nummer, niemand, nichts?

Zwischen den Baracken schnauften nachts die Spürhunde der SS. Drinnen liefen am Tage wohlgenährte Aufseherinnen mit frisch gelegten Locken herum, im Tuchkostüm, nach Seife und Sauberkeit riechend. Kommandierten mit gesunder, kräftiger Stimme. Rissen derbe Witze. Lachten laut. Klatschten mit kurzen, elastisch wippenden Peitschen auf ihre festen Schenkel. Wenn sie auf die anderen Frauen einschlugen, auf die mit den Nummern über einem farbigen Dreieck auf dem dünnen Arm, schien es gar nicht, als ob sie ihresgleichen quälten. Waren diese Gestalten überhaupt noch Frauen? Ein Hauch von Tod ud Verwesung umgab sie. In den Augen der Mory waren sie tilgbare Kartotheknummern, abgeschrieben, aus.

Ob sie dazu ausdrückliche Weisung hatte oder nicht, sie wußte jedenfalls auch hier, wo ihr Platz war. Schließlich hatte sie einst im Schrank gehockt, um Menschen in ebensolche Lager zu bringen.

So wurde aus der Prominenten des Pariser Gefängnisses, aus der wechselhaften Agentin von Großmächten, die Blockälteste von Nr. 10, der »schwarze Engel des Todes« in Ravensbrück.

Sie nannten Nr. 10 den Block der Wahnsinnigen, die Aufseherinnen, denen nichts Unmenschliches fremd war, und die Ärzte, die, statt Leben zu erhalten, systematisch Tod säten. Wenn eine Frau nachts verstört nach ihrem Mann rief, wenn eine Mutter aus dem Schlaf hochfuhr und verzweifelt nach ihren Kindern schrie, wenn die Bergarbeiterfrauen aus dem böhmischen Dorf Lidice an Angstvorstellungen litten, dann wurden sie kurzerhand für wahnsinnig erklärt und in Block Nr. 10 übergeführt. Dort nahm sie die Blockälteste in Empfang. Ihr Blick war so hart ..., wie wenn Steine aufeinanderschlagen ..., daß selbst die Lebensmüden bis in den letzten Winkel flüchteten. Hart waren auch ihre Hände.

Als Carmen Maria Mory zur Blockältesten von Nr. 10 ernannt wurde, wußten die Frauen in Ravensbrück kaum etwas über sie. Im Laufe von wenigen Wochen erfuhren sie dann fast täglich etwas Neues: Sie hat die Pritschen wegbringen lassen, jetzt gibt es nur noch auf den Boden gestreutes Stroh. Sie hat die Fenster mit Brettern vernageln lassen. Sie hat fünfzig, sechzig Frauen in einen Raum gezwängt, in dem zehn schon zuviel waren. Auf solche Weise bekam die Mory den Beinamen »der schwarze Engel des Todes«. Schwarzer Höllengeist wäre zutreffender gewesen.

Bei dieser Betätigung wurde die Berner Arzttochter kein einziges Mal ohnmächtig. Im Gegenteil. Etwas Derartiges hatte sie bisher noch nie verspürt: unmittelbare, augenblickliche Macht über Leben und Tod. Das war entscheidend, das allein.

Stand sie morgens, nach Seife und Sauberkeit riechend, dabei, wenn die Frauen gleich müden Vögeln in die Werkstätten, zum Straßenbau und in die Waldkolonnen zur Arbeit getrieben wurden, blickte niemand sie an. Trat sie in eine der Schlafbaracken, verstummte jedes Flüstergespräch.

(»... deine Freundin sieht schlecht aus.« – »... ich will raus! Laßt mich fort von hier!« Hat es das wirklich einmal gegeben?)

Dennoch wußte die einstige Schrankhockerin immer etwas Interessantes zu berichten, wenn sie zu Ludwig Ramdohr, dem Mann vom Sicherheitsdienst, kam. Hatte sie einst nicht auch von den ahnungslosen französischen Bauersfrauen und Kindern aus den Dörfern an der Maginot-Linie allerhand erfahren? Und ihr Wort hatte Gewicht: Wessen Namen die Blockälteste von Nr. 10 auf eine Liste setzte, der war aus dem Leben gestrichen.

Hat sie einmal auch Anna Peczenik auf ein solches Verzeichnis getippt? War meine kleine Schwester zu jung oder zu ruhig gewesen, um von ihr ertragen zu werden? Oder waren sie alle bloß Nummern, Fledermäuse, einundneunzigtausendneunhundertachtundneunzig Häftlinge plus zwei.

»Was ich nicht verstehen kann«, sagte der Mann am Steuer mit einemmal, hob ein wenig die Stimme und drehte sich halb zu mir um, »das ist diese Schweizerin. Wenn sich in den besetzten Ländern Leute zu derartigen Niederträchtigkeiten hergegeben haben, trieb sie meistens die Angst. Wenn du nicht parierst, erschießen wir deine Frau, deinen Mann, die Eltern, die Kinder. Das kennen wir. Aber diese Person hätte doch in aller Gemütsruhe in ihrer neutralen Schweiz sitzen können. Wahrscheinlich stimmt, was du vorhin gesagt hast«, wandte er sich von neuem an den Mann neben sich.

»Du weißt wohl gar nicht, worüber wir gesprochen haben?« fragte mich der. Ich schüttelte den Kopf. Da nickte er mir zu, und dann ließen mich die beiden wieder in Frieden. Ihre Stimmen und das regelmäßige Geräusch des Motors hüllten mich ein, ich schwebte oder schwamm, war weder da noch dort. Aus gestern wurde heute, aus heute gestern, die Grenzen der Zeit verwischten sich.

In den Frühlingsmonaten des Jahres 1945 mischte sich ein neuer, aufrüttelnder Laut unter die in Ravensbrück gewohnten Geräusche. Jeden Tag klapperten Holzpantinen über die Landstraße, scharrten Tausende bloßer Füße, schrien zornige Aufseherinnen und mißhandelte Frau. Rasselten die Maschinen in den Werkstätten und tuteten die Frachter am Landungssteg des Schwanensees. Knarrte der Leichenwagen und jaulte der Wind im Schornstein des Krematoriums.

Jetzt aber dröhnte der Horizont.

Dröhnte und flackerte des Nachts. Und in den Augen der gefangenen Frauen und ihrer Bewacher ging etwas vor sich, entzündeten sich Funken und Flämmchen. Warme Funken der Hoffnung und eisige Flämmchen aus Angst und Haß.

Und der Horizont dröhnte, flackerte und bebte. Das ganze Lager wurde wie von Fieber erfaßt.

Sie kommen!

Wir müssen ihnen zuvorkommen!

Aushalten, hierbleiben!

Evakuieren!

Jeden Tag wurden Transporte zusammengestellt, Verzeichnisse angelegt. Aber manche Aufseherinnen und Blockältesten waren schon nicht mehr ganz bei der Sache. Es gab sogar einige, die das Unmögliche versuchten: ihren Gefangenen näherzukommen.

Die Mory gehörte nicht zu ihnen, die blieb ruhig. Die Deutschen hatten sie in Frankreich gefangengenommen, die Deutschen hatten sie in diese Hölle geschickt. Sie war Schweizerin und keine Deutsche. Selbst wenn es von Osten dröhnte, selbst wenn die Russen als erste herkommen sollten, auch Engländer und Amerikaner standen bereits im Land. Wie heißt es in dem guten, alten Sprichwort? Eine Katze fällt immer auf ihre vier Pfoten! Das wäre doch gelacht, wenn es ihr nicht wieder gelingen sollte, rechtzeitig auf die Seite der Gewinner zu schlüpfen. Auf die Seite der neuen Macht.

Die Anni war tot, und meine kleine Schwester war tot, und Sowjetsoldaten wurden die Befreier der Carmen Maria Mory, der Gefangenen von Ravensbrück, der

Blockältesten von Nr. 10, des schwarzen Engels des Todes.

Als sie ins Lager kamen, fanden sie auf dem Ärmel
einer der kahlgeschorenen Gefangenen Nr. 103027
als höchste Häftlingsnummer. Aber nur zwölftausend
Frauen waren noch da.

Wo waren die fehlenden?

Die Mory wartete nicht, bis die Befreier die Antwort
auf diese Frage fanden. Sie benützte den Trubel der
letzten Kriegstage, das Chaos auf den deutschen Straßen, verschwand aus Ravensbrück, kehrte dem Schwanensee den Rücken und zog westwärts. Solange sie die So-
wjetarmee hinter und neben sich wußte, solange Panzer
mit dem roten Stern an ihr vorbeirasselten und Flug-
zeuge mit demselben Hoheitszeichen über ihren Kopf
flogen, gönnte sie sich keine Ruhe. Für diese Soldaten
und Offiziere hatte sie keine passende Geschichte bereit und auch kein rettendes Angebot. Aber verloren
gab sie sich deshalb nicht, zu diesem Zeitpunkt schon
gar nicht.

Die überlebenden Frauen in Ravensbrück bestatteten
ihre letzten Toten, bemühten sich um die Rettung ihrer
letzten Kranken und weinten. Jetzt erst weinten auch
die Stärksten, wenn sie an die bevorstehende Heimkehr
dachten. Die Mory erreichte inzwischen das von der Armee Großbritanniens besetzte Gebiet und stellte sich
dem britischen Nachrichtendienst zur Verfügung. War
sie nicht einst Korrespondentin des *Manchester Guar-
dian* in Deutschland gewesen? Stand sie jetzt nicht als
kaum befreite Gefangene des größten Frauenkonzen-
trationslagers des Dritten Reichs vor den Alliierten? In
Häftlingskluft, aber nicht mit leeren Händen. Sie habe
die Möglichkeit, bei der Auffindung von SS-Ärzten be-

hilflich zu sein, erklärte sie, die in den Lagern Experimente an Gefangenen vorgenommen und sie auch sonst mißhandelt hatten. In welchen Lagern? Nun, in Ravensbrück und in Barth an der Ostsee, einem seiner Außenlager, wo übrigens im Auftrag der Firma Heinkel die »Wunderwaffen« V 1 und V 2 hergestellt wurden.

War es die letzte, nur beiläufig hingeworfene Bemerkung, die dazu führte, daß ihr Angebot angenommen wurde? Fest steht, daß aus der Schweizerin, die für den deutschen und für den französischen Nachrichtendienst gearbeitet hatte, die als Häftling ins KZ Ravensbrück gekommen und dort zur Mörderin ihrer Mitgefangenen geworden war, die vom Leiter der Kriminalabteilung Ludwig Ramdohr in Barth an der Ostsee eingesetzt wurde, um angeblich Korruptionsaffären unter den dortigen SS-Leuten aufzudecken – als Gefangene, wohlverstanden, als schlichte Blockälteste von Nr. 10 –, daß aus der persönlichen Bekannten von Goebbels und Heydrich auf dem Trümmerfeld Deutschland eine Mitarbeiterin des britischen Nachrichtendienstes wurde.

So und nicht anders hatte es kommen müssen. Jetzt war wieder alles in Ordnung. Carmen Maria Mory verkehrte in Offizierskasinos, duftete nach guter Seife, um ihre Schultern lag bald wieder ein Pelzmantel. Das aufregende Spiel mit der Macht hatte von neuem zivilisierte Formen angenommen.

Die Einheit der britischen Armee, in der sie nun diente, war in der Nähe von Hamburg stationiert. Hier lag schon der Salzgeruch des Meeres in der Luft, das Tor zur Welt stand abermals offen.

Am 5. Oktober 1945 wurde Carmen Maria Mory als Kriegsverbrecherin verhaftet.

Die beiden Männer vor mir schwiegen schon eine geraume Weile. Jeder von uns hing seinen Gedanken nach.

Ich war müde. Jetzt hatte ich also das Bild gesehen. Hat sich damit etwas geändert? Hat sich die alte Wunde geschlossen, war nun etwas endgültig vorbei?

Meine kleine Schwester ist kaum mehr als zwanzig Jahre alt geworden. Und zwanzig Jahre sind eine kurze Zeit. Zu kurz für ein Leben, zu kurz, um es zu vergessen.

Ich rückte ein wenig nach vorne. Legte meine Hand auf die Männerschulter vor mir. »Glaubst du, daß die Mory, diese Schweizerin, wenn sie heute noch lebte, schon Ruhe geben würde? Ich meine sich und den anderen.«

»Wie alt wäre sie jetzt?«

»Ungefähr sechzig Jahre, vielleicht ein, zwei mehr.«

»Ich fürchte nicht«, meinte der Mann am Steuer. »Nach allem, was du über sie erzählt hast.«

»Sie hatte doch einen Prozeß, wenigstens stand das dort unter dem Foto vom Gericht«, sagte der andere Mann und rückte etwas zur Seite, damit ich auch meine zweite Hand auf die Rückenlehne der Sitze vor mir aufstützen konnte. »Ist sie hingerichtet worden, oder hat sie lebenslänglich bekommen? In den ersten Nachkriegsjahren ging man mit dieser Sorte von Verbrechern noch nicht so schonungsvoll um wie später.«

Ende 1946 in Hamburg. Hausstümpfe, Schutthalden. Eine zerbombte Stadt, ein von Bomben auseinandergefegter Welthafen. Keine Musik, kein Lichtgeflimmer in St. Pauli. Aber traurige Freudenmädchen in allen Straßen. »Weißt du, wo die Männer sind? Wo sind sie geblieben?« sang Marlene Dietrich in Amerika. Die

Männer? Tote Matrosen und tote Hafenarbeiter. Tote Soldaten. Aber quicklebendige Schwarzhändler. Wieviel Gramm Brot für eine amerikanische Zigarette? Eine Liebesnacht für ein Paar Nylonstrümpfe. Hungrige Menschen. Britische Soldaten. Nicht auffallen. Auf nichts hereinfallen. Flüchtlinge aus dem Osten. Untergetauchte Offiziere. Von der Schutzstaffel, vom Sicherheitsdienst. Ein verkleideter KZ-Kommandant.

Im Curio-Haus tagte ein alliiertes Gericht. Eine Sensation: der Ravensbrück-Kriegsverbrecherprozeß, das größte Frauenkonzentrationslager der Nazis.

Hat der »alte Michel« im Turm der St. Michaeliskirche von Hamburg anklagend seine Stimme erhoben, als Seiner britischen Majestät Generalmajor Westropp zum ersten Mal die Verhandlung eröffnete? Oder hat es die Kirche, den Turm und die Glocke darin noch nicht wieder gegeben?

Im Gerichtssaal wurde es still, unheimlich still, als die dreizehn Angeklagten, von weiß behelmten Soldaten flankiert, hereingeführt wurden. Blitzlichter flammten auf, Filmkameras surrten, Aktenbündel raschelten.

Die Menschen hielten den Atem an.

In zwei Reihen standen die Angeklagten vor ihren Richtern. In der ersten Reihe, als zweite von links, zog eine dunkelhaarige, dunkeläugige Frau im Pelzmantel die Aufmerksamkeit der Presseleute auf sich. »Ihre saloppe, selbstgefällig-kokettierende Art steht in Widerspruch zu dem zurückhaltenden Benehmen ihrer Mitangeklagten«, schrieb die Hamburger Zeitung *Die Welt* am 6. Dezember 1946.

Carmen Maria Mory stand wieder einmal vor Gericht.

Scheinbar ruhig blickte sie sich in dem Saal um. Wo waren die Plätze für die Presse? Mit lässiger Bewegung rückte sie eine Haarsträhne aus der Stirn, machte den Hals im Pelzkragen frei. Jetzt war Auffallen wichtig. Die Presse mußte von ihr Notiz nehmen, jeden Tag ein paar Zeilen, einige fettgedruckte Titel. Schließlich war sie selbst einmal Journalistin gewesen und wußte, womit man das Interesse der Öffentlichkeit hervorrufen kann. Die elegante Schweizerin unschuldig? Die Verlobte eines britischen Offiziers weist Verleumdungen zurück! Das waren die Schlagzeilen, die sie nun brauchte. Es war ihr auch bekannt, daß Beobachter von nahezu einem Dutzend verschiedener Nationen im Saal anwesend waren. Die amerikanische Presse sollte gefälligst von ihr Kenntnis nehmen. Vielleicht befand sich jemand unter den Franzosen, den sie einst kannte, vielleicht war ein Schweizer Landsmann zugegen. Suchend irrte ihr Blick durch die dicht besetzten Reihen.

Und blieb stecken, konnte nicht weiter.

Dort drüben, die mageren Frauengestalten. Die vor Erregung bleichen oder fieberhaft geröteten Gesichter. Fest zusammengepreßte Lippen. Zuckende Mundwinkel. Ineinander verkrampfte Hände, nervös flatternde Hände. Aber es waren die Augen, die weit geöffneten, auf sie gerichteten Augen dieser Frauen, die die Mory schließlich zwangen, ihren Blick wegzuwenden.

Lächerlich! Genaugenommen war sie ja nie Aufseherin gewesen. Und überhaupt! Das alles kannte sie doch, dieses ganze Theater war für sie nichts Neues. »Schweine!« fuhr sie in ihrer üblichen Art die englischen Aufseherinnen im Gefängnis an. Fand die Verpflegung unerhört, obwohl sie genau wußte, daß ein Quentchen Butter zu jener Zeit in ganz Deutschland buchstäblich mit Gold aufgewogen wurde. Zu Weihnachten trotzte sie, trat in den Hungerstreik.

»Lassen Sie meinen Verlobten kommen«, tobte sie. »Er ist Offizier in Shrewsbury. Er wird's euch allen zeigen!«

Es mußte einfach wieder klappen. Mit den Franzosen war sie fertig geworden. Heydrich hatte sie »in drei Wochen soweit ...« Die nach Pfeifentabak und Lavendelwasser duftenden, kühl-korrekten Briten und ihre langweiligen Frauen konnten schwerlich komplizierter sein.

Merkwürdig, gerade Frauen waren es, die sie jetzt immer wieder aus der Fassung brachten. Einer warf sie das Essen, das sie ihr in die Zelle brachte, rasend an den Kopf. »Ihr werdet auch bald an die Reihe kommen!« schrie sie wie von Sinnen eine andere an.

Auch bald an die Reihe kommen. Auch bald an die Reihe kommen. Sie machten sie einfach verrückt, diese adretten, unpersönlichen Engländerinnen. Die wären die richtigen gewesen für Oberschwester Elisabeth Marschall aus Ravensbrück oder Irma Greese, ihre Lehrerin vom Schwanensee. Wenn sie bloß ein einziges Mal wieder diese Möglichkeiten hätte! Aufstehen, los, los! Rein in den Waschraum! Und dann eine Kanne Eiswasser über die blonden Locken. Und noch eine und noch eine. »Jetzt seid ihr sauber!« Dann würden sie vor ihr zittern, diese Wachsfiguren aus dem Kabinett der Madame Tussaud, dann würden sie begreifen, wer Carmen Maria Mory ist. Würden kapieren, daß man mit ihr nicht einfach so umspringen kann, wie es der Augenblick zu gestatten scheint. Ach, wieder einmal die alte Macht verspüren, neue Macht gewinnen!

»... ist es Abenteuerlust, oder ist es Geltungsbedürfnis?« fragte sich ein deutscher Journalist, nachdem er die Mory einige Tage lang im Gerichtssaal beobachtet hatte. Was war die Triebkraft ihres »katzenhaft wilden Lebens«?

Tagelang saßen sie da nun nebeneinander, ein paar Frauen und Männer, und boten keinen schönen und schon gar keinen vertrauenerweckenden Anblick. Starrten stur vor sich hin, dumpf und stumpf. Konnten schlecht ihre Angst und Unruhe verbergen. Zuckten zusammen, wenn die Zeuginnen aufgerufen wurden. Brachten es mitunter auch fertig, herausfordernd den Kopf zu heben. Ein paar Frauen und Männer, vierschrötige, fast eckige und erschreckend nackte Gesichter. Rothaarig, mit hervortretenden Kiefern Ludwig Ramdohr, der Leiter der Kriminalabteilung von Ravensbrück, wohlgesinnter Chef und Vorgesetzter der Mory. Hübsch, noch jung, blond, die Oberaufseherin Dorothea Binz, der Schlimmstes zur Last gelegt wurde.

»Wußten Sie, daß die Angeklagte Dorothea Binz Hunde hatte?« fragte Major Stewart, der die Anklage vertrat, Carmen Maria Mory.

»Gewiß«, antwortete die, »sie hatte einen deutschen Jagdhund und einen Miniatur-Foxterrier.«

»Das wissen Sie bestimmt?«

»Aber sicher. Dem Jagdhund habe ich den Schwanz abgehauen.«

Fertig. Kein Wort zuviel und keines zuwenig. Sie sagte es ruhig, mit ihrer rauhen, etwas schrill gefärbten Stimme. Der weißbehelmte junge Soldat hinter ihr drehte unwillkürlich den Kopf weg. Als sie selbst an die Reihe kam, die Blockälteste von Nr. 10, der schwarze Engel des Todes, als das Verhör begann, stand sie zuerst kühl, eher unmutig als beunruhigt, vor den Richtern. Ein fataler Irrtum, schien ihre hochfahrende Art zum Ausdruck zu bringen. Begriff das denn niemand hier?

Niemand schien das zu begreifen. Eine Schlinge, so dünn, daß die Mory es zunächst nicht wahrhaben wollte, zog sich allmählich um sie zusammen. Früher hatte sie lediglich Berichte geschrieben. Für die Deutschen, für die Franzosen. Ein Blatt Papier in der Maschine, vollgetippt, in einen Umschlag gesteckt und Schwamm darüber. Andere hatten zu entscheiden, was weiter geschehen sollte. Nunmehr war alles anders. Diesmal hatte sie mitentschieden. Die und die. Du kommst mit und du auch. Los, Los! Die hier muß nicht mehr essen. Die hier soll nicht mehr leben.

»Lüge«, schrie sie mit einemmal vor Gericht. »Nichts ist wahr, die wollen sich bloß rächen.«

Rächen? Wer und wofür, wenn wahr sein sollte, daß sie an nichts Schuld trug?

Sie habe wohl jede Chance genützt, um immer an der Spitze, immer obenauf zu sein, bemerkte der Ankläger.

Die Mory schrie von neuem, wild. »Chance, sagen Sie? Meine größte Chance in Deutschland wäre gewesen, das Angebot Heydrichs anzunehmen und mit William Joyce für die Auslandspropaganda zu arbeiten. Daß ich dies nicht tat, brachte mich für Jahre ins Konzentrationslager.«

Die Richter blieben ungerührt. Wo war der Beweis für dieses Angebot? Wo war der Beweis seiner Ablehnung? Heydrich hatten die Tschechen noch während des Krieges hingerichtet. William Joyce war als Kriegsverbrecher zum Tode verurteilt worden. Und sie selbst, die Mory? Wie ein Häftling habe sie sich ja nun nicht gerade aufgeführt.

Die Anklage ging zum Verhör der Zeugen über.

Und abermals wurde es still, auf ganz besondere Weise still im Curio-Haus zu Hamburg.

Die Frauen aus Ravensbrück betraten den Zeugenstand.

»… sie stahl den Gefangenen einen Teil ihres Essens und hielt Medikamente zurück«, sagte die Französin Jacqueline Hereil aus. Und eine endlose Reihe von Frauen, durchsichtig und bleich wie Herbstlaub im Wind, schien stumm hinter ihr in den Saal getreten zu sein.

»Sie lügt!« schrie die Mory.

»Sind es Polinnen, hat sie mich gefragt«, führte die Ärztin Dr. Louise le Porz an. »Die können krepieren, Jüdinnen können auch krepieren. Eine Französin? Die wollen Sie ja nur pflegen, weil Sie selbst eine sind.«

»Sie lügt!« schrie die Mory abermals. »Alles ist gelogen!«

Als die Krankenschwester Violette le Coq aussagte, geriet die Angeklagte völlig aus der Fassung.

»Alles, was sie sagt, ist gelogen! Sie lügt vom Anfang bis zum Ende!«

Denn die Mory wußte, nun würde auch von »Nacht und Nebel« die Rede sein, von dem Zeichen NN auf dem Ärmel bestimmter Gefangener, das »Rückkehr unerwünscht« bedeutete. Die Nerven gingen ihr durch, schluchzend brach sie auf der Anklagebank zusammen. Blitzlichter flammten auf, Filmkameras surrten. Was sie gewünscht hatte, war nun ungewünscht eingetreten. Eine Sensation für die anwesende Weltpresse. Der schwarze Engel des Todes weinte.

Wochen vergingen. Die Zeitungsleser überschlugen allmählich die Berichte vom Ravensbrück-Prozeß. Die Sache zog sich zu sehr in die Länge. Wer will schon tagaus, tagein von Mord und Totschlag lesen. Hatte nicht jedermann genügend eigene Sorgen? Gott weiß, wie alles überhaupt gewesen ist. Waren Sie etwa in so einem

Lager? Na, entschuldigen Sie! Verzeihung, ich meinte ja bloß ...

Am 3. Februar 1947 verkündete das Gericht sein Urteil. An diesem Tag war der große Saal des Curio-Hauses wieder voll besetzt. Bei den angeklagten einstigen Aufsehern und SS-Leuten wußte man, womit zu rechnen war. Aber da war doch noch diese tolle Frau aus der Schweiz, die zweite Mata Hari, wie sie die Journalisten nannten, selbst einstiger Häftling, wenn man es genau und formal betrachtete.

Von zwei britischen Soldaten eskortiert, erschien Carmen Maria Mory zum letztenmal vor dem Gericht. Auch diesmal im Pelzmantel, auch diesmal mit erhobenem, allerdings etwas steif erhobenem Kopf, elegant und selbstbewußt.

Die Richter setzten feierlich ihre Kappen auf, das Gericht erhob sich. Auch die Menschen im Saal standen von ihren Plätzen auf, die Vertreter der Presse, die vor Erregung zitternden Frauen mit den bleichen Gesichtern, die Zeuginnen aus Ravensbrück. Monate-, jahrelang hatten sie auf diesen Tag gewartet. Jetzt war er gekommen, ihre Peiniger standen vor Gericht. Es schnürte ihnen die Kehle zusammen, brannte in ihren Augen. Aber die Erleichterung blieb aus. Genugtuung ist ein gerechtes, aber kein freudiges Gefühl und erhellt mit keinem Lichtstrahl die Nacht unendlicher Trauer.

»... zum Tode durch den Strang verurteilt.«

Hatte sie richtig gehört? Den Bruchteil einer Sekunde starrte Carmen Maria Mory vor sich hin, »dann schloß sie ganz langsam die Augen und senkte den Kopf. Bevor sie sich wie zögernd zum Gehen wandte, bekreuzigte sie sich.« Soweit der Bericht der Hamburger Zeitung *Die Welt* vom 3. Februar 1947.

Als sie in Paris mit ihrem ersten Todesurteil in ihre Zelle zurückgeführt wurde, hatte sie getobt, und die ganze Division war mit ihr erbebt. Auch ich mußte mich damals in meiner Zelle an die Wand lehnen. Meine Glieder wurden schwer, der Mund trocknete mir aus, ich konnte nur mühsam atmen. Eine Frau, die mit mir unter einem Dach lebte, war zum Tode verurteilt worden. Eine junge, gesunde, lebenswillige Frau.

Damals hatte ich noch geglaubt, nach dem Krieg meine kleine Schwester wiederzusehen. Auschwitz war ein polnisches Städtchen, in dem unser Freund Jossek geboren war, und daß neben Kiefern und Föhren eines Tages auch ein Krematorium, ein Krematorium für junge, gesunde, lebenswillige Frauen am Ufer des Schwanensees bei Fürstenberg in Deutschland stehen würde, konnte keinen normal denkenden Menschen einfallen. Kann sich jemand zweiundneunzigtausend tote, getötete Frauen vorstellen?

Die Mory hat sich nach der Urteilsverkündung im Gerichtssaal bekreuzigt, und die Weltpresse hat davon Notiz genommen. Was aber ist weiter geschehen? Wann wurde das Todesurteil vollstreckt? Ist es überhaupt vollstreckt worden?

Ich blickte aus dem Wagenfenster. Die Umrisse der Bäume zu beiden Seiten der Landstraße verschwammen, die Felder hinter ihnen schienen sich sacht in nichts aufzulösen. Wie graue Spinnweben legten sich die Schleier der Abenddämmerung über die kalte Erde. Kein Rabe krächzte mehr am Wegrand, keine Maus huschte über den glatten, im Lichtkegel der Scheinwerfer glänzenden Asphalt. So wird im Theater ein dünner Vorhang nach dem anderen herabgelassen, wenn das

Geschehen im Hintergrund der Bühne im Ungewissen zerrinnen soll.

Nach einer Pressemeldung, die von niemandem bestätigt noch dementiert wurde, soll sich die Mory am Tag vor der Hinrichtung im Gefängnis vergiftet haben. Nach einer anderen, gleichfalls weder bestätigten noch widerlegten Meldung hat sie im Gefängnis verlangt, man möge ihr ihre Hauspantoffeln bringen. In dem einen, so hieß es weiter, hatte sie eine Rasierklinge eingenäht, mit der sie sich am Tag vor der Hinrichtung die Pulsadern aufgeschnitten haben soll.

Wieso hat die große Presse nichts über diesen sensationellen Abgang der »zweiten Mata Hari« berichtet? Wer hat nach der Urteilsverkündung das weitere Geschehen hinter dem spinnwebdünnen Schleier der Ungewißheit zerrinnen lassen? Und warum? Waren Carmen Maria Morys Tage im Februar 1947 wirklich beschlossen? Lebt sie nicht mehr?

»Du glaubst, sie ist gar nicht tot?« Der Mann am Steuer trat auf die Bremse und hielt den Wagen an. »Das wäre ja toll. Gibt es dafür einen Anhaltspunkt?«

Warum sprachen wir nicht über Bücher oder Musik? Warum drehten die beiden Männer vor mir nicht das kleine Radio am Schaltbrett an und verfolgten ein Hockeywettspiel oder einen Wettbewerb im Skispringen? Warum konnte ich ihnen nicht eine der vielen drolligen Geschichten von meiner kleinen Schwester erzählen, damit der Druck in mir etwas nachgab? Warum mußten wir alle drei gerade über diese quälende Sache, über diese unfaßbare, grauenhafte Frau reden?

»Fahr bitte weiter«, sagte ich leise, »wenn der Motor brummt, kann ich besser davon sprechen. Da ist noch so eine merkwürdige Geschichte ...«

»Möchtest du eine Zigarette?« Der Mann mit der Pfeife langte dem am Steuer in die hingehaltene Rocktasche, fischte eine Zigarette heraus und schob sie mir zwischen die Lippen. Dann hielt er mir seine Pfeife hin, damit ich sie an der knisternden Glut anbrennen konnte. Er wußte, daß mir das Spaß machte. Der Mann am Steuer setzte den Wagen inzwischen von neuem in Bewegung. Draußen war es jetzt schon tintenblau.

In Paris war Frühling. Nicht der erste Nachkriegsfrühling, aber die Frau, die in der lauen Morgenluft langsam dem Jardin du Luxembourg zustrebte, hatte immer noch das Gefühl, ein Traum sei zum Alltag geworden. Das machten die aufgeplatzten, feucht glänzenden Knospen an den Kastanienbäumen, aus denen ungeduldig gelbgrüne Blattspitzen hervorlugten. Das machte das unbekümmerte Lärmen in den Straßen, der Duft von frisch gebackenem Weißbrot aus der Bäckerei, die geflochtenen Korbstühle auf den Terrassen der Cafés. Die weit aufgerissenen, fast kindlich erstaunten Augen der Frau standen in merkwürdigem Kontrast zu dem graumelierten Haar über ihrer Stirn, die mädchenhaft schlanke Gestalt paßte nicht zu ihren etwas müden Bewegungen. Aber Frühlingsluft läßt bekanntlich die Glieder ermatten, benimmt den Kopf. Ein paar junge Menschen kreuzten ihren Weg. Fest untergehakt nahmen sie beinahe die ganze Breite des Gehsteigs ein. Lächelnd trat sie zur Seite, wandte sich nach ihnen um.

Und blieb wie versteinert stehen.

Nein, nein, das war Wahnsinn, das konnte nicht sein. Aber die Dame im marineblauen Kostüm mit einem weißen Hütchen auf dem dunklen Haar, die eben im Begriff war, ein ungeduldig herbeigerufenes Taxi zu besteigen …

Unsinn! Das hier war ein Pariser Boulevard, sie war nun schon das dritte Jahr zu Hause. Aber diese Gestalt, die sie auch jetzt noch manchmal nachts zu sehen vermeinte, das dichte schwarze Haar, das unter dem Hut hervorquoll, und dann die Handbewegung, diese herrische, keine Widerrede duldende Handbewegung, mit der sie den Wagen angehalten hatte.

»C'est elle!« schrie die Frau auf einmal mit gellender Stimme und versuchte, dem davonfahrenden Taxi nachzulaufen. »Das ist sie! L'ange noir de la mort! Der schwarze Engel des Todes!«

Die Leute blieben erschrocken stehen. War da jemand plötzlich wahnsinnig geworden? Wohin rannte die zierliche Frau mit dem blassen Gesicht? Was war überhaupt los?

»Allez, allez!«

Ein Schutzmann in dunkelblauer Pelerine, den weißen Gummiknüppel am Gürtel, vertrat ihr den Weg.

»Wohin so eilig? Ist Ihnen etwas passiert, Madame?«

»L'ange noir«, stieß die Frau mühsam hervor, wurde totenblaß und schwankte wie ein Grashalm im Wind. Der Polizist faßte sie am Arm, von irgendwo brachte man einen Stuhl, ließ die Zitternde sich darauf niedersetzen. Jemand bot ihr ein Glas Wasser an.

»Excusez-Moi«, sagte sie leise, als sie sich wieder in der Gewalt hatte, »entschuldigen Sie bitte. Aber so etwas ist einfach unfaßbar. Ich habe eben die Blockälteste von Nr. 10 in ein Taxi einsteigen sehen. Vom Konzentrationslager Ravensbrück. Zweieinhalb Jahre war ich dort gefangen. Sie ist in Hamburg als Kriegsverbrecherin zum Tode verurteilt worden, und jetzt begegne ich ihr auf einmal in Paris. Das ist doch nicht möglich, das kann doch nicht sein. Ich verstehe einfach nicht …«

Sie sprach immer noch leise, aber durchaus zusammenhängend. Ihre Hände zitterten, und ihre weit aufgerissenen grauen Augen waren voll Entsetzen. Um den Stuhl, auf dem sie saß, hatte sich ein dichter Kreis von Menschen gebildet. Die Frauen betrachteten sie mitleidig, manche mußte schnell ihr Taschentuch hervorholen. Ein junger Mann in einem weinroten, hochgeschlossenen Pullover sagte zu dem Polizisten, der unschlüssig dastand: »Eh bien, wir müssen sie finden, diese Person. So jemand darf doch nicht frei herumlaufen.«

»War das die Dame in dem blauen Kostüm mit einem weißen Hut auf dem Kopf?« fragte eine Frau in einer buntgeblümten Schürze, die in einem Kiosk am Rande des Gehsteiges Limonade verkaufte.

Die Frau auf dem Stuhl nickte.

»Die war in dem Laden mit den Hüten. Ich habe sie herauskommen sehen.«

Die Frau erhob sich. Der junge Mann im weinroten Pullover bot ihr den Arm an. Sie schüttelte den Kopf, danke, nicht nötig, es geht schon wieder. In Begleitung des Polizisten, der Frau mit der geblümten Schürze, die ihren Kiosk einfach zusperrte, und des jungen Mannes ging sie zum Hutgeschäft, ein paar Häuser entfernt.

Die Modistin mit kunstvoll hochgesteckter Frisur hob beschwörend beide Hände, als die kleine Gruppe, geführt von dem Schutzmann, ihren Laden betrat. »Je vous en prie, Messieurs, Dames, ich bitte Sie, meine Damen und Herren! Ich habe einen neuen Teppich, er liegt heute zum erstenmal auf.«

»Ihr Teppich interessiert uns nicht, sollen wir etwa auf den Händen laufen?« sagte der junge Mann im weinroten Pullover. »Aber da war vorhin eine Frau in

Ihrem Laden. Blaues Kostüm und weißer Hut. Wer war das?«

»Pardon«, erwiderte die Modistin abweisend und blickte gleichsam hilfesuchend zum Polizisten. »Ich weiß wirklich nicht ...«

Der Polizist zog sein Notizbuch hervor. »Das geht in Ordnung«, sagte er, »ça va. Ich fordere Sie hiermit auf, zu sagen, wer die Dame war. Es besteht nämlich der Verdacht, daß ... Also bitte, Name und womöglich auch die Adresse.«

»Eine alte Kundin«, die Modistin setzte eine große Hornbrille auf, blätterte nervös in einem goldgeränderten, schon leidlich abgegriffenen Adressenbuch und sagte schließlich: »Madame X., die geschiedene Gattin des Advokaten X. Vielleicht kennen Sie den Namen.« Und dann folgte die genaue Adresse.

»Merci«, der Schutzmann vermerkte alles in seinem Notizbuch, »danke bestens, Madame.«

Die Frau aus Ravensbrück stand still dabei. Auch als sie alle wieder auf der Straße waren, sagte sie nur mit einem Seufzer: »Jetzt müssen wir dorthin gehen.«

Der junge Mann im weinroten Pullover und die Frau mit der geblümten Schürze verabschiedeten sich. Der Polizist trat an den Rand des Gehsteigs und hielt kurz darauf einen vorbeikommenden Streifenwagen an. Er half der Frau beim Einsteigen, setzte sich neben den Fahrer und nannte die von der Modistin angegebene Adresse.

Als sie vor dem Haus standen, preßte die Frau plötzlich beide Hände an die Schläfen, aber nur für einen Augenblick. Dann hob sie den Kopf und stieg fast leichtfüßig in die dritte Etage. Dort verglich der Polizist das Namensschild mit seiner Eintragung im Notizbuch und drückte auf den Klingelknopf neben der Wohnungstür.

Schritte im Vorzimmer, ein Riegel wurde beiseite geschoben, der Schlüssel drehte sich im Schloß herum. Im Türrahmen stand die Dame im marineblauen Kostüm, groß, dunkeläugig und dunkelhaarig. Den weißen Hut hatte sie inzwischen abgelegt.

»C'est elle! Oh mon Dieu!«

»Wie bitte?« Die Stimme war rauh und zurückweisend.

Der Polizist verlangte höflich, ihre Ausweispapiere zu sehen.

»Ich verstehe nicht...«

Aber dann holte sie sie wortlos aus einer vornehmen Handtasche hervor. Sie stimmten mit den Angaben der Modistin überein. Da bat der Schutzmann noch, gleichfalls sehr höflich, um Auskunft, wo Madame den Krieg verbracht habe.

»Bei den Eltern meines Mannes in der Normandie«, kam schnell die Antwort. »Noch etwas?«

Der Polizist wischte sich mit dem Taschentuch umständlich den Schweiß aus der Mütze, auch seine Stirn glänzte feucht. Dann blickte er kurz auf die Frau neben sich. Sie hatte die Lippen fest aufeinandergepreßt und starrte wie gebannt auf die stattliche Person im blauen Kostüm, auf ihr Gesicht mit den dunklen Augen, auf den von dunklem Haar bedeckten Kopf.

»C'est elle«, schrie sie plötzlich von neuem gellend auf. »Sie ist es. Ich habe sie doch zweieinhalb Jahre lang täglich gesehen. Die Blockälteste von Nr. 10.«

Die Dame brauste auf. Das sei ja unerhört, sie werde sich beschweren...

Da salutierte der Schutzmann, nahm die zitternde Frau neben sich behutsam am Arm und führte sie fort. »C'est elle«, wiederholte diese fassungslos, »sie ist es. Eine solche Ähnlichkeit gibt es nicht.«

»Phantastisch«, sagte der Mann mit der Pfeife. »Woher weißt du das alles?«

»Ein slowakischer Journalist hat die Sache aus Paris gebracht. Ich habe seinen Artikel gelesen.«

»Nichts ist phantastisch.« Der Mann am Steuer blickte konzentriert auf die dunkle Straße vor sich, aber sein Gesicht war nicht nur deshalb so angespannt. »Solche Schweinereien sind doch vorgekommen. Immer noch laufen genug Typen dieser Sorte ungeniert auf der Welt herum. Adolf Eichmann war ein größeres Tier, und wie lange hat es gedauert, ehe sie ihn gefunden haben?«

Mit einemmal war ich sehr müde. Ich lehnte mich auf dem Sitz zurück und schloß die Augen. Gab es die Mory noch, oder gab es sie nicht mehr? Und lag eigentlich so viel daran? Die Frau wäre heute über sechzig Jahre alt geworden. Meine kleine Schwester ist nie zweiundzwanzig Jahre alt geworden. Sie hat Paris niemals gesehen, wußte nicht, wie der Frühling im Jardin du Luxembourg duftet. Sie hat auch die Schweiz nicht gekannt, dieses blitzsaubere Land, in dem die Straßenbahnen aussehen wie große Milchkannen. Sie ist tot, endgültig, unwiderruflich tot, und falls die Mory noch lebt ... Eine Frau, die zweimal zum Tode verurteilt wurde. Die sich in einen Schrank gehockt hat, um Menschen zur Strecke zu bringen. Die in Nr. 10 eine Peitsche an der Wand hängen hatte. Polinnen können krepieren, Jüdinnen können auch krepieren. Die Injektionsnadel der Mory, die weißen Pillen der Mory. Die Goebbels persönlich gekannt, Heydrich in drei Wochen soweit hatte ...

»Schläfst du?«

»Nein.«

Jetzt war ich nicht einmal mehr imstande, die Augen zu öffnen. Etwas Weiches fiel mir in den Schoß. Der Schal einer der beiden Männer. Ich schob ihn unter den Kopf. Falls die Mory noch lebt, möchte ich ihr noch einmal begegnen.

Ich würde in die Schweiz fahren und in Bern in einem kleinen Hotel absteigen.

»Wie lange wünschen Madame bei uns zu bleiben?«

»Das weiß ich noch nicht«, würde ich antworten, »das hängt davon ab, wie schnell ich meine Angelegenheiten hier erledigen kann.«

Dann würde ich einen Spaziergang durch die Stadt machen. Vielleicht würde es regnen, aber in den Berner Laubengängen würde mich das nicht weiter stören. Am hohen Ufer der Aare würde ich einen Augenblick stehenbleiben und hinunterschauen auf das grüne Wasser mit den weißen Schaumkämmen. Dann würde ich wieder zurückschlendern. Beim Münster würde ich von neuem stehenbleiben, vielleicht auch eintreten und langsam das schmale, hohe Kirchenschiff durchschreiten. Wenn jedoch zufällig die Orgel erklänge, würde ich schnell wieder dem Ausgang zustreben. Wir pflegten in Prag gemeinsam Orgelkonzerte zu besuchen, meine kleine Schwester und ich.

Dann würde ich das Rathaus aufsuchen, das schöne gotische Rathaus von Bern, über dessen Aufgang seit eh und je drei Glocken hängen. Ich würde sie ein Weilchen betrachten und dann die steile Treppe emporsteigen und in der Eingangshalle einen Beamten nach einer bestimmten Adresse befragen.

»Nehmen Sie bitte Platz, meine Dame«, würde er höflich sagen, »ich will gleich mal nachsehen.«

Und dann würde ich warten und in den Zeitschriften über die Schönheiten des Berner Kantons blättern, um meine Erregung zu verbergen.

»Bitte sehr«, würde der Beamte nach ein paar Minuten sagen und mir einen Zettel reichen, auf dem in peinlich leserlicher Handschrift die von mir gesuchte Adresse stünde.

»Danke bestens.«

Ich würde den Zettel in meiner Handtasche verstauen, einige anerkennende Worte über die Baudénkmäler der Stadt verlieren und dann mit einem freundlichen Lächeln wieder gehen.

Im Hotel würde ich bitten, man möge mir einen Tee und ein paar Scheiben geröstetes Weißbrot aufs Zimmer schicken, ich wäre müde und möchte bald schlafen gehen. Nein, danke, nicht wecken, ich müßte nicht so bald hinaus. Und dann würde ich wirklich versuchen, möglichst lange und ruhig zu schlafen, was wohl ohne eine oder zwei kleine Pillen kaum ginge.

Am nächsten Morgen würde ich baden und sorgfältig Toilette machen. Wahrscheinlich würde meine Wahl auf das hochgeschlossene graue Wollkleid mit dem schmalen, türkisblauen Kragen fallen. Ich würde im Frühstückszimmer des Hotels einen Kaffee trinken und vielleicht auch ein echtes Bircher Müsli essen, das so gut für die Nerven sein soll. Dann würde ich zahlen, Handtasche und Handschuhe nehmen und zu Fuß – weil es gar nicht so weit wäre – zu der auf dem weißen Zettel vermerkten Adresse gehen.

Draußen würde die Sonne scheinen, und ich würde einem pausbäckigen Bübchen in einem Kinderwagen zulächeln. Unterwegs würde ich vor dem Chindlifresser stehenbleiben, dieser wilden und dabei komischen, buntbemalten Holzstatue mit einem halb verschluckten Kindchen im Maul und anderen, die aus den Hosen- und Jackentaschen hervorlugen. Und plötzlich würde ich erschrecken. Vielleicht ging vor Jahren ein schwarzbezopftes Mädchen auf seinem Schulweg täglich an dem unersättlichen Menschenfresser vorbei. Welche Gedanken mag diese Gruselfigur in ihm erweckt haben?

Aber dann würde ich tief Atem holen in der frischen Schweizer Luft und mein Gesicht dem leichten Wind und dem angenehm warmen Sonnenschein entgegenhalten. Die Rasenflächen wären von weißen, violetten und dottergelben Krokuskelchen gesprenkelt, und in den Baumkronen gäbe es übermütiges Vogelgezwitscher.

Ich würde ganz langsam gehen und mit jedem Schritt ruhiger werden. So ruhig, als ob ich in der Tat nur einen ganz gewöhnlichen Besuch machen wollte.

Vor dem Haus in der betreffenden Straße und mit der betreffenden Nummer würde ich stehenbleiben. Es wäre ein altes Patrizierhaus mit grüngestrichenen Blumenkästen voll roter Pelargonien in allen Fenstern, wie in den meisten Häusern dieser Stadt. Ich könnte mir ganz gut vorstellen, daß hier schon seit Generationen eine bekannte Arztfamilie lebte.

Ich würde in den Hausflur treten, aber nicht den Aufzug nehmen, denn ins zweite Stockwerk kann man zu Fuß hinaufsteigen. Im letzten Augenblick wäre es mir doch angenehm, noch ein wenig Zeit zu gewinnen.

Die dunkelbraune Wohnungstür, vor der ich stehenbliebe, wäre oben und an beiden Seiten mit massiven Holzornamenten verziert. Das Namensschild wäre aus Messing und spiegelblank geputzt. Ich würde schellen. Ein junges Mädchen, Tochter nennt man sie in den Schweizer Familien, käme öffnen. Ich würde fragen, ob Madame zugegen ist.

»Ich will gleich sehen«, würde das Mädchen sagen,

mit einem Ton leichter Verwunderung in der Stimme, über den unangemeldeten, unvorhergesehenen Besuch. »Wen darf ich melden?«

Ich würde langsam die Handtasche öffnen, meine Karte hervorholen, sie, ohne die Handschuhe abzustreifen, dem Mädchen hinhalten und dazu bemerken: »Sagen Sie Madame bitte, daß wir einander in Paris begegnet sind. Vor sehr vielen Jahren, im Haus zur kleinen wilden Ranke.«

Aber da würde schon am Ende des dämmrigen Vorraums eine Tür aufgehen, und eine dunkle Stimme würde fragen: »Was gibt es, Clara? Ist jemand . . .«

»Bonjour, Madame«, würde ich sagen und auf die hohe Frauengestalt in der offenen Tür zugehen. »Entschuldigen Sie bitte den Überfall. Ich bin auf der Durchreise in Bern, und da habe ich mich erinnert, daß ich vor bald dreißig Jahren, genau gesagt, zu Kriegsbeginn, in Paris unter etwas ungewöhnlichen Umständen einer Madame Mory aus ebendieser Stadt begegnet bin. Nehmen Sie mir eine kleine Sentimentalität nicht übel, aber ich konnte einfach nicht der Versuchung widerstehen und . . .«

»Kommen Sie bitte weiter«, würde die Dame nach kaum merklichem Zögern sagen. »Danke, Clara, Sie können gehen.«

Das Zimmer, ein Salon mit gediegenen alten Möbeln, einer Bücherwand und einem Klavier in der Ecke, gäbe der Frau einen ganz besonderen, kontrastreichen Rahmen. Denn sie wäre, wie früher, sportlich gekleidet. Dunkelgrün der Rock und die Wolljacke, nur die verschnörkelte Goldbrosche am Kragen und der schwere Ring an einem Finger der linken Hand würden mit der Umgebung in Einklang stehen.

»Nehmen Sie bitte Platz«, würde sie sagen, und wir würden uns an einem kleinen, runden Tisch am Fenster niederlassen. Da würde ich sehen, daß ihr sorgfältig zurechtgemachtes Gesicht immer noch regelmäßige Züge aufweist, die Haare fast ganz dunkel geblieben sind und nur ein paar Fältchen um die harten Augen wachsende Müdigkeit verraten.

»Ich empfange sonst keine Besuche«, würde sie kühl bemerken. Zugleich würde jedoch etwas in ihren Augen aufsteigen. Neugierde? Die alte Abenteuerlust? »Zu Beginn des Krieges war ich übrigens tatsächlich in Paris.«

Nun müßte ich versuchen, das Eis zu brechen. Ohne die Handtasche wegzulegen, würde ich ein Lächeln aufsetzen und leichthin sagen: »Wer einmal in der Petite Roquette bei Flugalarm im Keller gesessen ist, vergißt wohl seine Leidensgefährtinnen auch nach vielen Jahren nicht. Auch meine Freundin Tonka – Sie können sich vielleicht an sie erinnern, Madame, die tschechische Studentin aus der Zelle neben Ihnen – hat mir aufgetragen, wenn ich nach Bern kommen sollte, ja bei Ihnen vorbeizuschauen. Aber Verzeihung, ich möchte Sie nun wirklich nicht länger aufhalten.«

»Keineswegs«, würde sie höflich Einspruch erheben, und in ihrer Stimme würde nun schon unverkennbare Spannung mitschwingen. »Was darf ich Ihnen anbieten? Einen Cognac? Oder vielleicht lieber eine Tasse Kaffee?«

»Einen kleinen Kaffee. Aber machen Sie sich bitte meinetwegen keine Umstände.«

Sie würde nach der Haustochter Clara läuten und mich dabei einem schnell prüfenden Blick unterziehen. Ich säße ruhig und gelassen in dem bequemen Fauteuil, die

Handschuhe und Handtasche auf dem Schoß, den Blick auf die zartrosa Nelken in einer geschliffenen Vase vor mir gerichtet. Nur mein Herz würde unregelmäßig klopfen, aber das könnte sie nicht sehen.

Und dann würde ich mich zusammennehmen und eine kleine Plauderei in Gang bringen über die komische dicke Aufseherin in der Petite Roquette und über die alte Nonne, die schon zu Mata Haris Zeiten dort gewesen sein soll. Nur so nebenbei würde ich einfließen lassen, daß ich während der späteren Kriegsjahre in Übersee war und den Kontakt mit jener Zeit eigentlich gänzlich verloren habe. Und da würde sie bemerken, sie hätte sich in der Normandie aufgehalten, eigentlich ohne größere Aufregung, die ganze Zeit bei der Familie ihres damaligen Mannes. Und vor dem Fenster würde zwitschernd ein Vogel vorbeifliegen, und ich würde spüren, wie sich meine auf der Tasche liegende Hand verkrampft.

»Es hat mir damals sehr imponiert«, würde ich sagen und meinen Blick langsam in ihrem unbeweglichen Gesicht verankern, »wie Sie mit dem lächerlichen Gefängnisdirektor umgegangen sind. Sie hatten scheinbar vor nichts und niemandem Angst.«

»Ach!« Sie würde abwinken, und in den dunklen Augen würde sich Hohn und Verachtung zeigen. »Ganz Frankreich war damals lächerlich. – Aber nehmen Sie doch bitte noch ein wenig Kaffee. Oder vielleicht lieber etwas Petits fours? – Darf ich fragen, womit Sie sich jetzt beschäftigen?

»Jetzt?« würde ich wiederholen, die Handtasche fester umklammern und die spöttischen Augen zwingen, nicht an mir vorbeizuschauen. »Jetzt beschäftige ich mich gerade mit etwas, das Sie zweifellos interessieren wird.«

Sie würde den kleinen silbernen Kaffeelöffel auf die

Untertasse zurücklegen, und ich würde an dem leichten Klirren erkennen, daß ihre Hand doch ein wenig zittert.

»Bitte?«

Vom Fauteuil wären es drei Schritte bis zur Zimmertür, von der Zimmertür ein Sprung bis zur Wohnungstür, zwei Stockwerke kann man im Nu hinunterlaufen, an der Ecke der Straße wäre ein Taxi- stand.

Ich würde ihr unentwegt ins Gesicht blicken, meine Kaffeetasse ganz langsam und ohne das geringste Klirren zurückstellen und sehr leise sagen: »Ich war vor kurzem in Deutschland. Es gibt dort einen Schwanensee, Madame, an dem sehr viele Frauen gestorben sind. Meine kleine Schwester war darunter. Aber viele von ihnen würden vielleicht noch leben, wenn man *Sie* 1940, als ich Ihnen in Paris begegnet bin, nach Ihrer Verurteilung erschossen hätte.«

Ein Ruck. Ich öffnete die Augen. Der Wagen war an einer Straßenkreuzung stehengeblieben. Lichter, Gesprächsfetzen, ein Schutzmann im weitärmeligen, weißen Staubmantel hob und senkte die Arme wie eine Marionette. Wir waren in Berlin.

Die beiden Männer vor mir im Wagen unterhielten sich leise. Manche ihrer Worte fing ich auf, andere summten bloß so vorüber.

Am Schwanensee war es bestimmt sehr kalt zu dieser Stunde. Die kahlgeschorenen Bronzemädchen mußten frieren. Die Schwäne hatten ein kleines Holzhaus am Ufer unter den alten Föhren.

Unterwegs mit Franz Schubert

An dem Tag, von dem hier die Rede sein wird, regnete es ein wenig in Zürich. Als ich am Morgen noch einmal schnell am See entlanglief, hing ein zart grauer Schleier über der großen Wasserfläche, verdeckte den Blick auf das gegenüberliegende Ufer der Limmat, ließ den Dom mit den schmalen, gleich Fingern emporgereckten Fenstern mit den goldgrünen Vitragen von Marc Chagall nur ahnen, verhüllte die Gäßchen der Altstadt, die Bahnhofstraße mit den feinen Geschäften, das wuchtige Gebäude des Hauptbahnhofs mit all seinen Rolltreppen und Unterführungen an ihrem Ende; in knapp zwei Stunden sollte ich von hier abfahren.

Vor vielen Jahren war ich zum ersten Mal in diese Stadt gekommen. Damals lag überall Schnee. Ich war mit dem Zug quer durch Deutschland in die Schweiz gefahren, hatte mit einem Gemisch aus Widerwillen und Grauen durch das Wagenfenster die blutroten Fahnen mit dem schwarzen Hakenkreuz in der Mitte an den Häusern in der glitzernden Winterlandschaft betrachtet, hielt die Lippen fest zusammengepreßt, als ob jedes Wort, ja selbst ein flüchtiger Gruß verraten könnte, warum ich diese Reise unternahm und wen ich in Zürich treffen wollte.

Nachdem ich glücklich angekommen war, an demselben Bahnhof, allerdings noch ohne Rolltreppen und Unterführungen – und mit dem Schauspieler Wolfgang

Langhoff und seiner Frau Renate, dem Schriftsteller Ludwig Renn und einigen neuen Freunden in der Wohnung des Ehepaars Langhoff am Mythenquai am Kaffeetisch saß, wich meine nervöse Spannung. Die Entdeckung einer neuen Stadt, das ganze Abenteuer dieser Reise ergriff von mir Besitz, begann wie ein Schluck guten Weins in mir zu prickeln. Zürich war damals der Zufluchtsort von im Reich verfolgten und aus dem Reich geflohenen Künstlern, vornehmlich Schauspielern und Literaten. Wie ungewöhnlich sind doch diese Menschen, dachte ich respektvoll, und was hatten sie nicht schon alles hinter sich! Dem schlanken Langhoff hatte man im Konzentrationslager Esterwegen die Zähne eingeschlagen (»... und jetzt versuch deinen Quatsch von der Bühne zu verzapfen ...«), und von dort hatte er das Lied der Moorsoldaten mitgebracht, das bald zu einer Art Hymne aller Antifaschisten wurde. Der bebrillte und ältere Hagestolz Ludwig Renn mit der leisen Stimme, der als Arnold Friedrich Vieth von Golßenau auf die Welt gekommen ist, war nach Haft und geglückter Flucht erst vor wenigen Tagen aus Deutschland eingetroffen. Renate erzählte, wie ihr Hans Otto während ihrer Krankheit geholfen hatte, als sie in Deutschland allein geblieben und ihr Mann hinter Stacheldraht gefangen war. Dieser hochbegabte Schauspieler ist dann selbst durch die Nazis umgekommen.

Ich war zum ersten Mal in Zürich, nur für wenige Tage, und begierig, möglichst viel von dieser – wie mir schien – geruhsamen Stadt in dem so unruhigen Europa der dreißiger Jahre kennenzulernen. Wenn ich am Seeufer spazieren ging und über mir die Möwen kreischten, hätte ich am liebsten vergessen, warum ich hergekommen war. Es gab damals Pläne für die Errichtung eines antifaschistischen deutschen Theaters in Prag, nachdem ein ähnliches Vorhaben in Moskau am bürokratischen »Njet!« und dem unverständlichen und unerhörten Vorgehen des Polizei- und Justizapparates gegenüber den schon angereisten deutschen Schauspielern gescheitert war. Wolfgang Langhoff hatte vor kurzem während eines Aufenthaltes in Prag initiativ und mit vollem Einsatz seiner Erfahrungen an diesem Plan mitgezimmert. Ihm sollte ich in dieser Sache Verschiedenes bestellen. In meinen wenigen Schweizer Tagen wollte ich tunlichst auch nicht an die winzigen Heftchen auf hauchdünnem Zigarettenpapier in meiner Reisetasche denken, die ich hierher gebracht und, wie vorgesehen, weitergegeben hatte. Sie waren für den Widerstand in Deutschland bestimmt. All das hätte ich jetzt gern ein wenig vergessen. An all das mußte ich dennoch fast unentwegt denken. Und doch war ich hier glücklich und mit meinen Freunden vergnügt.

Wenn ich mit diesen Menschen im Café Pfauen hinter dem Schauspielhaus saß, ging es bei dem lebhaften Gespräch immer wieder auch darum, was man gegen das schreckliche Geschehen im Hitlerreich tun sollte. Niemand in dieser Runde dachte daran, sich mit dem Schicksal Deutschlands – es war ja auch das künftige Schicksal Europas, das war allen bewußt – abzufinden. Langhoffs Buch »Die Moorsoldaten« lag bereits, übersetzt in viele Sprachen, in den Buchhandlungen verschiedener Länder auf dem Ladentisch. Der Autor war inzwischen auf die Bühne zurückgekehrt, war wiederum Schauspieler.

Die schlimmen Erfahrungen ließen sich jedoch nicht so schnell abschütteln. Eines Nachts begann Ludwig Renn fieberhaft aus dem Gedächtnis die Gedichte niederzu-

schreiben, die er während seiner Gefangenschaft ver-
faßt hatte. Mit einem Mal überfiel ihn die Angst, er
könnte sie vergessen.

Ich kam aus Prag und nahm erregt an allem teil, das
mir hier geboten wurde, insbesondere an dem so selbst-
verständlichen Zusammensein guter Freunde, von denen mancher den anderen erst vor wenigen Wochen
oder gar nur Tagen kennengelernt hatte. Jetzt war auch
ich ein Teilchen dieser Gemeinschaft, so jung und un-
erfahren ich auch war. Ich bemühte mich ehrlich, die
Fülle der Einfälle und Pläne, die mich umschwirrten, in
meinem Kopf festzuhalten. Bei all dem ruhelosen Treiben, der Geschäftigkeit in und um das Theater, den lite-
rarischen Diskussionen, die ich begierig anhörte, und
den mitunter halb geflüsterten illegalen ins Dritte Reich
zielenden Vorhaben, fand man noch Zeit, sich ein wenig um mich zu kümmern.

So führte man mich z. B. eines Abends in das Ca-
barett Cornichon. Hier imponierten mir der junge Robby
Trösch und seine ebenso jungen Kollegen ungeheuer
mit ihrem frechen und dabei immer künstlerischen
Draufgängertum. Ein andermal zeigten mir die deutschen Emigranten in der Spiegelgasse das Haus, wo der
russische Emigrant Lenin und seine Frau Krupskaja in
ihrer Exilzeit monatelang gewohnt hatten. In der Frosch-
gasse durfte ich in der Buchhandlung Pinkus nach
Herzenslust in den vollgepferchten Regalen stöbern.
Ich wurde auch zu einem Besuch beim Verleger Emil
Oprecht mitgenommen. Bislang war er für mich ein
oft erwähnter Name gewesen, jetzt nahm er handfeste
Gestalt an.

All das war der Einblick in eine Welt, für die sich jedes Risiko lohnte, nicht nur eine Reise durch das ge-

fährliche Deutschland. Ich bewunderte diese entschlossenen Menschen, die, so schien es mir, gleichzeitig mit einem Auge zu lachen und mit dem anderen zu weinen verstanden, ich wollte so entschlossen sein wie sie, wollte nichts Geringeres, als mit ihnen eine bessere Welt zu schaffen.

Aber vorerst genoß ich Zürich, diese Stadt, die in vielerlei Hinsicht ganz anders war als mein Prag. Wenn ich hier durch die Straßen schlenderte, staunte ich, daß alles so sauber, ordentlich und wohlgeregelt wirkte, die Menschen, die blau-weiß angestrichenen, gigantischen Milchkannen ähnelnden Trambahnen, selbst der silbrig schimmernde See. Bis dann eines Abends plötzlich ein Schneesturm ausbrach, den Verkehr in der ganzen Stadt im Nu völlig lahmlegte, die Menschen von den Straßen jagte und den so lieblichen See zu ungeahnter Wildheit aufpeitschte. Am nächsten Tag stapfte ich durch Schneeverwehungen zum Bahnhof.

Diesmal regnete es an meinem Abfahrtstag. Eine Freundin brachte mich zum Zug. »Du fährst mit dem Franz Schubert«, sagte sie, als wir, das Gepäckwägelchen vor uns schiebend, den richtigen Bahnsteig suchten.

»Wie bitte?«

»Das hast du noch nicht festgestellt?« fragte sie lachend.

»Der Vormittagszug Zürich-Wien trägt den Namen Franz Schubert, der Abendzug heißt Wiener Walzer.«

»Wien bleibt Wien«, antwortete ich, nun gleichfalls lachend.

»Hat es das zu deiner Vorzeit noch nicht gegeben?« erkundigte sich meine Freundin.

»Ich glaube nicht. Als ich in den dreißiger Jahren herzukommen pflegte, hat es hier allerhand noch nicht gegeben, was heute gang und gäbe ist.«

»Zum Beispiel?«

»Jugendkrawalle. Oder die Bummelstraße mit den Mädchen in schwarzen Strumpfhosen und weißen Kurzpelzchen rings um die vielen neuen Lokale. Wahrscheinlich hat sich das damals anderswo und auch etwas anders abgespielt. Dann gibt es jetzt viele neue Galerien, und wahrscheinlich ist in der Kultur überhaupt mehr los.«

»Man behauptet allerdings, daß die dreißiger Jahre in Zürich eine Art Blütezeit der Kultur waren«, bemerkte meine Freundin.

»Das stimmt ja auch. Obwohl es damals gar nicht einfach war, in der Schweiz Asylrecht zu erhalten. Selbst bekannten Persönlichkeiten wurde es oft verweigert. Aber am Schauspielhaus war eine ganze Reihe großartiger Schauspieler engagiert, die Giehse, Langhoff, Paryla, an alle kann ich mich gar nicht mehr erinnern.«

Inzwischen hatten wir meinen Wagen gefunden, auch das Abteil und meinen durch eine Platzkarte reservierten Fenstersitz. Nachdem ich mich installiert hatte, kehrte ich zu meiner Begleiterin auf den Bahnsteig zurück, wir plauderten noch ein bißchen, erst als das Abfahrtszeichen gegeben wurde, stieg ich wieder ein und nahm an meinem Fenster Platz.

Gleichzeitig mit mir betrat ein älteres Ehepaar das Abteil. Die Frau war unscheinbar, in einem beigefarbenen Kostüm, der Mann schmalgesichtig, mit schütterem, leicht angegrautem Haar und einer Hornbrille auf der Nase. Sie hockten still wie zwei große graue Vögel in ihrer Ecke an der Tür, schlugen sofort irgendwelche illustrierten Zeitschriften auf und zeigten nicht das geringste Interesse für die Landschaft, die der Zug nunmehr durcheilte. Auch zwei weitere Mitreisende waren nicht weiter auffallend.

Geräuschlos federnd fuhr der Eilzug Franz Schubert den See entlang, der jäh in hellem Sonnenlicht erstrahlte, blank und einladend, mit blühenden Bäumen bis hinunter zum Wasser und schlohweißen Wolkenseglern über den imposanten Bergmassiven. Es war Frühling, und ich freute mich auf die Fahrt durch die Alpen.

Wenn man in den siebziger Jahren aus meinem Land, der Tschechoslowakei, kam, war man auf strikte Grenzprozeduren vorbereitet. Nichts dergleichen gab es zwischen der Schweiz und Österreich. Jemand steckte einen mit einer Uniformmütze bedeckten Kopf in unser Abteil, die Pässe wurden schnell gestempelt, kein Gepäckstück mußte auch nur verrückt werden. Dann wechselten die Uniformen der Schaffner, und man befand sich in Österreich.

Franz Schubert, dachte ich, dieser Zug trägt deinen Namen offenbar zu Recht, saust geradezu liebenswürdig beschwingt durch die Gegend.

Die Alpen lagen noch unter Schnee. Die bekannten Wintersport- und Luftkurorte, die der Zug passierte, wirkten trotzdem schon ein wenig verschlafen. Nur ab und zu schoß ein einsamer Skiläufer einen Hang hinab. Vor einem Hotel saßen einige Frauen in Streckstühlen, vermummt in großkarierte Decken, und hielten ihre hübschen Gesichter der Sonne entgegen. Im Ötztal lieferten sich Kinder in lustigen Wollmützen eine Schneeballschlacht hart an der Bahnstrecke.

Ich geriet beinahe in Ferienstimmung, so angenehm ließ sich diese Reise an. Im Ötztal war ich nie gewesen, aber meine Mitschülerinnen aus gutsituierten Prager

Familien verbrachten mit ihren Eltern fast jedes Jahr die Ferien im Salzkammergut. Einmal wurde ich von den Eltern einer Schulfreundin nach Alt-Aussee mitgenommen. In meiner Erinnerung blieb eine eiskalte flaschengrüne Wasserfläche, die einem erst den Atem benahm und dann wie ein Brausebad wirkte. Alle, auch die Prager Mädchen, liefen hier im Dirndl herum und wetteiferten um die Gunst der braungebrannten einheimischen Jünglinge beim sonnabendlichen Polsterltanz im Wirtshaus. Dann habe ich auch noch einen älteren untersetzten Mann mit dunklen Augen im Gedächtnis, den ich meistens auf einer Bank vor seinem Haus sitzen sah, den Schriftsteller Jakob Wassermann, dessen Bücher wir damals verschlangen.

Meine Mitreisenden wechselten. Eine Zeitlang saß mir eine üppige Brünette gegenüber, zwei junge Männer kamen und gingen wieder. Nur das still in der Ecke hockende Ehepaar, die beiden grauen Vögel, rührte sich kaum. Der Mann döste ein wenig, die Frau hob den Blick nicht von ihren Zeitschriften mit den internationalen Schönheiten auf den Titelseiten.

Abermals hielt der Zug. Ein paar Menschen stiegen aus, andere kletterten in die Wagen. Die Tür unseres Abteils ging auf. Ein älterer Mann, nicht groß und nicht klein, ohne Gepäck, blickte sich um, sagte »Grüß Gott!« und steuerte auf den Fensterplatz mir gegenüber zu, den die üppige Brünette vorher eingenommen hatte. Es war mir entgangen, daß sie schon ausgestiegen war. Der Mann knöpfte seinen kurzen Hubertusmantel auf, verstaute den Hut mit Gemsbart im Gepäcknetz und ließ sich mit einem Seufzer der Erleichterung auf die Polster fallen. Dabei streifte er mich mit einem flüchtigen Blick.

Weiß Gott, warum ich dabei erschauerte. Der Fremde

hatte doch, als er das Abteil betrat, höflich gegrüßt, nichts an ihm war ungewöhnlich oder sonst wie auffallend. Ein gutmütiger Onkel vom Land. Wahrscheinlich ein Rentner, der Briefmarken sammelt oder Blumen züchtet. Er könnte auch einen Hund haben, mit dem er morgens, mittags und abends um den Häuserblock läuft. Bloß der Blick ...

Er war übrigens nur ganz kurz, nicht prüfend und nicht beurteilend. Ein Blick, der über mich hinwegging und nur ein klein wenig stockte, als ob der Mann mit Blitzesschnelle etwas an mir erkannt und registriert hätte. Er traf mich nicht, dieser flitzende Blick, er ätzte. Wie der Spritzer aus einer Giftflasche.

Ich blickte von neuem aus dem Fenster. Berge, Wälder im Nebeldampf, da und dort ein gischtiger Wasserfall, immer weniger Schnee. Mit einem Mal fühlte ich mich müde. Ich war ja auch frühzeitig aufgestanden und jetzt schon ein paar Stunden unterwegs. Ich verkroch mich hinter meinen Mantel und versuchte einzuschlafen. Vergeblich. Da fiel mir ein, daß der Franz Schubert gewiß auch einen Speisewagen mitführte. Mit einem Schlag verspürte ich geradezu unbändigen Kaffeedurst. Das war es! Ich brauchte einen Kaffee. Ich langte nach meiner Handtasche und begab mich in das fahrende Restaurant.

Nur wenige Tische waren besetzt, ich fand einen angenehmen Platz in der Fahrtrichtung. Zwei Jugoslawen in grellbunten Pullovern am Tisch hinter mir unterhielten sich ungeniert über Frauen und im Zusammenhang damit über die vor kurzem beendete Wintersportsaison. Ich bestellte Kaffee und Kuchen und konnte der Versuchung nicht widerstehen, dem Gespräch hinter mir eine Weile zuzuhören. Es machte mir Spaß, daß die beiden

Männer glaubten, völlig unter sich zu sein, weil sie natürlich nicht wissen konnten, daß ich ihre serbisch geführte Unterhaltung verstand. Ein älterer Italiener links von mir lächelte mir, der einzigen Frau im Wagen, galant zu und machte sich dann gleich wieder mit offenkundigem Vergnügen über seine Schinkenomelette her. Der Kaffee schmeckte schon ein wenig nach Wiener Kaffeehaus, ebenso wie die fast schwarze Schokoladentorte mit einer Haube aus steifer Schlagsahne. Schubertsche Liebenswürdigkeit auch im Speisewagen!

Vor dem Fenster zog Österreich vorbei. Kinder auf Fahrrädern, flinke kleine Autos und anspruchsvolle Transportkarren, Frauen und Männer im Lodenkostüm. Das erinnerte mich an den Hubertusmantel meines Gegenübers in unserem Abteil.

Wahrscheinlich war der Mann ein durchaus harmloser Reisender, dem ich einen ungewöhnlichen Blick zuphantasiert habe. Generationsbedingte Belastung, das weiß ich doch. Schließlich ist man nicht immer und überall von Feinden umstellt. Jahrzehnte nach dem Krieg und der ganzen Katastrophe. Nur dieser Blick …

Ich zahlte und kehrte in mein Abteil zurück.

Die Zusammensetzung der Fahrgäste hatte sich dort inzwischen wieder ein wenig verändert. Zwischen dem schweigsamen Ehepaar und meinem Gegenüber saß nun eine fröhlich um sich blickende, etwa fünfunddreißigjährige Frau im klassischen Kostüm, auf dem Schoß eine Tüte mit Bonbons, an denen sie pausenlos knabberte. Als ich eintrat, grüßte sie mich freundlich und hielt mir sogleich ihre Süßigkeiten entgegen. Ich dankte und merkte dabei, daß meine Rückkehr offenbar eine Unterhaltung unterbrach. Um nicht weiter zu stören, verdrückte ich mich schnell in meine Ecke.

»Also mir hängt das alles schon zum Hals raus«, erklärte denn auch in diesem Augenblick die Bonbons lutschende Blondine und setzte ein kleines Schmollmündchen auf. »Wollens net von was anderem reden? Schauns, ich hab bei meiner neuen Wohnung einen kleinen Garten. Könntens mir nicht lieber raten, was ich dort jetzt am besten als erstes anpflanzen soll? Ihre Frau hat doch gesagt ...«

»Ach, das weiß mein Mann viel besser«, sagte die Frau mit den Zeitschriften, die nun auf ihrem Schoß lagen, fast erschrocken. »Richard, willst du die Dame nicht beraten, wir haben ja immer so gepflegte Rabatten.«

Der Mann namens Richard nahm seine Hornbrille ab, holte aus der Rocktasche ein grau-grün gestreiftes Taschentuch hervor, begann seine Augengläser zu putzen und schien sich auf eine längere Rede vorzubereiten. Aber noch ehe er anhob, ließ sich mit einem Mal mein Gegenüber vernehmen.

»Sie waren doch auch im Krieg«, sagte der Mann zu dem grauen Vogel in der Ecke in einem Ton, der nicht im geringsten auf den Wunsch der jungen Mitreisenden einging und ganz deutlich auch keinen Widerspruch duldete, »wo hat Sie denn das Ende erwischt?«

Die Frau mit der Bonbontüte verzog ihr Schmollmündchen, schüttelte mißbilligend den kunstvoll arrangierten Lockenkopf, sagte aber nichts.

Das graue Männchen bei der Tür war jedoch von dieser Frage wie von einem Zauberstab berührt. Die Hornbrille sauste mit einem Schwung auf die Nase zurück, das Taschentuch verschwand in der Rocktasche, und mit völlig veränderter, beinahe kraftvoller Stimme antwortete es:

»Also das war in Böhmisch Budweis, bei General

Schörner. Da bin ich in Gefangenschaft geraten. Gott sei Dank bei den Amerikanern und nicht beim Russen.«

Habe ich mich nicht verhört? Die Truppen General Schörners haben in den ersten Maitagen des Jahres 1945 versucht, den Aufstand der Prager Bevölkerung zu liquidieren. Wie die Liquidationsabsichten des Generals aussahen, besagen viele, allzu viele Gedenktäfelchen an gefallene Barrikadenkämpfer, aber auch an ermordete Frauen und Kinder vor allem in den südlichen Außenbezirken von Prag. Aber da war mein Mitreisender wohl schon in Gefangenschaft, Gott sei Dank bei den Amerikanern und nicht beim Russen.

»Und vorher?« wollte mein Gegenüber weiter wissen. Fragte ganz gemütlich, zugleich aber auch jetzt wieder mit unüberhörbarem Nachdruck.

»Wie es halt so kam«, lautete die bereitwillige Antwort. »Zuerst hat es mich nach Rumänien verschlagen und dann nach Preßburg und Znaim. Hatte Schwein, war nie an der Ostfront. Der Schluß kam dann, wie ich schon sagte, bei Schörner in Böhmisch Budweis. Und Sie?«

Der Mann auf dem Fensterplatz gegenüber ließ sich nicht lange bitten.

»Also ich war zum Glück bei der SS«, sagte er vergnügt, hob den Arm und klopfte mit der Hand leicht in seine Achselhöhle, wo die Totenkopfträger der Sturmstaffeln bekanntlich das Zeichen für ihre Blutgruppe eintätowiert hatten. Schließlich waren sie eine Elitetruppe.

Ich starrte ihn an. Da saß mir gegenüber, kaum einen Meter entfernt, ein Mann, der Jahrzehnte nach Kriegsende in einem internationalen Eilzug ohne die geringste Hemmung, ja sogar mit unverhohlenem Stolz bekanntgab, daß er »zum Glück« bei der SS gewesen war.

Soll ich etwas sagen, bohrte es in meinem Kopf, oder ihn lieber weiterreden lassen? Was wird er uns, um Himmels willen, noch erzählen? Ich könnte ihn ja zum Beispiel fragen, ob er mit seinem SS-Kommando nicht zufällig meiner kleinen Schwester in Ravensbrück begegnet war oder meiner älteren Schwester mit ihrem achtjährigen Söhnchen in Auschwitz. – Meine Mutter – o Gott, mit meiner Mutter war ich doch als kleines Mädchen im Prager Neuen Deutschen Theater bei einer Aufführung des Dreimäderlhauses und habe mit Herzklopfen das bittersüße Liebesspiel um Franz Schubert verfolgt –, meine Mutter hat in Theresienstadt Uniformen bügeln müssen, ehe sie nach Birkenau transportiert wurde. Vielleicht war seine darunter. Soll ich ihn fragen?

Ich schwieg.

»Sie müssen wissen, ich bin Invalide«, fuhr inzwischen mein durchaus rüstig aussehender Zugnachbar in seinem Bericht fort. »Ich war nämlich auch noch beim Endspiel in den Ardennen dabei. Habe dort einen Lungenschuß abbekommen. Seither trage ich allerhand alliierte Splitter als Souvenir in beiden Flügeln der Lunge mit mir herum, ha, ha.«

»Da müssen Sie sich aber schonen«, mahnte die Frau mit den Zeitschriften mitfühlend.

»Na ja, wir halten schon was aus, war ja auch kein Kinderspiel unser Feldzug.«

Das war er nun wirklich nicht.

Ich hüstelte ein wenig, weil mir der Hals ausgetrocknet war. Die Blondine hielt mir sogleich von neuem mit liebenswürdigem Lächeln ihre Bonbontüte hin.

»Nehmens doch bitte und lutschens langsam, das hilft.«

Absurd. Das Ganze kann nicht wahr sein. Meine Phantasie gaukelt mir wohl nur etwas vor. Ich muß mich zusammennehmen, das ist alles.

Ich steckte dankend ein Himbeerbonbon in den Mund und blickte dem Mann gegenüber voll ins Gesicht. Er streifte mich abermals mit seinem spitzen Blick.

»Ja und dann?«

Die Brillengläser seines Kameraden in der anderen Ecke blitzten, das ganze Männlein zappelte vor ungeduldiger Wißbegierde. Was war das doch damals für eine große Zeit!

»Na dann begann ja die große Scheiße«, fuhr der Befragte, immer gemütlich, fort. »Bei Ingolstadt haben mich die Amerikaner gefangengenommen. Sie sagten es, war auf jeden Fall besser als beim Russen. Obwohl, von Ordnung und Organisation hatten die auch keinen blassen Dunst. Denken Sie nur, wir waren hübsch ein paar tausend Mann. Da haben die uns doch auf einer Wiese oder einem abgebrannten Acker – bei dem Durcheinander konnte man das ja nicht richtig feststellen –, die haben uns dort also alle zusammengepfercht, einen Strick rundherum gespannt und bitte sehr! Das war bei denen ein Kriegsgefanenenlager!«

»Und Sie noch dazu mit Ihrer Verwundung!« bemerkte die Frau in der Ecke gefühlvoll und glättete kopfschüttelnd ihre Zeitschrift.

Mein Gegenüber machte bloß eine wegwerfende Handbewegung.

Wie viele Menschen pflegte die SS in einem Viehwagen zusammenzupferchen? Allerdings perfekt organisiert; von einem Verschluß mit Stricken war da keine Rede, auch die Bewachung funktionierte verläßlich.

»Von wegen Verwundung«, sagte der Mann und lachte

kurz auf. »In einer solchen Lage hat man andere Sorgen. Habe mich bald mit ein paar Kameraden abgesprochen, und eines Nachts gingen wir los. Na und einmal draußen, da haben mir die Menschen überall geholfen. Es genügte, daß ich den Arm hob«, und er hob ihn auch jetzt und klopfte wieder leicht an seine Achselhöhle, »und alles ging wie am Schnürchen. Obwohl die armen Luder selbst schon kaum etwas hatten. Eine Frau gab mir einen Rock von ihrem gefallenen Mann, hat ihn ja auch nicht mehr gebraucht, zumindest damals noch nicht.« Und er schmunzelte und zwinkerte vielsagend der Blondine neben sich zu.

»Hätte ihn aber preiswert verklopfen können«, warf der Mann mit der Hornbrille ein, wollte auch wieder etwas zu dem interessanten Gespräch beitragen.

Mein Gegenüber streifte ihn bloß mit einem verächtlichen Blick. »Ich war doch von der SS«, bemerkte er nur.

Bin ich feige, müde, oder ist es richtig, wenn ich mir das alles nur schweigend anhöre? Hätte es überhaupt einen Sinn, vor diesem Alten im Lodenmantel unterwegs mit Franz Schubert etwa Auschwitz zu erwähnen? Las ich doch gerade heute Morgen beim Frühstück in der netten Züricher Pension in der Zeitung, daß SS-Obersturmbannführer Walter Rauff, der für die Ermordung von neuntausendsiebenhundert Juden in mobilen Gaskammern verantwortlich gemacht wird, »in seinem Haus im vornehmen Stadtteil Las Condes der chilenischen Hauptstadt Santiago friedlich entschlummert ist«. Neuntausendsiebenhundert sind nur ein Bruchteil von sechs Millionen, nur ein Bruchteil. Zweiundneunzigtausend Frauen sind allein im Konzentrationslager Ravensbrück umgekommen. Was waren sie für Menschen, der SS-Obersturmbannführer Walter Rauff und seinesgleichen, die solches fertigbrachten und dann friedlich in eigenen Häusern und vornehmen Stadtteilen weiterlebten? Was kann man tun, wenn man durch einen verrückten Zufall mit einem Mal jemandem von dieser Sorte begegnet? Mein Gegenüber war gewiß nur ein kleiner Fisch – aber dennoch.

»Am meisten hat mir eine Frau geholfen«, fuhr der kleine Fisch soeben in seinem Tatsachenbericht fort. »Das war schon hier, bei uns in Österreich. Wo wollen Sie denn hin, hat sie mich gefragt, als ich über unbestellte Felder und unwahrscheinlich zerstampfte Wiesen auf ein paar Felsen zusteuerte. Dort gehen Sie ja nicht hin, sagte sie, da oben ist Mauthausen, die dort sind ganz wild. War ja auch wahr. Und dann hat sie mich selbst auf Umwegen um dieses Mauthausen herumgeführt.«

Die Blondine hatte inzwischen fast alle ihre Bonbons verzehrt, rutschte auf ihrem Sitz unruhig hin und her, traute sich jedoch anscheinend nicht, das Gespräch noch einmal zu unterbrechen, zumal auch sie den Abenteuern meines Gegenübers jetzt mit wachsendem Interesse lauschte.

Mauthausen. Mauthausen mit der berüchtigten Höllentreppe im Steinbruch. Ich kannte ein paar Menschen, die sie überlebt haben. Sie sprechen nur selten darüber.

Um mein Gegenüber nicht anblicken zu müssen, wandte ich mich dem Fenster zu, sah aber nichts, weil es draußen mittlerweile ziemlich dunkel geworden war.

Wie wohl die Frau ausgesehen hat, die den flüchtenden SS-Mann vor der Wildheit der kaum befreiten, halb verhungerten Konzentrationslagerhäftlinge in Mauthausen bewahren wollte? Der Mann war damals jung, vielleicht war sie es auch. Was denkt sie heute, falls sie noch lebt? War sie verheiratet? Hatte sie Kinder, wiegt sie jetzt Enkelkinder auf ihrem Schoß? Und falls sie Töchter gebar, wie hat sie sie erzogen? Was mag die Mutter einer Ingeborg Schulte ihrem kleinen und später auch größeren Mädchen von ihren Jugenderlebnissen aus der Nazi- und Kriegszeit erzählt haben, daß sich die junge Frau veranlaßt sah, gemeinsam mit ihrem Lebensgefährten Hans-Günther Fröhlich ein Spiel mit dem Titel »Jude, ärgere dich nicht« auszuhecken. Sie zeichneten ein Spielfeld in Form eines Davidsterns, dessen Ecken die Vernichtungslager Treblinka, Buchenwald, Auschwitz, Mauthausen, Maidanek und Dachau darstellten. Von dort aus sollten die Figuren in die Gaskammern des Zielpunktes gewürfelt werden. Gewinner war, »wer zuerst seine sechs Millionen Juden- Figuren in der Gaskammer hat«; so war es in den Spielregeln der beiden jungen Leute zu lesen. Ingeborg Schulte mußte für ein paar Monate ins Gefängnis, weil sie dieses Spielchen eigenhändig gemalt hat und vervielfältigt zum Versand brachte. Ihr Freund, der die ganze Sache offenbar »nur« ausgedacht hat, kam ungeschoren davon.

Kann man so etwas im Franz Schubert zwischen Zürich und Wien überhaupt erwähnen? Ich konnte es nicht.

»Wissens, für einen Kriegsbeschädigten sehen Sie aber gottlob prima aus«, ließ sich die Blondine vernehmen, die eine Pause in dem Redefluß ausnützte, um die Unterhaltung in zivilere Bahnen zu lenken und auf einen erfreulicheren Gesprächsstoff überzugehen. »Ich hätte nie gedacht, daß Sie nicht ganz obenauf sind.«

»Ach was«, antwortete der Mann, der sich durch diese Worte anscheinend geschmeichelt fühlte, »man muß halt ein bißchen auf sich aufpassen, das ist alles. Nächsten Monat fahre ich wieder zur Kur in ein Erholungsheim für Kriegsopfer, bin dort jedes Jahr.«

Ist doch in Ordnung, beschwichtigte ich mich im Geist. Wer in den Ardennen einen Lungenschuß abbekommen hat, ist eben ein Kriegsopfer.

Und wer Mauthausen oder sonst ein KZ überlebt hat, ohne daß man es ihm heute ansieht, welches Erholungsheim ist für ihn jedes Jahr zuständig?

»Haben Sie auch einen Garten?« Unbeirrt unternahm die Blondine einen weiteren Versuch, dem Gespräch eine angenehmere Richtung zu geben. »Frische Luft ist die beste Medizin für alles.«

»Einen Garten haben wir. Es gibt ja nichts Schöneres als die zarten Blüten eines Apfelbaums im Frühling. Jetzt werden bald auch schon die Linden blühen, in ein paar Wochen sind wir soweit. Da sagt dann immer meine Frau zu mir: Nimm von dem Duft die Nase ordentlich voll, und du wirst wieder jung. Ha, ha!«

Das Gespräch plätscherte harmlos weiter. Die Blondine wiederholte ihre Frage, was sie als erstes in ihrem neuen Garten anbauen sollte. Bereitwillig und mit soliden Kenntnissen erteilten ihr die beiden Männer Ratschläge. Dann sprang die Unterhaltung auf Erfahrungen mit Autos verschiedener Marken über, und mich beschlich das sonderbare Gefühl, das ungeheuerliche Geschwätz vorher habe vielleicht überhaupt nicht stattgefunden, war nur ein Alptraum.

Ich kroch ein wenig aus meiner Fensterecke hervor und blickte meinem Gegenüber abermals voll ins Gesicht. Den Bruchteil einer Sekunde flatterte sein Blick ein wenig, festigte sich jedoch gleich wieder, wurde eiskalt und hart. Da wußte ich, daß alles Wirklichkeit war, daß ich richtig gehört habe, von der Tätowierung in der Achselhöhle bis zum Umweg um Mauthausen herum.

»Ich habe kolossale Lust auf einen Kaffee«, verkündete die Blondine in diesem Augenblick. »Kommt jemand mit in den Speisewagen?«

»Wenn es nicht unbedingt Kaffee sein muß, bin ich gleich mit von der Partie«, erklärte der Mann mir gegenüber. Auch das Ehepaar an der Tür wollte gern mitkommen.

Alle erhoben sich. In der Tür des Abteils blieb der SS-Mann stehen, wandte sich um und sagte überaus höflich: »Dürfen wir Sie bitten, gnädige Frau, inzwischen ein wenig auf unsere Sachen aufzupassen?«

Ich nickte wortlos.

Als die Tür hinter ihnen zufiel, atmete ich auf. Jetzt konnte ich wieder für eine Weile die zwanglose Freiheit des Niemandslandes zwischen dem Ausgangspunkt und dem Endziel der Fahrt auskosten, wie ich das bei längeren Reisen so gern habe. Unterwegs tritt, gewollt oder ungewollt, ein Zustand süßen Nichtstuns ein. Eine Ruhepause. Man ist weder da noch dort, kann bestenfalls ein Buch lesen oder seinen Gedanken freien Lauf lassen.

Meine Gedanken wanderten diesmal, gewollt oder ungewollt, von neuem nach Las Condes, in das vornehme Stadtviertel von Santiago de Chile, die Stadt, in der Pablo Neruda gelebt und gedichtet hat und wo dann Walter Rauff, der einstige SS-Obersturmbannführer, ein Haus besaß. Ich versuchte es mir vorzustellen, wußte ich doch, wie solche Häuser in Lateinamerika aussehen. Da gibt es zunächst einen schattigen Patio mit blühenden Oleanderbäumen in breiten Holzbottichen. Von dort gelangt man in die behagliche Wohnstube und das kühle

Eßzimmer mit einem schweren, großen Tisch in der Mitte. Bei den Rauffs mag es ringsum geschnitzte Stühle geben, wie sie bei ihnen früher auch in Deutschland standen: für den Herrn und die Frau des Hauses, die Kinder, vielleicht auch die Großeltern und . . .

In den Ländern des von Indios bewohnten Kontinentes ist es üblich, bei Familienfesten auch einen Stuhl für einen lieben Toten mit an den Tisch zu stellen.

Ich schloß die Augen und sah, wie in das schöne Speisezimmer bei Walter Rauff ganz ungebeten gleich mehrere Stühle an den Eßtisch heranrückten, die leeren Stühle seiner Opfer. Manche hinterließen häßliche schwärzliche Spuren auf den bunten Steinfliesen. Die kamen von den Verbrennungsöfen. Ich vermeinte, das erschrockene Gesicht von Frau Rauff vor mir zu sehen, als, einander schubsend, eine Menge Kinderstühlchen hereindrängten, stets zwei auf einmal. Auf ihnen mußten wohl die Zwillinge sitzen, die Walters Kollege Doktor Mengele so dringend für seine Versuche benötigte und zu diesem Zweck in ganz Europa zusammentreiben ließ. Und da quoll schon der ganze Raum von großen und kleinen, hohen und niedrigen Stühlen über. Und immer weitere schoben sich heran. Jetzt drangen sie gar schon in das Bibliothekszimmer mit den in Leder gebundenen Gesamtausgaben der Klassiker ein. Soeben hat das eine Gruppe von zweiunddreißig Lehnsesseln geschafft, wie man sie bei Schreibtischen in Studierzimmern von Gelehrten findet. Hier waren es die Stühle polnischer Ärzte, Juristen und Ingenieure, die seit dem 5. Juli 1941 leer geblieben waren. Wußtest du davon, Walter, fragt Frau Rauff mit zitternder Stimme ihren Mann. Die Antwort bleibt aus.

Und der Strom bricht nicht ab. Das ganze Haus ist

schon voll, sie stehen Wand zu Wand, die leeren Stühle, auch das Treppenhaus ist bereits dicht besetzt. Im Patio drängen sich die abgewetzten Bänkchen jüdischer Kinder, die sehr wohl wissen, daß sie nicht ins Haus dürfen. Der Gehsteig der vornehmen Straße läuft allmählich gleichfalls von den leeren Stühlen über, sie gleiten in die Fahrbahn, behindern den Verkehr und nehmen kein Ende, kein Ende. Wie in dem Märchen, in dem das Töpfchen mit dem süßen Brei überfließt. Nur daß hier … Wieviele Stühle müßten es da wohl sein?

Im Lautsprecher über der Tür des Abteils begann es zu rauschen, und eine angenehme Frauenstimme meldete die nächste Station. Mein quälender Traum brach ab.

Draußen war es inzwischen ganz dunkel geworden. Als sich der Zug von neuem in Bewegung setzte, flitzten erhellte Fenster vorüber, bunt beleuchtete Reklametafeln an hohen Gebäuden, das Lichtergewirr einer lebhaften Straßenkreuzung. Dann wieder nichts als samtene Finsternis.

Als ich kurz vor Kriegsbeginn täglich in einen Vorort von Paris zu fahren pflegte, wo ich damals wohnte, hatte ich oft den Wunsch, mit meinem flüchtigen Blick aus dem Zugfenster etwas vom Leben der Menschen zu erhaschen, in deren Küchen und auch Schlafzimmer ich auf diese Weise ungebeten für eine Sekunde eintrat. Wie lebten die Männer und Frauen dort, was dachten sie, hatten sie Sorgen, waren sie froh oder traurig, ahnten sie, daß gerade jemand zu ihnen hereinblickte, der, obwohl aus seinem Land verjagt, im ganzen doch ebenso war wie sie?

Als ich mich nun Wien näherte, bedrängte mich mit einem Mal der Gedanke, daß in der Welt so viele Menschen leben, die – von Grund auf verschieden – einander vielleicht nie verstehen werden. Das hat es freilich immer gegeben, sagte ich mir, warum beunruhigt es mich gerade jetzt so sehr? Weil die Welt an der Scheide des zwanzigsten und einundzwanzigsten Jahrhunderts scheinbar kleiner geworden ist? Aber das könnte doch nur zur Folge haben, daß man einander näherkommt, näher von Mensch zu Mensch. Oder weil uns nicht gelungen ist, was wir in unserer Jugend erhofft hatten. Wie haben wir, als wir jung waren, gesungen? »Wir wollen mit Tyrannen raufen …« und haben es damit todernst gemeint, ohne zu erkennen, wo überall ein Tyrann an den Hebeln saß. Dann überrumpelte uns der Krieg, wirbelte alles durcheinander, und wer all das überlebt hat, wird schon wieder mit neuen Kriegen und neuem Chaos konfrontiert …

Die Tür des Abteils ging auf. Meine Reisegefährten kamen in fröhlicher Stimmung aus dem Speisewagen zurück. Die Blondine dankte mir, daß ich das Gepäck bewacht hatte. Das Ehepaar in der Ecke begann seine Sachen zusammenzulegen, mein Gegenüber summte gut gelaunt etwas vor sich hin, hob den Arm – in dessen Achselhöhle er, wie wir schon wußten, tätowiert war – und holte aus dem Gepäcknetz eine Zigarre hervor. Er steckte sie jedoch nicht an, sondern knabberte nur an ihr.

Langsam fuhr der Zug in eine erleuchtete Bahnhofshalle ein. Im Lautsprecher erklangen liebliche Weisen. Franz Schubert hatte seine Endstation erreicht.

Ich holte mein Köfferchen herunter. Der einstige SS-Mann machte eine Bewegung, als wollte er mir helfen, tat es aber nicht. Ich ging auf die Tür des Abteils zu, wandte mich, ehe ich sie durchschritt, jedoch noch einmal um und sagte in Richtung Fensterecke: »Sie sind bei Kriegsende wohl kaum meiner Mutter und meinen Schwestern begegnet. Denen hat ja auch niemand einen Ausweg gezeigt, als sie in Auschwitz in die Gaskammer gejagt wurden.«

Dann trat ich schnell aus der Tür, kletterte aus dem Wagen und holte auf dem Bahnsteig tief Atem, obwohl die Luft hier keineswegs würzig war. Erst danach schritt ich kräftig aus.

Zweite Landung in Mexiko

In Prag erzählt man von jeher gern Witze, die bei weitem nicht immer politisch sein müssen. Oft enthalten sie einen guten Rat, beleuchten ein verwickeltes Problem von seiner lösbaren Seite, befreien zum Lachen, wenn einem zum Weinen zumute ist, enthalten fast stets ein wunderbares Körnchen Weisheit. In den verschiedensten Lebenslagen wird bei uns – mitunter nur andeutungsweise – immer wieder der folgende jüdische Witz erzählt:

Einst lag ein weiser Rabbi im Sterben. Die angesehensten Männer der Gemeinde waren an seinem Lager versammelt und beschworen ihn, er möge nicht von ihnen gehen, ohne einen Rat zu hinterlassen, der sie im Leben weiterhin geleiten könnte.

Der Rabbi schwieg.

Sie flehten ihn an, ihnen solch einen Rat nicht zu versagen, vielmehr den Weg vorzuzeigen, auf dem sie sich in Hinkunft zurechtfinden könnten.

Der Rabbi schwieg.

Schließlich unterbrachen sie ihr inständiges Bitten und auch ihr pausenloses Gebet, und der Älteste unter ihnen erhob seine Stimme und erklärte beinahe bedrohlich: »Rabbi, du darfst deine ganze Weisheit nicht mit ins Grab nehmen. Wir wollen ja nicht alles wissen, wie es dir gegeben war, hinterlaß uns nur das Wichtigste.«

Da schlug der sterbende Rabbi endlich noch einmal

die Augen auf und flüsterte: »Alles ist anders.« Und verschied.

Ich weiß nicht mehr, wann ich diesen Witz zum ersten Mal gehört habe, vielleicht als Kind aus dem Mund meiner Großmutter, die ansonsten durchaus nicht zu scherzen pflegte. Vielleicht als ich von ihr wissen wollte, warum sie immer in schwarzer Kleidung umhergehe, was andere alte Damen nicht so strikt taten, oder warum sie meiner Mutter den Namen Franziska gegeben hat, der mir recht altmodisch vorkam, warum … Es spricht für meine Großmama, daß sie auf meine lästigen, endlos vorgebrachten Fragen mit einem Witz antwortete, der beinahe eine kleine rätselhafte Geschichte war und mir zu denken gab: Alles ist anders?

Es kann jedoch auch sein, daß ich diese Anekdote von jemand anderem mitbekommen habe. Später, wenn sich in meinem Leben Begebenheiten im Gegensatz zu meinen Vorstellungen oder Wünschen entwickelten, war der kluge Stoßseufzer: »Alles ist anders!« oft geradezu tröstlich, bewahrte mich vor sinnlosem Trotz. Es konnte jedoch passieren, daß dieses »anders« unvorhergesehen, unerwartet, ja ungeahnt und überraschend wunderbar sein konnte. Zum Beispiel, als ich nach fast einem halben Jahrhundert mein großherziges Asylland Mexiko, ungeahnt und unerwartet, wiedersehen durfte.

Weil ich aus derselben Stadt komme, in derselben Straße wohnte, im Exil während der deutschen Besetzung meiner Heimat und dem zweiten Weltkrieg in denselben Ländern Zuflucht fand, zum engen Kreis seiner Freunde gehörte und ihn überlebte, also von ihm erzählen kann, werde ich oft in Zusammenhang mit dem klassischen Reporter und Prager Schriftsteller Egon Erwin Kisch gebracht. Eines seiner Bücher, das weltweit Aufsehen erregt hat, heißt »Landung in Australien«. Er wollte dort an einem Weltkongreß gegen den in Europa um sich greifenden Faschismus teilnehmen, und als man ihm die Landung verweigerte, erzwang er sie, indem er vom Deck des Schiffes, mit dem er angekommen war (man stelle sich die Höhe eines etwa mehrstöckigen Hauses vor), kopfüber in den Hafen hinuntersprang. Er bezahlte diesen Sprung nur mit einem Beinbruch und kurzer Haft. Wie er mir viel später erzählte, hatte er damit gerechnet, sich dabei das Genick zu brechen, habe jedoch in seiner Erregung dieses Risiko auf sich genommen.

Als ich 1941 zum ersten Mal und 1993 zum zweiten Mal in Mexiko landete, mußte ich weder vom Schiff, noch aus dem Flugzeug springen. Beide Male durfte ich nicht nur ganz unbehindert an Land gehen, ich wurde sogar erwartet, man hieß mich willkommen – alles war ganz anders.

Bei der Postausgabe im französischen Frauenlager Rieucros, wo ich in den ersten Kriegsjahren interniert war, zählte ich immer zu den Ungeduldigen. Merkwürdigerweise hatten wir dort den Status von Kriegsgefangenen, und so konnte ich ab und zu eine Postkarte aus dem von Deutschland besetzten Prag mit den regelmäßigen Schriftzügen meiner Mutter und mit den krakelig hingekritzelten verschlüsselten Botschaften und Grüßen meiner jüngeren Schwester in Empfang nehmen. Eines Tages wurde mir jedoch zu meiner Überraschung ein blau-rot gerändertes Luftpostkuvert mit dem Stempel der USA ausgehändigt. Meine Mitgefangenen behaupteten, ich sei dabei erst errötet und dann auch noch blaß geworden. Das mag sein, ich weiß jedoch, daß meine Verblüffung, Erregung und Erwartung mit einem plötzlichen, unbeirrbaren Gefühl gepaart war: Mit diesem Brief wird alles ganz anders. Und in der Tat. Mein einstiger Chefredakteur, der Prager Schriftsteller Franz Carl Weiskopf teilte mir kurz und sachlich mit, man sei dabei, mir ein Visum für Mexiko sowie die notwendige Schiffskarte zu besorgen. »Man« war die League of American Writers, ich war eine völlig unbekannte Journalistin im ersten Anfangsstadium, ein Mädchen aus Prag, das Weiskopf und Kisch unter ihre Fittiche genommen hatten und mit Hilfe amerikanischer Kollegen und weiterer Freunde, so lange es noch möglich war, aus dem kriegsverseuchten Europa retten wollten.

In der folgenden Nacht lag ich wie in jeder anderen in der überfüllten, zugigen und dennoch stickigen Baracke auf meiner schmalen Pritsche und konnte nicht einschlafen. Rings um mich wurde gestöhnt, geschnarcht, geweint, »Ruhe!« gezischt, Mäuse raschelten, Holzpantinen knarrten, wenn sich eine der Frauen auf den felsigen Weg in die Latrine aufmachte, draußen pfiff der Wind, bellte ein Hund, ließ sich die versoffene Stimme des Lagerobersten, Polizeikommissar Vessambert vernehmen. An all das war ich längst gewöhnt. Aber nun steckte unter meinem Kopf in den Falten meiner grobfasrigen Gefangenenkluft der Luftpostbrief mit der Nachricht: Wir holen dich nach Mexiko. Der ließ mich nicht schlafen.

Wird es gelingen? Werde ich rechtzeitig wegkommen? Und wünsche ich mir das überhaupt? Bis ans andere Ende der Welt, während meine Mutter und Schwestern ... Mexiko. Schon dieses Wort klingt wie ein Abenteuer. Wie würde ich in solcher Ferne allein ...

Als es dann eines Tages wirklich so weit war, als man mich aus Rieucros entließ, nach Marseille transportierte, dort im Hotel Bompard, einem zu einem Polizeigefängnis umorganisierten einstigen Bordell internierte, von wo aus ich meine Abreise betreiben konnte, war von Schlaf wiederum keine Rede, obwohl der Stroh-sack hier schon auf einem eisernen Bettgestell lag und nicht auf einem Bretterboden. Das Visum war bereits da und wurde mir vom Generalkonsul der Vereinigten Staaten von Mexiko, Señor Gilberto Bosques, persön-lich in den Paß gestempelt. Aber die Schiffskarte ließ auf sich warten. Werde ich ins Lager zurück müssen? Werde ich fortkommen, ehe die Deportationen nach Hitlerdeutschland auch in Marseille voll einsetzen? Kann eine so unverhoffte, so unwahrscheinliche Chance überhaupt wahr werden?

Das war allerdings nur ein Teil meiner beharrlichen Sorgen. Aber auch ein anderen Teil meiner Befürch-tungen ließ sich nicht ganz abwehren. Wie lebt man in Mexiko, der Heimat von Indianern, dem Land mit Vul-kanen und Pyramiden? Wie werde ich dort zurecht-kommen und wovon werde ich leben?

»Señorita«, sagte mir Generalkonsul Bosques, als ich meinen Paß mit dem Visum zwar freudig, aber offen-sichtlich nervös entgegennahm, und ein beruhigendes Lächeln erhellte die männlich kräftigen Züge in seinem Gesicht, »Señorita, nun wird alles gut, Mexiko freut sich auf Sie.«

Diese Worte brachten mich beinahe noch mehr aus der Fassung. Nach fast zwei Jahren Gefängnis und La-ger, ständiger Unsicherheit und Bedrohung, mit einem Mal – Mexiko freut sich auf Sie!

Es ergaben sich jedoch weitere Hindernisse. Als die Schiffskarte endlich da war, konnte ich das mit Flücht-lingen aus den vom Krieg heimgesuchten Ländern Eu-ropas überfüllte französische Schiff mit dem amerika-

nischen Namen Wyoming besteigen, das uns zur Insel
Martinique bringen sollte, von wo aus die Fahrt zum
amerikanischen Kontinent weitergehen sollte. Aber wir
kamen nur bis Casablanca. Der Krieg hatte uns einge-
holt, hielt uns hier fest. Mein erstes Abenteuer auf diesem neuen Abschnitt meines Lebens wurde auf diese
Weise die Bekanntschaft mit der Sahara. Geradenwegs
vom Schiff wurden wir in das Wüstenlager Oued-Zem
verfrachtet. Bislang war es ein Standort der Fremden-
legion gewesen, jetzt wurden hier verschreckte Flüchtlinge und allerorts verfolgte Antifaschisten interniert,
und die Fremdenlegionäre avancierten zum Wachper-
sonal. Die Hitze war niederdrückend, Wasser gab es
kaum, jeden Tag starb jemand. Von hier mußt du weg,
sagte ich mir, laß dir etwas einfallen. Am Tag des Über-
falls Hitlers auf die Sowjetunion marschierte ich aus
dem Brutkasten der Wellblechbaracke in das steinerne
und somit etwas kühlere und mit Ventilatoren bestückte
Gebäude des Kommissariats. Ich ließ mich beim Lager-
kommandanten melden, und es gelang mir in der Tat,
diesen französischen Offizier dazu zu bewegen, mir als
Tschechoslowakin – also einer verbündeten Nation an-
gehörend – einen Urlaubsschein für 48 Stunden zu erteilen. Mehr brauchte ich nicht, Oued-Zem sah mich
nie wieder.

Es folgte ein fast halbjähriger Aufenthalt in Casablanca. Ich hatte keine Ausweispapiere für Marokko,
besaß neben einem warmen Kostüm und Pullover nur
ein Kleid für die afrikanische Hitze, hatte keine Arbeits-
erlaubnis und kein Geld, war ganz allein – eine ver-
zweifelte Lage? Es war alles ganz anders.

Ich kannte niemanden, und schon gar nicht aus Prag,
dem es geglückt war, Afrika kennenzulernen. Man rei-

ste in jener Zeit nicht so wie heute, und jetzt war auch noch Krieg. Ich war jung und lebenshungrig! Und so lief ich in Casablanca umher, im arabischen Viertel Medinah und im jüdischen Mellah, schaute Schlangenbeschwörern zu, hörte zweimal am Tag die seltsamen Rufe der Muezzins, lebte nicht von Brot und Wasser, sondern vorwiegend von Tee und billigem mehligem arabischem Brot; an zwei Tagen in der Woche gestattete ich mir den Luxus eines klebrigen Kuchens, der mir geradezu köstlich schmeckte. Die Polizei ließ mich so ziemlich in Ruhe, ab und zu tippte ich für einen tschechischen, hier längst angesiedelten Unternehmer etwas ab und bekam dafür ein paar Franken. Dann begab ich mich auf einen kurzen Ausflug nach Rabat, der Residenzstadt des Sultans, ließ mich von der einzigartigen Lage auf einer schmalen, ins Meer auslaufenden Landzunge und der fremdartigen Blumenpracht in den gepflegten Gärten bezaubern und vergaß beinahe, daß ich doch eigentlich ein gestrandeter Flüchtling war. Mein mexikanisches Visum war abgelaufen, ich brauchte auch eine neue Schiffskarte. Da geschah ein Wunder: Als sich mir endlich die Möglichkeit einer Weiterfahrt eröffnete, kam alles rechtzeitig an, das erneute Visum, eine neue Schiffskarte, und ich war gerade mit einer ziemlich unangenehmen Gelbsucht fertiggeworden. Was hatte mir Gilberto Bosques in Marseille versprochen? »Nun wird alles gut, Señorita!« Diesmal kam es zum Glück nicht anders.

Während der gut vier Wochen auf dem portugiesischen Flüchtlingsschiff Serpa Pinto (Rosa Schlange) zwischen Casablanca und Veracruz versuchte ich Spanisch zu lernen. Das war nicht ganz einfach. Die Sprache gefiel mir und schien auch nicht sonderlich schwierig zu sein. Aber ich lebte und schlief wie auch viele meiner Mitreisenden auf dem Deck unter freiem Himmel, weil ich in den überfüllten Tiefen der einstigen, jetzt zu Schlafstellen zurechtgezimmerten Lagerräume des Schiffes keine Luft bekam. Zum Lernen gab es auf dieser Fahrt nicht eine ruhige Minute.

Drei Menschen starben unterwegs, zuerst ein Kind, und wurden vom Deck der Rosa Schlange ins Meer versenkt. Wenige Tage vor unserer Ankunft in Mexiko überfiel Japan die amerikanische Flotte im Hafen von Pearl Harbour, der Krieg griff auf den amerikanischen Kontinent über. Die Europaflüchtlinge auf dem Schiff gerieten in Panik.

Ich lehnte an der Reling, auf meinem Gesicht prickelte die salzige Meeresluft, und ich wehrte mich mit aller Kraft gegen die allgemein um sich greifende Aufregung. Die Freiheit, die mir so lange entglitten war, lag jetzt schon in Reichweite. Bald sollte dieser Traum zur Wirklichkeit werden. Das wollte ich mir nicht nehmen lassen. Nun kam mir zugute, was ich im Gefängnis gelernt hatte. Ich holte tief Atem und flüchtete in meine innere Welt.

Als ich noch ein ganz kleines Mädchen war, besaß ich ein Kinderbuch, dessen Titel und Autor mir inzwischen entfallen sind, das ich jedoch besonders liebte und bis heute nicht vergessen habe. Es erzählte von Tieren in einem Dschungel, die sich untereinander in menschlicher Sprache verständigten. Wenn sich z.B. Urwaldjäger näherten, dann rief der Tiger dem Äffchen und der Löwe dem Kakadu und der wiederum anderen Freunden zu: »Menschen, Menschen sind im Walde!« Und dieser Warnruf wurde von Bananenstaude zu Kokospalme ins tiefste tropische Dickicht weitergegeben:

»Menschen, Menschen sind im Walde!« Ich habe ihn als Kind aufgenommen und vermeine ihn auch heute noch mitunter zu hören.

An anderer Stelle wurde in meinem Lieblingsbuch eine Liane geschildert, übersät von rosa und pfirsichfarbenen Blüten. Auf einem ihrer hauchdünnen Blätter saß ein winziges, bunt schillerndes Vögelchen. Aus dem Buch erfuhr ich, daß dieses kleinste Vöglein Kolibri heißt.

Diese Beschreibung habe ich wohl ungezählte Male gelesen. Ist so etwas überhaupt möglich, grübelte ich, kann es ein so unvorstellbar kleines Wesen irgendwo in Wirklichkeit geben?

Anfang Dezember 1941 landete ich an Bord der Serpa Pinto zum ersten Mal in Mexiko. Sah zum ersten Mal den tiefblauen und dabei leuchtenden Himmel über mir, die von Schnee bedeckten, am Abend rötlich erglühenden Gipfel der gigantischen Vulkane Popocatepetl und Ixtaccihuatl, von denen der erste eine männliche Gestalt und der zweite eine dahingestreckte Jungfrau verkörpern soll. Zum ersten Mal biß ich in eine heiße Tortilla, nahm meinen ersten Schluck Tequila, hörte zum ersten Mal die Melodien einer durch die Straßen streifenden Mariachi-Kapelle, wurde allerorts gastlich aufgenommen, stieß überall auf hilfsbereite Hände, fand meine Freunde wieder, auch meinen lieben Prager und Versailler Nachbarn Egon Erwin Kisch. Verklärt meine Erinnerung diese ersten Stunden und Tage im Land der Azteken? Wohl kaum.

Ich habe einen stummen Zeugen dafür. Vor dem Eintreffen der Flüchtlingsgruppe von der Serpa Pinto haben unsere Freunde in der mexikanischen Hauptstadt eine »Kleiderkammer« eingerichtet. Schon längere Zeit im Land angesiedelte und inzwischen gut installierte

Emigranten halfen bei der Sammlung eines Vorrats an verschiedenen, nicht neuen, aber gut erhaltenen Kleidungsstücken, die uns nun zur Verfügung standen.

Mir war diese ganze Aktion nicht geheuer. Im Frauenlager Rieucros war auch eines Tages aus der Schweiz oder den USA eine Sendung mit gesammelten Kleidungsstücken eingetroffen. Als die Kartons geöffnet wurden, kamen Stöckelschuhe und Abendkleider zum Vorschein, nur ganz wenige brauchbare Sachen, die meisten waren in unserer Lage völlig unnütz. Aber etwas hatten wir doch davon: Einige Frauen setzten zu ihrer Gefangenenkluft einen eleganten Hut auf, andere rissen sich um seidene Nachtwäsche – ein paar Stunden lang glich Rieucros einer Karnevalsstadt. Dann griff die Kommandantur ein.

Daran mußte ich denken, als ich die mexikanische »Kleiderkammer« betrat. Die war allerdings von erfahrenen Emigranten vernünftig zusammengestellt. Zu meinem einzigen Kleid kamen nun zwei weitere hübsche hinzu, auch ein brauchbares Nachthemd … auf einmal fiel mein Blick auf einen langen Rock aus schwarzem Taft. Zum Spaß probierte ich ihn an.

»Der steht Ihnen aber großartig, wie für Sie geschneidert«, bewunderte mich eine der Frauen, die bei der Verteilung halfen.

»So etwas brauche ich aber nicht«, sagte ich und schlüpfte mit leichtem Bedauern aus dem schönen Ding wieder heraus.

»Unsinn«, meinte die gute Frau, »nehmen Sie den Rock, er paßt Ihnen wirklich wunderbar. Es wird sich schon eine Gelegenheit finden, ihn auszuführen.«

Ich ließ mich nur allzu gern überreden, ohne ahnen zu können, daß ich nur wenige Wochen später in der tschechoslowakischen Exilbotschaft arbeiten und bei verschiedenen Anlässen in der Tat ein solches Glanzstück benötigen würde.

Der schwarze Rock, von dem ich nie erfahren habe, wer ihn vor mir getragen hat, war das Prachtstück meiner Garderobe in Mexiko. Nach Kriegsende hat er mich nach Jugoslawien begleitet, war dabei, als ich in der diplomatischen Vertretung der Tschechoslowakei in Belgrad plötzlich dem legendären Parisanenführer Tito gegenüberstand und verblüfft den walnußgroßen Diamant anstarrte, der an einem Bändchen um seinen kräftigen Hals baumelte. Der gute Rock kehrte schließlich mit mir nach Prag heim, zeigte Ausdauer und blieb mir treu. Als meine Tochter heranwuchs, fand sie das immer noch leidlich erhaltene Stück sehr kleidsam, führte es gern bei Studentenbällen aus. Der brave Rock ließ all dies über sich ergehen. Wenn ihn meine Anna jetzt aus ihrem Schrank in London hervorholt und gegen das Licht hält, weist er zwar schon eine Reihe winziger Schadstellen auf, aber meine heranwachsende Enkelin findet ihn lustig und bekleidet sich manchmal gern mit ihm. Eigentlich sollten wir dem »Mexikaner«, wie er bei uns heißt, schon seine verdiente Ruhe gönnen, und wäre er nicht inzwischen mit einer geradezu familiären Legende behaftet, hätten wir das wohl bereits getan. So aber fällt uns die Trennung von solch einem treuen Weggefährten schwer.

Aber zurück zu meiner ersten Landung in Mexiko. Konsul Bosques hatte mir in Marseille versprochen, alles wird gut. Meine Ankunft, meine ersten Eindrücke und Erfahrungen in seinem von meiner Heimat so fernen Land bestätigten seine tröstlichen Worte. Es war wirklich so und nicht anders.

Seither sind viele Jahre vergangen. Der große Krieg ist längst vorbei. Hatten wir freilich gehofft, nach einer solchen Katastrophe werde die Menschheit diese Plage nun endgültig los, so kam es leider wieder einmal ganz anders. Hätte ich mir z.B. je vorstellen können, daß ich, die einzige Überlebende meiner Familie, die einzige in unser Prag Zurückgekehrte, hier, in meinem Land und nach dem Sieg des vermeintlichen Sozialismus, dem ich mich seit meiner frühen Jugend mit Haut und Haar verschrieben habe, daß ich durch die auf absolute Macht gestützte Willkür und den Stumpfsinn einer auf den Kopf gestellten Ideologie zum Feind eben dieses Sozialismus erklärt, abermals im Gefängnis landen würde? Ein Schicksal, dem Tausende wehrlos ausgesetzt waren.

Auch diese schlimme Zeit fand ihr Ende. Und eines Tages war es wiederum ein Brief, der mir ein zweites Mal den Weg nach Mexiko erschloß. Und von neuem, ungeachtet all der Jahre, die inzwischen vergangen waren, und all der Erfahrungen, die ich inzwischen an guten und bösen Tagen gesammelt hatte (Menschen, Menschen sind im Walde!), befiel mich die Sorge: Wie werde ich dort ...

diesmal war ich zu einer internationalen Konferenz über die kulturelle Tätigkeit deutschsprachiger europäischer Emigranten in Mexiko während des zweiten Weltkriegs eingeladen. Schon der zeilenlange Titel dieser Zusammenkunft jagte mir einen leichten Schrecken ein. Einberufen wurde sie von der Nationalen Autonomen Universität von Mexiko und dem dortigen Goethe-Institut. Auf dem Programm standen Namen von Professoren, Historikern, Literaturwissenschaftlern aus verschiedenen Ländern Europas und des amerikanischen

Kontinents. Ich gehöre zu keiner dieser Kategorien. Aber als ich zu Hause an meinem Schreibtisch saß, vor mir den Brief mit der unverhofften, wunderbaren Einladung, da fiel mir plötzlich ein: Mein Spezialfach kann man an keiner Hochschule studieren. Man kann es nur sein. Ich bin ein Zeitzeuge, wie man jetzt zu sagen pflegt, ein lebender Zeuge jener widerspruchsvollen Epoche. Von diesem Augenblick an zerstoben meine kleinlauten Ängste und Befürchtungen allmählich, standen meiner ständig wachsenden Vorfreude nicht mehr im Weg. Laß deine Sorgen getrost zu Hause, ermahnte ich mich, wollte sich meiner ab und an von neuem nervöse Unruhe bemächtigen, es kommt ja ohnehin alles ganz anders.

Bei dieser zweiten Mexiko-Reise bestieg ich kein Schiff, diesmal flog ich. Zuerst von Prag nach Frankfurt a. M. Meine Freunde und Emigrationsgefährten, das Ehepaar Walter und Lotte Janka aus Berlin, wurden gleichfalls zu der Konferenz erwartet. In der voll besetzten Abflughalle in Frankfurt hielt ich gespannt nach ihnen Ausschau. Es muß die älteren Herrschaften, die da mit Foto- und Filmkameras behangen, zum Teil schon nahezu tropisch bekleidet und sonnenbebrillt die Aufforderung zum Besteigen des Flugzeugs erwarteten, ein wenig merkwürdig berührt haben, daß sie von einer eher untouristisch ausgerüsteten, gleich ihnen älteren Dame eingehend gemustert wurden, daß sie wiederholt um sie herumstrich und ihnen dabei recht unverblümt ins Gesicht starrte. So etwas gehört sich doch nicht, noch dazu in diesem Alter! Ich ließ mich jedoch durch ihre mißbilligenden Blicke nicht anfechten. Ich suchte die Jankas, die ich etliche Jahre nicht gesehen hatte, suchte sie beharrlich, aber vergebens.

Als ich mich schließlich auf meinem Sitz in dem gespenstisch großen Flugzeug einrichtete, kam ich mir so ganz allein ein bißchen verloren vor. In dieser fliegenden Massenversammlung schwatzender, schmatzender, mitunter auch schnarchender Touristen und einer Anzahl bemerkenswert kinderreicher Familien, die offenbar von einem Europabesuch in ihre Heimat zurückkehrten, war ich ein farbloser Einzelgänger. Kontakt hatte ich nur mit dem kleinen Bildschirm vor meinen Augen, der mich laufend über den Ort, den wir gerade überflogen, die Flughöhe, die Innen- und Außentemperatur informierte. 70 Grad Celsius unter Null, hieß es da zum Beispiel. Donnerwetter, hier möchte ich nicht aussteigen!

Wie weit war ich nun schon von Europa entfernt? Was alles hatte ich hinter mir gelassen! Und wieviel davon schleppte ich als unkontrollierbares und zäh an mir haftendes Kopfgepäck mit! Ich selbst muß doch anders geworden sein in all den Jahren.

Unter uns zog Kanada, zogen die USA vorbei, Meere und Kontinente. War ich in diesem durch die Lüfte segelnden Ungeheuer der einzige »Zeitzeuge« jüngster mexikanischer Vergangenheit? Hatte sich vielleicht ohne mein Wissen etwas Ungreifbares und Nichtzufassendes mit mir zu dieser Reise aufgemacht? Wird es auf mich in meinem einstigen Asylland mit all seinen Lichtblicken und Schattenseiten einstürmen? In Mexiko habe ich geheiratet, in Mexiko habe ich erfahren, daß ich keine Familie mehr habe. Aus dem Freundeskreis, in dem ich dort geborgen war, lebt kaum noch jemand. In Mexiko habe ich mein Kind empfangen. Dort habe ich eine meiner ersten Erzählungen geschrieben, die dann quasi von allein durch die Welt gegangen ist und immer noch weiterlebt, die Geschichte von der Vernichtung und

Ausrottung des böhmischen Bergarbeiterdorfes Lidice. Wartet das alles jetzt dort auf mich?

Ich blickte durch die winzige Fensterluke des Flugzeugs in die abendlich glühende Unendlichkeit. War es nicht müßig, im voraus wissen zu wollen, was sein wird? Wie lautet doch das Körnchen Weisheit in dem klugen Witz aus Prag? Alles ist anders.

Wir landeten zeitgerecht zu früher Abendstunde. Als im Gedränge beim Aussteigen aus dem Riesenvogel der bläulich scharfe Lichtkegel eines Scheinwerfers ausgerechnet mich ins Visier nahm, rauschte verwundertes Munkeln durch die Reihen der Touristen vor, neben und hinter mir. Wer hätte das gedacht, gerade diese unscheinbare Person!

Offen gesagt, ich war nicht minder erstaunt, zugleich aber sehr erfreut. Ach lieber Gilberto Bosques, wie hatten Sie damals im Marseiller Notausgang aus Europa doch recht! In Mexiko wurde ich eben erwartet. Und da landete ich auch schon in der begrüßenden Umarmung meines Gastgebers, des Direktors des Goethe-Instituts, wurde von einer seiner Mitarbeiterinnen, einer jungen Frau namens Gabi in Empfang genommen – hatte hier von der ersten Stunde neue Freunde.

Wie machst du das, Mexiko, ging es mir am ersten Abend durch den Kopf. Hast du die Großherzigkeit von deinen in ihrer Würde unnahbaren, aber zugleich würdevoll edelmütigen Vorfahren geerbt?

Ciudad de México, die Metropole des Staates, ist in den Jahren, in denen ich sie nicht gesehen habe, eine völlig andere Stadt geworden. Vergeblich blickte ich mich nach den strohgelben Sombreros um, die »in unserer Zeit« auf den Köpfen nahezu aller Männer durch die Straßen wogten. Über den dunkelhäutigen Gesichtern, den weißen Leinenhemden und Hosen war dieser männliche Kopfschmuck ebenso schön wie die bunten Wollfäden in den pechschwarzen Haarkronen der Mädchen und Frauen. Das war nun vorbei. T-shirts und Jeans finde ich weniger beeindruckend.

Egon Erwin Kisch hat mit seiner Frau Gisl in der Avenida Tamaulipas gewohnt; ganz nahe, sozusagen um die Ecke, hausten mein Mann, der aus Jugoslawien gebürtige Schriftsteller und Arzt Theodor Balk, und ich in der Calle Irapuato. Vorher hatten wir, nicht sozusagen sondern in der Tat, um die Ecke eine Wohnung in der Avenida Industria, in der auch das Haus von Anna Seghers stand. Hier saß sie, eine Zigarette oder gar eine Pfeife schmauchend, an ihrer Schreibmaschine, tippte die erste Version eines Buches; hier kamen neben ihren deutschen Gefährten auch ihre mexikanischen, etwa der Maler Xavier Guerrero und seine Frau Clarita, der Poet aus Chile, Pablo Neruda, der haitische Dichter Jacques Roumain und andere »bloß auf einen Sprung« vorbei. Die Seghers verstand es allerdings, sich nicht stören zu lassen. Wenn es ihr nicht paßte, war sie für niemanden da.

Gleich am ersten Morgen nach meiner zweiten Landung in Mexiko machte ich mich in Begleitung eines deutsch-mexikanischen Fernseh-Teams in diese unsere Gegend auf.

Wenn ich ein wenig die Augen schließe, um »mein« Mexiko hervorzurufen, die Stadt, in der ich mich so unbekümmert bewegt habe, als ob ich hier zu Hause wäre, in der ich morgens zur Arbeit eilte, auf dem Markt einkaufte, dabei mit den Indiofrauen ein bißchen schwatzte, zu Besuch ging oder Besuch hatte, vermeine ich abermals die Palmenreihen und blühenden Mimosenbäume zu sehen, höre »Fiores!«, den Ruf vorbeiziehender Blu-

menverkäufer, und die kreischenden Schreie von Trut-
hähnen, die, gleichfalls zum Verkauf angeboten, von ihren Besitzern in größeren oder kleineren Haufen durch
die Straßen getrieben wurden.

Auch das Stadtbild hat sich in der Zwischenzeit geändert. Durch ein Getümmel von erbsengrünen und zitronengelben, hupenden und die Luft verpestenden Taxis
und ihrer je nach Temperament und Stimmung schimp-
fenden oder scherzenden Fahrer (Menschen, Menschen
sind im Walde!), schlängelten wir uns zur Avenida Tamaulipas hindurch. Die Palmen stehen noch in der Mitte
der Straße, sind mit der Zeit mächtiger geworden, breiten ihre Blattfächer unangefochten vom Betrieb ringsum
fast gebieterisch in alle Richtungen aus. Ich ging auf
das Haus zu, an dessen Seitenfenster Kisch am Morgen
mit seiner ersten, zweiten oder wievielten Zigarette im
Mundwinkel (das hing davon ab, ob er schon geschrieben hatte oder erst daran dachte) nach mir Ausschau
hielt. Mein Weg zur Arbeit in der Botschaft der tschechoslowakischen Exilregierung führte an diesem Haus
vorbei, und die tschechischen Grußworte, die mir Egonek so gut wie täglich zurief, waren für ihn eine sehr vage,
ihm jedoch beinahe unentbehrlich gewordene imagi-
näre Brücke zum unerreichbaren Prag. Die Menschen
zu Hause litten unter dem wachsenden Druck der Nazis. Der rasende Reporter in Mexiko litt an wachsendem Heimweh.

Die Wohnung des Ehepaars Kisch in diesem Haus
war weder besonders schön, noch sehr gemütlich. In einem eher karg eingerichteten Zimmer saß der Meister
an einem billigen Schreibtisch, oft den ganzen Vormit-
tag im Schlafanzug und unrasiert, eine Tasse schwarzen Kaffees vor sich, die unerläßliche Zigarette zwi-

schen den Fingern oder im Mundwinkel, und bedeckte Blatt um Blatt mit seiner unverkennbaren, dekorativ verschnörkelten Handschrift. Sie hatten allerdings ihre Funktion, die schneckenartig gewundenen Schriftzeichen. Indem er sie mit seiner Feder ziselierte, formulierte und präzisierte Kisch seine Gedanken, die Bilder und die Aussage, die er seinen Lesern vermitteln wollte.

In diesem Haus in der Avenida Tamaulipas, vor dem ich nun in Erinnerung versunken stand, hatte Egon Erwin Kisch den »Marktplatz der Sensationen« geschrieben und eines seiner schönsten und erfolgreichsten Bücher, die »Entdeckungen in Mexiko«.

Im Vorzimmer saß oft eine lärmende Kaffeerunde um Gisls großen runden Tisch. Wenn Egonek arbeitete, ließ er sich durch nichts und niemanden aus seiner Höhle locken. Aber plötzlich tauchte er auf, war witzig und liebenswert, zauberte für die Kinder seiner Freunde, und nur die ihm am nächsten Stehenden konnten an einer Furche in seinem runden Gesicht, an einem Schatten um die Augen erkennen, daß er mit seinen Gedanken noch anderswo war und mit sich nicht ganz zufrieden.

Ich kehrte zum Wagen zurück, und wir fuhren zur Calle Irapuato.

»Sind Sie nervös?« fragte mich die junge Regisseurin des Fernsehteams, als ich nun stumm neben ihr saß.

Ich schüttelte den Kopf, wollte mich jetzt nicht zerstreuen lassen, tastete mit den Augen die Gegend, die Umgebung meines damaligen Zuhause ab. Nein, nervös war ich eigentlich nicht, aber so gespannt, als ob mich etwas Phantastisches erwartete. Ein freudiges Wiedersehen? Eine schmerzliche Enttäuschung? Nostalgische Trauer nach einst Gewesenem?

Die stille kurze Irapuato ist dieselbe geblieben, nur

ein wenig eleganter geworden. Ich stand von »unserem« nach wie vor einstöckigen Haus mit dem flachen Dach über unserer Wohnung, blickte auf seine Vorderwand mit den großen Fenstern – und nichts regte sich in mir. Das war doch das Bild, das ich die ganzen Jahre in mir trug, dieses würfelartige Haus mit der buschigen Baumkrone am Rande des Gehsteigs, die mit einem dicht belaubten und mitunter hellviolett blühenden Zweig in unser Wohnzimmer einzudringen pflegte, sowie ich das Fenster öffnete. Nun hatte diese Erinnerung bloß festere Umrisse angenommen.

Ganz unberührt ließ mich die Calle Irapuato freilich nicht. Auf einmal sah ich Victoria vor mir, die alte Indianerin mit dem frühzeitig zerfurchten Gesicht und zwei dünnen angegrauten Zöpfchen, die in der Avenida Industria unsere Hausbesorgerin war und mir fürsorgliche Ratschläge erteilte, wie ich mich bei Erdbeben verhalten sollte. Als wir in dem Haus unsere Wohnung aufgaben und in die Irapuato umzogen, kam sie mit einer Bitte zu mir. Könnte ich nicht Maria, ihre siebzehnjährige Tochter, mitnehmen, in dem neuen Haus werde unsere Wohnung sicherlich auch ein Dienstbotenzimmer auf dem flachen Dach haben, wie das hier üblich war, und sie seien doch so viele in ihrem einzigen Raum ...

Maria kam mit und bezog Zimmer und Duschraum auf dem flachen Dach, das sie auch als Küche benützte. Bald wohnte Eugenio, ihr Lebensgefährte bei ihr, ein stattlicher, hübscher Kerl mit lustig blitzenden Augen. Ein Jahr verging, Maria wurde schwanger und gebar ihren kleinen Felipe. Ich wurde seine Taufpatin. Bei der Zeremonie in der Kirche, der nur Mutter und Kind und ich beiwohnten, erstaunte Maria die Frage des Pfarrers, ob das Kind einen Vater habe. »Como no«, sagte sie, »wie denn nicht!« Auf dem Nachhauseweg schimpfte sie über diese Geistlichen, die keine Ahnung vom Leben haben, sonst könnten sie doch nicht so dumme Fragen stellen. Jedes Kind weiß, daß es ohne Zutun seines Vaters gar nicht auf der Welt wäre.

»Maria«, fragte ich sie, als sie ihren Redestrom für einen Augenblick unterbrach, um Atem zu holen, »jetzt habt ihr einen kleinen Sohn. Willst du Eugenio nicht heiraten?«

Sie blieb mit dem Kind auf dem Arm stehen.

»Heiraten? Den Eugenio? Nein, Señora!« Als sie meine Verblüffung bemerkte, fügte sie hinzu: »Er will nicht lesen und schreiben lernen.«

Daran erinnerte ich mich vor dem Haus mit dem flachen Dach in der Calle Irapuato. Was wohl aus Maria geworden ist, die so bitterlich weinte, als wir aus Mexiko fortfuhren. Hat Eugenio seinen Widerstand aufgegeben und konnte der rechtskräftige Vater Felipes werden? Müßige Fragen. Wie hätte ich Maria in dem millionenfachen, von keinerlei amtlicher Registrierung festgehaltenen Menschengewimmel nach einem halben Jahrhundert finden können?

Die Fernsehleute drehten, wollten das und jenes von mir wissen, und dabei wurde mir ganz fröhlich zumute: Unsere Tochter, die ganz woanders auf die Welt gekommen ist, wird vielleicht dank dieser Aufnahmen das Haus und die Stadt sehen, wo sie, noch ungeboren, doch schon zugegen war.

Als sie mit der Arbeit fertig waren, luden die mexikanischen Mitglieder des Teams die Regisseurin und mich zur »comida« in einem volkstümlichen Lokal ein. In solchen Einrichtungen waren mein Mann und ich beinahe

Stammgäste gewesen, denn hier war es billig – was Emigranten zu schätzen wußten –, und das Essen war gut. Überdies kamen wir meistens mit unseren zufälligen einheimischen Tischnachbarn ins Gespräch, und das war richtig erholsam in unserem Emigrantendasein.

So setzte ich mich vergnügt an einen der mit Wachsleinwand bespannten Tische, verkostete meinen ersten Schluck Tequila bei diesem zweiten Aufenthalt, ließ mir den Mund von der scharfen Fleischfüllung eines echten Taco verbrennen, beteiligte mich auch diesmal an den Gesprächen von Tisch zu Tisch (wie wunderbar, nach all den Jahren noch imstande zu sein, spanisch zu sprechen, ein bißchen holprig, aber immerhin!). Der Kameramann und der Tonmeister stießen mit mir an: »Salud, Señoras, bienvenida en México!« Kein Zweifel, ich war wirklich wieder einmal da.

Am nächsten Tag wurde in der Aula der Universidad Nacional Autónoma de México feierlich die Konferenz eröffnet, die der eigentliche Anlaß für meine Reise war. Noch ehe die Begrüßungsansprachen anhoben, kam eine nicht mehr ganz junge, aber unübersehbar schöne Mexikanerin auf mich zu, umarmte mich in der hier üblichen stürmischen Weise und sagte:

»Lenka, mí papá freut sich so, daß Sie gekommen sind. Ich soll Sie von ihm ganz herzlich grüßen. Er kann leider nicht mit uns hier sein, mit seinen 101 Jahren ist das schon sehr beschwerlich.«

Ich dankte verlegen. So fieberhaft ich auch in meinem Gedächtnis stöberte, niemand fiel mir ein. Wer war, um Gottes willen, der uralte Papá der schönen Dame? Da wurde es jedoch schon still im Saal, und die Ehrengäste der Eröffnungsfeier wurden vorgestellt. Dann hieß es:

»Unser besonders verehrter Freund, dem dank seiner großen Verdienste ein Ehrenplatz hier unter uns gebührt, hat uns eine Botschaft zukommen lassen, weil er leider persönlich nicht anwesend sein kann. Wir lesen Ihnen nun vor, was uns der einstige Generalkonsul Mexikos in Marseille, der 101jährige Gilberto Bosques schreibt.«

Das durchzuckte mich wie ein Blitz. Der hilfreiche (»… alles wird gut …«), tröstliche Gilberto Bosques lebt und ist inzwischen über hundert Jahre alt geworden! Ich blickte seine neben mir sitzende Tochter mit feucht gewordenen Augen an. Sie legte ihre mit einem prächtigen Silberring geschmückte Hand auf meinen Arm. In dem Brief ihres Vaters wurde gerade in diesem Augenblick unter den damals und auch jetzt wieder willkommenen Gästen aus Europa mein Name erwähnt. Es gibt also noch kleine Wunder im Leben. Nicht viele, gewiß, aber gerade deshalb sind sie von besonderer Bedeutung.

Am Nachmittag begann die Konferenz ihre eigentliche Arbeit in einem ebenerdigen, mit verschiebbaren Glaswänden versehenen Pavillon der Universität am Rande der Stadt, in einem großen gepflegten Garten. An verschiedenen Stellen lugte dort unter alten Bäumen das poröse schwarze Vulkangestein vom Lavafeld Pedregal hervor.

Der Pedregal war in meinem Gedächtnis eine Art steinige Steppe, deren rauhe Fremdartigkeit mir unvergeßlich geblieben ist. Einmal war dort meinem Mann und mir bei einem unserer Streifzüge durch das geheimnisvolle Geröll ein offenbar herrenloses kleines Maultier gefolgt, ließ sich nicht davonjagen, stieß mich mit seinem warmen feuchten Maul sacht in die Seite, ließ sich streicheln, mit einer Banane füttern, wollte allem Anschein nach bei uns bleiben. Einen halben Tag lang trottete das junge Tier hinter uns her, blieb stehen, wenn wir standen, ging dann wieder mit uns weiter. Ich mußte ein paar Tränen schlucken, als wir am Rande des Jardino de Pedregal an ihm Verrat übten und es zurückließen.

Und nun schlenderte ich zwischen diesem vulkanischen Gestein in einem Universitätsgarten. Weiß Gott, sehr vieles ist jetzt anders.

Die Teilnehmerrunde in dem Glaspavillon setzte sich aus zumeist jüngeren Wissenschaftlern aus verschiedenen Ländern Europas und des amerikanischen Kontinents zusammen. Sie waren mit gründlich ausgearbeiteten Referaten zur Problematik der deutschen Exilkultur in Mexiko und ihrer einzelnen Träger angereist. Vor mir lag keine Mappe mit Dokumenten, auch kein Manuskript. Ich hatte nur eine Fülle von Erlebnissen, meinen Vorrat an Erfahrungen mitgebracht, die in der anregenden Atmosphäre der unförmlichen, deutsch oder spanisch vorgetragenen und in diesen Sprachen auch diskutierten, reich dokumentierten Beiträge hellwach wurden und erneut Farbe annahmen. Ich war hier – wie schon gesagt – ein rar gewordener Zeitzeuge, erklärte, diesen Umstand der Tatsache zu verdanken, daß ich beträchtlich jünger war als die meisten meiner Exilgefährten, genau betrachtet wohl die jüngste »Erwachsene« der großen Emigrantengruppe, der ich angehörte. Nach mir kamen dann schon die »Kinder«, von denen eins, der Friedl Katz, sich nunmehr als Professor Friedrich Katz von der Universität Chicago ebenfalls an der Konferenz beteiligte.

Die Menschen, mit denen ich damals in persönlicher Berührung gestanden hatte, oft freundschaftlich verbunden, sind für die Historiker in der Zwischenzeit zu einem wissenschaftlichen Forschungsobjekt geworden. Ich aber wollte nichts anderes, als diesen »Objekten« einen

Hauch menschlichen Verständnisses zu verleihen, den Vermerken in Enzyklopädien und Ergebnissen von Studien, totem Archivmaterial, die lebendigen Menschen gegenüberstellen. Natürlich habe ich in dieser gelehrten Runde Neues erfahren, in mancher Hinsicht einen anderen Einblick in die damaligen Verhältnisse und Beziehungen unter den Menschen gewonnen. Daß es innerhalb der vielschichtigen Kolonie deutscher Emigranten in Mexiko allerhand mehr oder weniger dramatische Meinungsverschiedenheiten, Reibungen und Antagonismen gab, wußte ich. Verschiedenes hatte sich noch vor meiner Ankunft aus Marokko abgespielt, eitel Eintracht und Übereinstimmung herrschten freichlich auch später keineswegs. Im Laufe der Konferenz ergab sich für mich die Frage, wieso ich von diesen unerfreulichen, vom heutigen Gesichtspunkt aus kaum faßbaren Gehässigkeiten und Feindseligkeiten unter den politischen Antifaschisten aus Deutschland (Menschen, Menschen sind im Walde!), die doch über alle parteiwidrigen oder parteigläubigen Einstellungen hinweg ein gemeinsames Ziel hatten, quasi nur am Rande etwas mitbekommen habe. Wahrscheinlich verdanke ich meine gewisse Arglosigkeit dem Zusammenspiel einiger Umstände: Ich war jung, man nahm mich nicht allzu ernst, meine Stellungnahme hatte kein Gewicht, und so wurde ich in die verschiedenen dramatischen Verwicklungen gar nicht erst eingeweiht. Überdies, und das gab wohl den Ausschlag: Wiewohl integriert in die Gruppe der deutschen Kommunisten, war und blieb ich »die Tschechin«. Auf diese Nuance legte ich selbst Wert und war heilfroh, daß ich mit dem gehässigen, mir unklaren und sinnlos erscheinenden Kleinkrieg von beiden Seiten nichts gemein hatte.

Mein Kopf war voll von anders gearteten Sorgen. Einmal im Monat redigierte ich eine bescheidene kleine Zeitung mit dem Titel »El Checoslovaco en México«. Aufgekommen war diese Idee am Kaffeetisch im Hause Kisch zwischen Egon Erwin Kisch, dem Tschechoslowaken mit dem französischen Namen André Simone und mir, der es natürlich zufiel unseren Gesandten für dieses Vorhaben zu gewinnen. Das gelang sehr schnell, der Plan fand sofort seinen Gefallen. »Aber«, sagte er bekümmert, »Sie wissen doch, daß wir kein Geld für so eine Redaktion haben.«

»Für die Druckerei könnten Sie etwas loseisen?«

Das ginge, meine er, und das genügte auch. Von Honorar war in der »Redaktion« unseres Blättchens niemals die Rede. In der Druckerei fühlte ich mich unter den mexikanischen Setzern und Metteuren bald zu Hause, sie waren auch hilfsbereit und amüsierten sich gutmütig über meine sprachlichen Schnitzer.

Als dann die Nachricht über die Vernichtung des böhmischen Bergarbeiterdorfes Lidice kam, wo die deutschen Besatzer alle Männer erschossen, die Frauen in Konzentrationslager transportiert und die Kinder, unbekannt wohin, verschleppt hatten, ließen mich die Andeutungen und Anspielungen auf Zerwürfnisse und Feindseligkeiten innerhalb und außerhalb der Gruppe erst recht völlig kalt. Ich bemühte mich auch gar nicht in das unüberschaubare Gewirr einzudringen und war glücklich, daß auch die Aufmerksamkeit meines Mannes in ersten Linie von der Beschaffung von Medikamenten und anderem medizinischen Material für den Partisanenkampf in seinem heimatlichen Jugoslawien in Anspruch genommen wurde.

»Möchte die Lenka etwas dazu sagen?« wurde ich beim

Symposium im Jahre 1993 wiederholt in verschiedenem Zusammenhang gefragt. Und ich mochte schon, sofern es sich um Menschen und Begebenheiten handelte, von denen ich etwas wußte, wo ich »dabei« war. Auf Vermutungen und nachträgliche Konstruktionen ließ ich mich nicht ein. Mitunter war ich allerdings überrascht und betroffen, daß so manches anders war, als ich bis dahin gewußt hatte.

Gilberto Bosques bin ich bei meinem zweiten Besuch in Mexiko noch einmal, freilich wiederum indirekt, begegnet. Eines Abends wurden wir in einen Autocar verstaut und zum einstigen Wohnsitz von Leo Trotzki gefahren. Für mich stellte das eine außerordentlich interessante Expedition dar. Als ich Ende 1941 in Mexiko angekommen war, lebte Trotzki nicht mehr. Ein paar Wochen nach meiner Ankunft begann ich in unserer Exilbotschaft zu arbeiten; dort war, neben dem Botschaftskanzler, mein einziger Kollege ein junger Mann aus der mährischen Metropole Brünn, der irgendwann vor dem Krieg eigens nach Mexiko gereist war, um hier einer der Sekretäre des russischen Exulanten zu werden. Er schien, was mich überraschte, ein völlig passiver träger Mensch zu sein, dessen Vorliebe darin bestand, aus den mexikanischen Zeitungen die sehr zahlreichen und sehr bluttriefenden Mordberichte auszuschneiden und in einem Schubfach seines Schreibtisches aufzubewahren. Ich erwog, ob dieses sonderbare Hobby nicht etwa mit seinen erschreckenden Erfahrungen im Trotzki-Haus zusammenhängen könnte. Über dieses Abenteuer verlor er jedoch kein Wort, auch zum Leidwesen unseres Gesandten, der gern etwas mehr darüber erfahren hätte. Nach Kriegsende heiratete mein mährischer Kollege eine Mexikanerin aus wohlhabendem

Haus, wurde Unternehmer und soll recht reich geworden sein.

Diese Schreibtischsymbiose mit einem Trotzkisten, sei es auch in den aus den Fugen geratenen Kriegsjahren und auf dem Boden der diplomatischen Vertretung unserer, von der tschechoslowakischen Kommunistischen Partei gleichfalls anerkannten Exilregierung, sollte mich neben zahlreichen anderen Unsinnigkeiten in der politischen Hetzjagd der fünfziger Jahre teuer zu stehen kommen.

Es war schon beinahe ganz dunkel, als unser Autocar sein Ziel erreichte und wir zum Aussteigen aufgefordert wurden. Ich kletterte aus dem Wagen und stand vor einer massiven, ziemlich hohen ockergelben Steinwand. Eine Festung, war mein erster Eindruck. Erstaunlicherweise beherbergt sie nun zum Teil eine Sammlung moderner mexikanischer Graphik. Aber nicht deshalb hatte man uns hierher gebracht. Wir waren gekommen, um der Enthüllung einer Büste Gilberto Bosques beizuwohnen. Warum gerade hier, in Trotzkis einstigem Wohnhaus, habe ich nicht erfahren.

Schon im Vorraum kam die schöne Tochter des einstigen Generalkonsuls auf mich zu, stellte mich einer eleganten schwarz gekleideten älteren Dame vor, deren Name mir während der durchaus nicht förmlichen, sondern der hierzulande üblichen herzlichen Begrüßung entglitt. Jemand flüsterte mir etwas später zu, das sei doch die Witwe des revolutionären Präsidenten Mexikos General Lázaro Cárdenas. In diesen an Überraschungen so überreichen Tagen konnte mich eine solche Begegnung nicht mehr verwundern.

Bedrückt, nicht verwundert, hat mich nach meiner Rückkehr nach Prag die Nachricht, daß die Indios, die sich in Chiapas, dem südlichsten Zipfel Mexikos, gegen ihr Elend und unwürdiges Dasein erhoben, neben dem legendären Marcos auch von Cuahtemóc Cárdenas, dem Sohn des einstigen Präsidenten angeführt werden. Ich mußte an die zierliche, schwarz gekleidete Dame im Trotzki-Haus denken, die anscheinend zeitlebens nicht zur Ruhe kommt. Bertolt Brecht und unser Karel Čapek haben eine solche Mutter auf der Bühne lebendig werden lassen. Es ist ein ganz sonderbares Gefühl, so einer Frau auf einmal gegenüberzustehen.

Als die allgemeine Begrüßung zwischen Konferenzteilnehmern und Ehrengästen vorbei war, geleitete man uns in einen kleinen Saal, wo sich schon eine ansehnliche Menschenmenge versammelt hatte. Aus einer Ecke ragte schräg eine dünne Stange, die einem langen Angelgerät ähnelte, in den Raum. Statt eines glitzernden Fadens hing eine Schnur von ihm herab, die in einer Art großen Teekannenwärmers aus rotem Tuch endete. Verwundert betrachtete ich diese merkwürdige Einrichtung. Da ergriff aber schon jemand das Wort, pries Bosques und seine verdienstvolle Tätigkeit im Kriegs-Marseille, die ihm und seinen Mitarbeitern auch eine Internierung in Deutschland eingebracht hatte. Als er zum Schluß kam, setzte sich die schräge Schnur sachte in Bewegung, die rote Tuchglocke schwebte langsam in die Höhe und enthüllte damit die Bronzebüste des Generalkonsuls. Erstaunt verfolgte ich diesen ungewöhnlichen Vorgang und mußte dabei natürlich an die hektischen Tage in Marseille denken, an die von Flüchtlingen aus ganz Europa überlaufene Stadt, in der ich dank einer glücklichen Begegnung einen Abend mit Anna Seghers in einer kleinen griechischen Kneipe »verquatschte«, woran sie sich später oft vergnügt erinnerte. Im Zufluchtsort Marseille gab es einen Hafen, von hier aus stach mitunter ein Schiff in See, dessen Ziel ein rettender, von Faschismus und Krieg verschonter Kontinent war. Auch das mexikanische Konsulat, dem Gilberto Bosques vorstand, war in jener verrückten, von Tausenden Ängsten und schüchternen Hoffnungen vibrierenden Atmosphäre ein Hafen, von dem aus das Leben weitergehen konnte. Und mich schließlich bis zu dieser Bronzebüste im einstigen Trotzki-Haus geführt hat.

Während meines ersten Aufenthaltes in Mexiko habe ich mehrere Erdbeben erlebt, von denen eins mit der Geburt eines neuen Vulkans verbunden war. Kisch hat über die Entstehung dieses Paricutín getauften Neulings (er brach auf dem Kirchenplatz des Dorfes Paringaricutiro aus) in seinen »Entdeckungen in Mexiko« ausführlich berichtet. Wenige Jahre vor meinem jetzigen Besuch war die Hauptstadt von einem katastrophalen Erdbeben heimgesucht worden, mit zusammengebrochenen Straßenzügen und ungezählten Toten. Beinahe mit einem Anklang von schwarzem Stolz – der Tod schreitet hier seit eh und je neben dem Leben einher – erzählte man mir nun, daß auch die Familie des berühmten Sängers Placido Domingo von diesem Unglück schwer betroffen wurde. Ungeachtet dieser schlimmen Erfahrungen schritt ich nun durch Boulevards mit Wolkenkratzern zu beiden Seiten; zum Teil sind es ungewöhnliche, mit mexikanischem Schönheitssinn gestaltete, in den Himmel aufragende Glaspaläste.

Die Stadt besitzt nun eine Untergrundbahn, und in meinem Hotelzimmer hingen die Bilder schief an den Wänden. Ich konnte nicht ergründen, ob noch als Folge des letzten Erdbebens oder schon in Vorahnung eines künftigen. Als wir hier lebten, hatte ich mir angewöhnt, einen schnellen Blick auf die Lampe an der Zimmerdecke zu werfen, wenn mir plötzlich schwindlig zumute wurde. Schwankte sie hin und her, war ein Erdbeben im Anzug oder auch schon da. Alle Glocken in den erschütterten Kirchtürmen setzten sich in Bewegung, Katzen jaulten, Hunde winselten, die Indianerfrauen zerrten ihre verschlafenen Kinder aus den Häusern oder ihren notdürftigen Behausungen und knieten mit brennenden Kerzen in den Händen auf der bebenden Erde. Wenn die sich freilich unter ihnen öffnete oder von oben Steinblöcke herabsausten, boten die flackernden Kerzen kaum Hilfe. Seither hat man technische Mittel erfunden, um die Gebäude wenigstens gegen horizontale Erdstöße abzusichern. Gegen vertikale soll es noch nichts dergleichen geben. Im modernen Mexiko von heute haben mich allerdings auch andere fürsorgliche Vorkehrungsmaßnahmen beeindruckt.

In der Halle des nicht überaus großen, behaglichen Hotels verwunderten mich z.B. hinter einer Glaswand Ständer mit verschiedenartigen Kleidungsstücken. Werden die zum Verkauf angeboten, wollte ich wissen. Ach wo, erklärte man mir, das sei bloß eine Vorsorge für Gäste, deren Fluggepäck verspätet oder allzu oft auch überhaupt nicht ankommt. Die können sich dann hier wenigstens notdürftig kostenlos einkleiden. Wird man sonst wo in der Welt in einem Hotel so fürsorglich bemuttert?

Über dem Waschbecken in meinem Bad war ein Täfelchen mit der Aufforderung angebracht, zum Zähneputzen nur das chemisch gereinigte Wasser aus der bereitgestellten Flasche, keineswegs das aus dem Wasserhahn zu benützen. Die Cholera geht im Lande um.

Bei all dem schwebte mir noch, wie in weiter Ferne, der Anblick von Straßenverkäufern mit klebrigen Süßigkeiten vor, deren oft leprös verunstaltete Gesichter mir einst Schrecken einjagten. Und so konnten mich die neuzeitigen offiziellen Warnungen, etwa vor der Gefahr, auf der Straße überfallen zu werden, meine eigenen Beobachtungen, die überwältigende Fremdartigkeit auf Schritt und Tritt – all das konnte mich deshalb nicht allzu sehr erschrecken. Ich war wieder einmal in Mexiko. Diese Freude überschlug alles.

Und doch fehlte mir etwas, beunruhigte mich, allerdings anders als geläufige Ängstlichkeit und Nervosität in einem fremden Land. Ich war mir dessen bewußt, konnte jedoch nicht ergründen, was es war.

Als das Ehepaar Janka nach der Beseitigung technischer Flugschwierigkeiten endlich ankam und wir in unserem Hotel beim ersten gemeinsamen Frühstück zusammensaßen, bestürzte mich die konstante nervöse Spannung, die von Walter ausging. Der Mann, dem in seiner Heimat von seinen Genossen schweres Unrecht widerfahren war, schleppte, so schien mir, diese Last pausenlos mit sich, konnte von ihr nicht loskommen, so wie man zeitlebens von einer Wunde weiß, selbst wenn sie längst vernarbt ist. So wie es Geschehnisse gibt, die man nicht überleben kann, selbst wenn man sie überlebt. Diesen Satz habe ich vor Jahren im Zusammenhang mit meinem eigenen Erleben geschrieben. Jetzt fiel er mir wieder ein.

Lotte Janka kenne ich schon sehr, sehr lange, noch aus den dreißiger Jahren, von denen sie einige im Gastland Tschechoslowakei und in unserem Prag verbracht hat. Später waren wir beide im Frauenlager Rieucros interniert, ehe wir dank der Bemühungen unserer Freunde in Amerika Frankreich verlassen konnten und glücklich in Mexiko landeten. So war es kein Wunder, daß sich die alte Vertrautheit zwischen uns bald wieder einstellte. Deshalb konnte ich ihr auch behutsam sagen, daß mich der Zustand ihres Mannes erschreckte. Da erzählte sie mir von ihrer Besorgnis über die schwer angeschlagene Gesundheit Walters. Und wie so oft empfand ich auch bei diesem Besuch Mexikos ein beinahe unfaßbares Glücksgefühl, daß es mir – trotz mehrjähriger Haft während des Krieges und in den fünfziger Jahren, trotz schwerer Krankheit und dem Verlust meiner ganzen Familie und vor Jahren nun auch meines Mannes – daß es mir immer noch gegeben war, nicht nur zu leben, sondern das Leben auch noch zu genießen – mit Arbeit, mit meiner Tochter und Enkeltochter, mit Freunden und einer nicht abreißenden Fülle ständig neuer Erlebnisse.

Das ist wohl auch der Grund, warum ich die wenigen Tage in Mexiko so genossen habe, warum ich sie immer wieder hervorrufe und in ihrer Eigenart begreiflich machen möchte. Wenn ich das selbst in diesen angenehmen Tagen angespannte Gesicht Jankas beobachtete, seinen Blick, der offenbar nicht mehr anders konnte, als ständig auf der Hut zu sein (Menschen, Menschen sind im Walde!) mußte ich unwillkürlich an den lebhaften jungen Walter aus unserer ersten mexikanischen Zeit denken und wurde von Wehmut erfaßt. Wie gut, daß wir damals nicht ahnen konnten, was uns noch alles bevorstand, daß sich unser Leben keineswegs so gestalten würde, wie wir es uns erträumt hatten und wie wir es wahrhaben wollten. Alles ist anders, heißt es weiß Gott zu Recht in dem Prager jüdischen Witz.

Walter Janka ist bald nach seiner Rückkehr nach Berlin abermals schwer erkrankt und einige Wochen später gestorben. Gäbe es einen Himmel, könnte er jetzt unseren Freunden erzählen, daß es ihm noch vergönnt war, die mexikanischen Pyramiden wiederzusehen, daß ihm und seiner Lotte eine Mariachi-Kapelle aufgespielt hat, daß er so kurz vor dem Ende für ein paar Tage noch in seine jungen Jahre zurückkehren konnte.

Es war eine frühe Abendstunde, als ich durch das Gewimmel von Menschen, Fahrzeugen, Straßenverkäufern, bettelnden Kindern und protzigen, viel zu großen Limousinen zum Zócalo, dem geräumigen rechteckigen Hauptplatz der Stadt, schlenderte. Hier war es mit einem Mal verhältnismäßig still. Ich schritt langsam auf das imposante Regierungsgebäude an der Südseite zu, dessen Aufgang und Treppenhaus die großartigen Wandmalereien Diego Riveras schmücken. Die kannte ich so gut, daß ich sie nun geradezu zu sehen vermeinte. Zu meiner Linken wußte ich die Kathedrale mit der bizarren Pracht ihrer überschwenglichen Verzierungen. Rings um mich war Stille, nur von weitem konnte man das Rauschen des Verkehrs vernehmen. Die wenigen Menschen, die in dieser abendlichen Stunde den Platz überquerten, verhielten sich ruhig, als wären sie in einer Art ehrfürchtiger Scheu befangen. Hier war der Schauplatz ihrer Geschichte, hierher strömten sie, um gemeinsam zu feiern oder auch zu trauern. Hier wußten sie sich eins mit den Großen ihrer bewegten Vergangenheit. Das Pflaster des Zócalo wurde wiederholt von den Tränen ohnmächtigen Schmerzes getränkt, im Gestein des Palastes und der Kathedrale war aber auch der Widerhall siegesbewußten Jubels eingefangen. Ein Stückchen hinter mir tanzten ein nur mit einem Lendenschurz bekleideter Indianer und eine Frau im groben Leinenhemd. Ihre

Begleitmusik war der monotone und eindringliche Klang von zwei Trommeln, den ein zweiter Indianer mit flachen, rhythmischen Handschlägen hervorzauberte.

Der Himmel über dem Palacio und dem Tempel des katholischen Gottes nahm allmählich Nachtschwärze an. Eine merkwürdige Ruhe bemächtigte sich meiner, ein Gefühl, nirgends und überall zu sein, losgelöst vom Alltag und eingebettet in Zeitlosigkeit. Auf diesem Platz mit den dunklen Umrissen der unverändert vertrauten Gebäude, die ungeachtet der Menschen, die dort aus und ein gingen, all die Jahre die gleichen geblieben waren, empfand ich beim Klang der eintönigen Trommelschläge für einen kostbaren Augenblick, mit all jenen Menschen verbunden zu sein, die einst hier mit mir gelebt haben. Als ob ich wieder ganz jung geworden wäre, durchströmte mich wie damals der Wille, meinen Tagen einen guten Sinn zu geben (Ach, alles, alles ist anders!), sogar noch irgend etwas neu zu beginnen, und sei es auch nur ein Körnchen menschlicher Weisheit weiterzutragen. Das wollte ich auch im Andenken an meine Freunde aus unserer mexikanischen Zeit tun, die in jener Stunde beinahe neu verkörpert mit mir auf dem Zócalo zu stehen schienen.

Als ich im Jahre 1945, wenige Wochen nach dem Ende des Krieges nach Europa zurückkehrte, war nicht meine Heimatstadt Prag mein Ziel, sondern Jugoslawien, die Heimat meines Mannes, genauer seine Hauptstadt, das zerbombte Belgrad. Unsere Reise in der unmittelbaren Nachkriegszeit verlief weder schnell noch glatt, noch so wie vorgesehen. Die Perast, das kleine dalmatinische Lastschiff, auf dem Balk als Schiffsarzt und ich als Hilfsköchin eingetragen waren (denn es durfte keine Passagiere an Bord haben), widerstand unterwegs tapfer

einem rasenden Unwetter, bahnte sich entlang der spanischen und später auch der italienischen Küste unbeirrt seinen Weg durch die mit bloßem Auge wahr-
nehmbaren, immer noch in Mengen durch die Fluten
gleitenden Minen. Als wir endlich nicht wie geplant in
Split sondern in Šibenik ankamen, gab es tagelang keine
Bahnverbindung ins Innere des Landes. Es dauerte beinahe eine ganze Woche, ehe wir in Belgrad eintrafen, und
selbst das stimmt nicht ganz, denn in die Hauptstadt
konnte man damals nur mit einem von Pferden gezoge-
nen Fuhrwerk über eine provisorische Pontonbrücke
gelangen, die den Sava-Fluß mit dem anderen Ufer ver-
band. Die Wiederherstellung des Bahnanschlusses stand
noch in den Sternen.

Wir hatten keine Ahnung, wo wir wohnen würden,
auch nicht wo sich unser Gepäck befand, zwei Kisten
vollgestopft mit Büchern, Manuskripten, mexikanischen
Sarape-Decken, mit meinem keramischen Glücks-
schweinchen, etlichen Idolos und Votivbildchen und
einer Menge kleiner, uns liebgewordener Souvenirs.
Viele hatten wir von unseren Freunden zum Abschied
mitbekommen. Unsere Abreise war ein Ereignis gewesen, denn wir waren die ersten antifaschistischen Flüchtlinge aus Europa, die heimkehrten. Unterwegs war auch
eine Kiste mit Milchpulver und Babyausstattung, ich erwartete ein Kind. Mit uns schleppten wir nur je einen
Koffer mit der notwendigen Kleidung für uns beide.

Die Kisten sind bei uns niemals angekommen, was
mich nur in Bezug auf die Bücher erstaunte, denn daß
in dem verwüsteten und ausgehungerten Land Decken,
Kindernahrung und Babywäsche auf der Strecke blieben und andere Empfänger erreichten, konnte mich be-
trüben, aber nicht verwundern.

In dem Koffer, den ich bei mir hatte, gab es neben einigen eher unnützen Kleidungsstücken – die Jahre im sonnigen Mexiko hatten unsere Vorstellung vom kalten Europa ein wenig verblassen lassen – eine etwas ungewöhnliche Jacke. Ihr Vorderteil und die Ärmel waren aus festem, filzartigem weißem Stoff, der Rücken aus flammend rotem. Die weißen Teile waren mit fröhlichen Girlanden bestickt, den roten Rücken zierte in grellen Farben ein ziemlich großes gesticktes mexikanisches Wappen mit dem Adler, der eine Schlange in seinen Klauen hält. In Mexiko habe ich dieses Prachtstück meiner Garderobe (wie bin ich nur dazu gekommen?) fast nie getragen, es schien mir allzu auffallend zu sein. Jetzt aber hielt ich mit Liebe daran fest. Im Winter wärmte es mich in den kaum oder überhaupt nicht geheizten Räumen, schützte mich gegen den hier viel zu häufigen eisigen Kosava-Wind. Im Frühling lief ich dann fröhlich mit dem bunten Wappen auf dem Rücken umher.

Alles rings um mich war grau. Die geborstenen Wände der beschädigten Häuser, die gähnenden Straßenlücken, die verstaubten leeren Schaufenster, die holprigen und unausgebesserten Gehsteige, die schäbigen Kleider der Menschen, ihre Gesichter, die Zeitungen, die Rundfunksendungen (an denen ich selbst im Radio Belgrad mitarbeitete), alles. So wirkte es jedenfalls auf mich, so drückte es mich nieder.

Da holte ich meine Jacke mit den bunten Girlanden vorne und dem wilden Wappen auf dem Rücken hervor, und so angetan schob ich meinen Kinderwagen durch die Menschenmenge, die sich allabendlich auf dem Korso im Stadtzentrum einfand. So bekleidet ging ich zur Überraschung meiner Kollegen zur Arbeit, zum Einholen (wenn es etwas gab), mit dem Baby in den Kalimegdan-Park. Mein farbenfroher Aufzug verbesserte nicht nur meine eigene Stimmung, ich zuckte wie ein Flämmchen durch die vom Krieg verletzten Straßen, rief auf den Gesichtern meiner Mitbürger ein halb erstauntes und halb belustigtes Lächeln hervor, nahm es mit dem Grau ringsum auf, wollte mich von der verkrampften Atmosphäre nicht unterkriegen lassen.

»In Mexiko hast du diese Jacke nie getragen«, wunderte sich mein Mann.

»Dort mußte ich nicht«, antwortete ich, »dort schien die Sonne.«

Da nickte er bloß.

Meine rot-weiße Mexiko-Jacke im Nachkriegs-Belgrad hatte ich schon beinahe vergessen. Sie fiel mir sonderbarerweise wieder ein, als ich mich mit den Konferenzteilnehmern zum Besuch des Anthropologischen Museums begab, das in den Jahren nach unserem Aufenthalt in der mexikanischen Hauptstadt errichtet worden war. Jeder, der bislang dort gewesen war, erzählte begeistert von diesem Erlebnis. Allein schon die großartige Anlage des ganzen Komplexes ist beeindruckend, jeder Stein, jede Perspektive scheint hier ihre Funktion zu haben.

Aber was hat das mit meiner optimistischen bestickten Jacke gemein?

Doch, doch.

Eine junge mexikanische Architektin übernahm die Führung unserer Gruppe. Sie war sehr gewissenhaft, wußte über jedes Exponat etwas zu sagen, holte historisch weit aus.

So geht das nicht, sagte ich mir bald. Alles zu betrachten, die Kunst der Azteken, der Mayas, der Inkas, der Tolteken ... dafür mußte man einige Tage zur Verfügung haben, wir aber haben nur ein paar Stunden. Also bedankte ich mich bei unserer jungen Begleiterin, versprach, mich pünktlich zur Abfahrt vom Museum einzufinden, und ging los, um mich wenigsten mit einem Zeitabschnitt etwas näher bekannt zu machen. Ich wählte die Kunst der Mayas. Auf dem Weg in diese Abteilung blieb ich freilich immer wieder vor einem der Exponate stehen, feierte mit den Symbolfiguren (Adler, der eine Schlange in seinen Krallen hält) vielfaches Wiedersehen und betrat schließlich die Räume mit der Maya-Kultur. Stein, Onyx, getriebenes Gold. Ein Dío gordíto, eine dickleibige Gottheit, die verschmitzt lächelnd ihr goldenes Bäuchlein vorweist, ein offenbar zufriedener Teenage-Gott (Alter? Tausend Jahre?).

Plötzlich blieb ich wie angewurzelt stehen. Das war nicht möglich! Ich wanderte doch durch die Abteilung der Kunst des Stammes der Maya-Indios, aber hier an der Wand blickte mit einem Mal das trotzige Gesicht Ludwig van Beethovens auf mich herab, die störrisch gesenkte Stirn, die breiten Backenknochen, der überhaupt breit gebaute Kopf, in dem so wundervolle Musik erklang. Bist du verrückt, flüsterte ich mir zu, wohin führt dich dein Phantasieren? Beethoven im dritten Jahrhundert? Und warum nicht, widersprach ich mir, warum konnte dieser Herrscher oder Gott nicht von einem ähnlichen Geist beseelt gewesen sein wie der Künstler, der dieses Antlitz an einem anderen Ende der Welt und in einer vor Beethoven längst vergangenen Zeit geschaffen hat? Aber hier war doch alles anders, räsonierte es in mir. Gewiß, gab ich zu, aber ich nehme doch die Kunst hier und die Kunst drüben auf meinem Kontinent mit denselben Augen und mit meinem einzigen, mir gegebenen Sinn auf. Dort wie hier angeregt und beglückt.

Und auf diesem Umweg kam ich dann auch auf meine mexikanisch wilde Jacke zurück. Hätte mich denn ein am laufenden Band, technisch perfekt und seelenlos mechanisch produziertes Kleidungstück gegen trostloses Grau stützen und in weitester Ferne noch erfreuen können? Das war es, woran ich hier mit einem Mal denken mußte. Auch meine gute Jacke war ein Ergebnis menschlicher Schaffensfreude.

Angeregt und beglückt fühlte ich mich gleichfalls, als wir im Palacio de Bellas Artes einer Aufführung mexikanischer Tänze von den Azteken bis in unsere Tage beiwohnten. Von den Ritualtänzen zu Ehren der Götter bis zum Charabe-Tapatío der Neuzeit. Und das alles in einer Orgie von Bewegung, Farbe und Musik; jeder Schuhabsatz, jeder Faltenwurf der verschwenderisch farbreichen Kostüme tanzte hier mit.

Einer meiner Konferenzkollegen, der in der Pause das prächtige große Haus bewunderte, fragte mich, ob ich auch während meines einstigen Aufenthaltes in Mexiko Gelegenheit hatte, dieses schöne Theater zu besuchen. Meine Antwort überraschte ihn (und beinahe auch mich):

»Ich habe einmal von dieser Bühne sogar eine kleine Ansprache gehalten.«

»Von dieser riesigen Bühne?«

Ich nickte und staunte erst jetzt so richtig über meine damalige Kühnheit. Es war im Jahr 1942, als die Welt von der Nachricht entsetzt wurde, daß die Nazis das Böhmische Bergarbeiterdorf Lidice in den Boden gestampft hatten. Später reihten sich das französische Oradour, das italienische Marzabotto, ungezählte polnische und russische Dörfer in diese gespenstische Folge. Aber von Lidice erfuhr man zuerst.

In unserer tschechoslowakischen Botschaft besuchten uns in jenen Tagen die Lehrerinnen einer nach dem ersten Präsidenten der Tschechoslowakei, Professor T. G. Masaryk, benannten mexikanischen Mädchenschule, die Eltern eines eben auf die Welt gekommenen Mädchens, das sie auf den Namen Lidice taufen ließen, einfache Bürger der Hauptstadt, die uns nur ihre Sympathie bekunden wollten. Schließlich kam auch eine Abordnung aus dem Dorf San Jerónimo Aculco, das beschlossen hatte in Hinkunft seinem Namen den des von den Faschisten »für immer ausgelöschten« Dorfes in der Tschechoslowakei hinzuzufügen.

Ich war damals überaus beschäftigt, organisierte, vereinbarte, rannte von der Masaryk-Schule in den Rundfunk, fuhr nach San Jerónimo, sprach mit vielen Menschen. Für meine persönliche Erschütterung blieben nur die Nachtstunden, in denen ich nicht schlafen konnte und meine Erzählung »Die kotigen Schuhe« schrieb.

Ich weiß nicht mehr, wer mit dem Einfall gekommen war, im Palacio de Bellas Artes eine öffentliche mexikanisch-tschechoslowakische Manifestation für Lidice zu veranstalten. Vielleicht war es André Simone, der nimmermüde Organisator antifaschistischer Aktionen, der 1952 aufgrund eines absurden Urteilsspruchs seiner einstigen Genossen eines schrecklichen Todes sterben mußte. Ich kann mich daran nicht mehr erinnern, weiß nur, daß es Egon Erwin Kisch war, der den Vorschlag machte neben den offiziellen Rednern sollte auch ich das Wort ergreifen.

»Bist du verrückt geworden?« war meine erste erschrokkene Reaktion. »Im Palacio, vor hunderten Menschen?«

Aber schließlich ließ ich mich überreden. Es würde gut wirken, überzeugte man mich von allen Seiten, wenn »eine junge Frau, aus Böhmen ...«

Wieder schlief ich ein paar Nächte nicht und versuchte meine Rede aufzusetzen. Aber als ich dann nach der Ankündigung »una joven mujer de Bohemia« auf der großen Bühne (»winzig klein«, sagte mein Mann, der unten im Parkett den Atem anhielt), ohne mir dessen bewußt zu sein, bis fast an die Rampe trat, vor mir der schwarze Schlund des Zuschauerraums, in dem nur ein paar helle Tupfen mit auf mich gerichteten Augen aufleuchteten – da ergriff mich eine bislang ungekannte Erregung. Ich vergaß meine nächtlichen Stilübungen, wollte den Menschen vor mir mein Herz ausschütten, wollte ihre Herzen bewegen, wollte für die Toten, für die verzweifelten Mütter und ihre jammernden verschleppten Kinder sprechen. Wollte aufrütteln, mitreißen, wollte, weil Ungeheuerliches geschehen war, daß etwas Gutes, etwas Menschliches dagegen geschieht.

Es war ganz still in dem großen Saal, als ich endete. Es dauerte einen Atemzug lang, ehe der Beifall losbrach.

Als ich nun wieder in dem Palacio stand, nach all den Jahren, in denen noch so viel Ungeheuerliches passiert war, konnte ich nur noch schmerzlich daran denken, daß ich in eben diesem Haus wirklich daran geglaubt habe, Ideale könnten verwirklicht werden, wenn jeder, der für sie eintritt, weil er von ihrer Richtigkeit und Notwendigkeit überzeugt ist, sein Stückchen Erkenntnis, sein Körnchen Weisheit dazu beiträgt. Jetzt wußte ich schon, daß alles ganz anders ist.

Ein komfortabler Autocar brachte uns eines Morgens zu den Pyramiden von Tepotitzlán. Wie wir vor Jahren hierher gekommen waren, hielt mein Gedächtnis nicht mehr fest, ein komfortabler Autocar war es jedoch zweifellos nicht gewesen, viel eher einer der klapprigen, an jeder Straßenecke (»Esqunia, por favor!«) und bei jeder

größeren Agave haltmachenden, vollgepferchten Auto-
busse. Die zahlreichen Kioske mit Silber- und Leder-
waren, amerikanischem Knabberzeug und Getränken
waren damals bestimmt auch noch nicht da.

Wir stiegen aus, und ich fühlte geradezu physisch,
wie ich mich im Nu aus einem gaffenden Touristen in
einen respektvollen Besucher verwandelte. Was haben
doch die Menschen lange, lange vor uns für wunderbare
Dinge und Kunstwerke geschaffen! Langsam erklomm
ich die dominierende Pyramide, überblickte von oben
das weite Gelände mit den vielfältigen, ständig fortge-
setzten Ausgrabungen, den wuchtigen Steinblöcken mit
symbolträchtigen Verzierungen, tierischen und menschlichen Figuren – und konnte mit einem Mal verstehen,
daß der Herrscher, der von hier aus, prächtig gekleidet
und geschmückt, auf seine Untergebenen hinabblickte,
ringsum die unenträtselbare, für ihn jedoch vielleicht
lesbare Vulkanlandschaft, daß dieser Fürst glaubte, ein
Halbgott zu sein, und sich als solcher auch verehren
ließ.

Auf dem Weg zu den Pyramiden und dann wieder bei
der Rückfahrt sah ich, was einem im Inneren der Hauptstadt verborgen bleibt, die sich in den letzten Jahren unaufhaltsam ausbreitenden Colonias Populares, wie die
Armenviertel am Rande der Metropole nichtssagend
genannt werden. Gleich einer nicht einzudämmenden
Flechte bedecken die armseligen Häuschen die Hänge
der ruhenden Vulkane, bis die ein nächstes Mal wieder
Feuer und Tod speien. Jemand erklärte mir sehr sachlich, in den Colonias sei elektrischer Strom eingeführt,
wer jedoch keine Zisterne auf dem Dach habe, müßte
leider Wasser in Eimern und Krügen vom Flachland bis
hinauf schleppen.

Die tschechoslowakische Botschaft, in der ich vor einem halben Jahrhundert tätig war, befand sich in einer kleinen, aber recht hübschen Villa in einem gleichfalls bescheidenen, aber gepflegten Garten. Auf der gegenüberliegenden Seite der stillen Straße gab es zwischen einer weißen und einer zitronengelben Residenz eine Baulücke. Als ich an einem Morgen aus dem Fenster meines Arbeitsraums über die Rosenbeete hinweg schaute, gewahre ich dort reges Treiben. Männer, Frauen und Kinder schleppten allerlei Baumaterial (Ziegel, Pappkartons, flach geklopfte Metallfässer) herbei, schichteten es auf und bezogen schon am Nachmittag ihr neues Zuhause. Im Laufe der nächsten Tage wurde die Indio-Familie, die da zwischen den komfortablen Häusern lebte, immer zahlreicher, die Frauen hockten auf der Straße und buken Tortillas, deren unverkennbarer Duft zu mir herüberwehte. Niemand in der eleganten Straße protestierte gegen die Zuwanderer, niemand kümmerte sich freilich auch darum, wie sie mit Kind und Kegel in dem elenden Kartenhaus mit freiem Einlaß für Ungeziefer und die räuberischen hungernden Ratten und ohne jegliche sanitäre Anlagen zurechtkamen.

Auch das ist jetzt also anders. Die feinen Residenzviertel sind nunmehr frei von solchen Schönheitsfehlern. Aus den gepflegten Gärten ergibt sich kein Ausblick auf nachbarliches Elend, nichts stört die harmonische Atmosphäre beim Frühstück, man schnuppert nur die eigenen, wohltuenden Küchendüfte. Die Armen, von denen es ständig erschreckend mehr gibt, leben anderswo und unter sich.

Ciudad de México liegt 2265 Meter über dem Meeresspiegel. Als ich während des Krieges nach anderthalbjährer Haft im Gefängnis und Internierungslager hier angekommen war, glaubte ich, ganz gesund zu sein. Mein Herz war jedoch anderer Ansicht und revoltierte nach einiger Zeit gegen den jähen Höhenunterschied (mein letzter Aufenthaltsort war Casablanca am Meer gewesen) und leistete sich einen Kollaps. Der Arzt empfahl mir, ein paar Wochen in etwas geringerer Höhenlage zu verbringen. Die Wahl fiel auf Cuernavaca, einen geruhsamen Erholungsort etwa 1000 Meter tiefer. Ein kleines Paradies. Stille und Blütenduft aus den überquellenden Gärten, nur sehr wenig Verkehr, kein Hasten und Gedränge. Hier konnte man sich fürwahr erholen.

Auch diesmal hatte ich Gelegenheit, Cuernavaca zu besuchen. In den Straßen kommt man jetzt nur schrittweise vorwärts, Autos und Busse, vornehmlich mit Touristen beladen, hupen ständig und vergeblich. Unentwegt wird man von Straßenhändlern mit Touristenkitsch belästigt. War mein Cuernavaca von damals, mein stilles, im wahrsten Sinne des Wortes herzerquickendes kleines Paradies, inzwischen völlig abhanden gekommen?

Überfordert von den pausenlos auf mich einstürmenden neuen Eindrücken und der unwillkürlichen, gleichfalls pausenlosen Konfrontation mit meinem einstigen Leben in diesem Land, verließ ich meine Konferenzgruppe nach dem Besuch einer Fotoausstellung von Walter Reuter, der ähnlich wie Theodor Balk im spanischen Bürgerkrieg in den Internationalen Brigaden auf seiten der Republik gekämpft hatte, wodurch er den revolutionären Mexikanern besonders ans Herz gewachsen war. Auf einer seiner Aufnahmen hatte ich nun in seiner Ausstellung ein überraschendes Wiedersehen mit meinem Mann feiern können.

Draußen umfing mich ein langgestreckter terassenförmig angelegter Garten mit seiner tiefen uralten Stille. Ich stieg über breite Steinstufen, über die vor mir Generationen von Füßen getrappelt waren und ihre Spuren hinterließen. Jetzt aber war ich allein da, nur mit den vielen Blumen und den über ihnen und um sie tanzenden Schmetterlingen. Ich holte tief Atem, war glücklich und ging immer weiter in den Duft und das Grün und die Stille. In der Nähe einer leicht angestoßenen, edel geformten Steinvase zog mich eine blau und rosa gesprenkelte glockenartige Blüte mit ihrem eigenartigen Leuchten an. Ich beugte mich zu ihr nieder und hielt verzückt still, traute mich kaum zu atmen. Am Rande eines der blau-rosa Blütenblätter wippte ein winziges Vögelchen, tauchte sein noch winzigeres Schnäbelchen in die Tiefe des Blumenkelches, flatterte dabei mit seinen winzigen Schwingen. Ein Märchen, das Wirklichkeit geworden war? Wer weiß. Denn es war ein Kolibri, wie ich ihm zum ersten Mal in meinem einst so geliebten Kinderbuch begegnet war, den ich seither in meinen Träumereien bewahrt habe und nun in Wirklichkeit vor mir sah. Wer könnte es mir verargen, daß ich in diesem Augenblick ganz erfüllt war von dem kleinen Wunder vor mir, von der nahezu unbegreiflich zarten Schönheit, die in dem winzigen Wesen verkörpert war. Wir Menschen bringen es leider fertig, unserer gemeinsamen und einzigen Welt zahlreiche Wunden zu schlagen (Menschen, Menschen sind im Walde!). Und dann taucht ein so ganz kleines Geschöpf mit seiner unbekümmerten Lieblichkeit auf, und man glaubt zu verstehen, daß man trotz allem nicht verzagen muß, auch Untaten müssen Grenzen gesetzt werden, und letzten Endes kommt vieles ohnehin ganz anders.

Kurz vor meiner Rückkehr nach Prag streifte ich noch in Begleitung der jungen Frau, die mich bei meiner Ankunft in Empfang genommen hatte, durch die Plaza Hidalgo; wie der geräumige Zócalo ist auch dieser Platz rechteckig, aber klein und vom geräuschvollen Zentrum weit entfernt. Hier hocken die Indiofrauen noch auf der Erde, bieten Stickereien, Tücher und Schals, auf Eselshäuten gemalte Bildchen, Säckchen mit allerlei Gewürzen und wundersamen, angeblich auch Wunder bewirkenden Pülverchen an – nein, Drogen vom Mafiamarkt gibt es hier nicht –, silberne Ringe, eigenhändig aufgefädelte Arm- und Halsbänder aus phantasievoll kombinierten Glaskorallen. Am liebsten möchte man all die Deckchen mit Fabeltieren und sonderbaren Mustern kaufen, die nichts oder vielleicht gerade das Wesentliche mit den Kunstwerken im Anthropologischen Museum gemein haben – den Schönheitssinn der Indios, ihr Gefühl für Form und Farbe, das ihnen von ihren Vorfahren vererbt wurde. Die haben ihnen auch das Wissen über geheime Kräfte in der Natur überliefert. Ich empfand es nahezu als symbolisch, daß ich gerade hier mein ungewöhnliches Wiedersehen, meine zweite Landung in Mexiko beschließen konnte. Denn hier war kaum etwas anders.

Im Flugzeug auf dem Heimweg hatte ich reichlich Zeit, ein bißchen Ordnung in meinem Kopf zu machen, aus meiner mexikanischen Verträumtheit ein Körnchen Weisheit herauszuschälen, wie es in den jüdischen Witzen enthalten zu sein pflegt, die man einander in Prag ungeachtet des jeweiligen Regimes erzählt. Sicherlich ist es immer ein großartiges Erlebnis, an einen Ort wiederzukehren, wo man jung gewesen ist. Aber im Mexiko der frühen vierziger Jahre war ich nicht nur jung, ich war dort auch schon alt an überstandener Gefahr, an bösen Erfahrungen, an grausigen Verlusten. Und obwohl ich damals nur mit einem lächerlichen, in der Medina von Casablanca erstandenen, mit bunt geblümten Papier ausgeschlagenen Matrosenköfferchen in der Hand angekommen war, war ich zugleich auch schon reich: an schlimmen und an guten Erfahrungen, an alten und neuen Freunden, an der Möglichkeit, neu zu beginnen, weiterleben zu können. Mag sein, daß mich gerade deshalb dieses Wiedersehen so tief berührt hat. Denn es war ja Mexiko, wo ich in den schrecklichen Kriegsjahren gebangt und gehofft hatte, es war dieses schöne und eigenwillige Land, das ich zu begreifen versuchte, in dem ich schreiben gelernt und geheiratet habe, mich nach Europa sehnte und vor der Rückkehr in seine Verwüstung zitterte – all das war für mich auf einmal wieder da.

Von den Menschen, die ich hier nicht mehr finden konnte, haben etliche nach ihrer so lange erhofften Heimkehr in ihr befreites Vaterland abermals das trostlose Brot von Gefangenen essen müssen. In dem Land, in dem sie auf die Welt gekommen sind, dessen Bürger sie waren und für dessen Auferstehung sie aus freiem Willen alles, auch ihr Leben, eingesetzt haben. Einem von ihnen wurde sein Leben sogar durch den Henkers geraubt. (Menschen, Menschen sind im Walde! Menschen?)

Meine Mitreisenden starrten gebannt auf den Bildschirm mit dem Fernsehfilm. Ich schloß die Augen und ließ ganz andere Bilder an mir vorbeiziehen, nicht alle waren traurig, nicht alle waren froh. Hätte mich nun jemand gefragt, wie es denn war, nach so langer Zeit in sein einstiges Asylland zurückgekommen zu sein, ich hätte ihm wohl antworten müssen: Wunderbar war es, aber ganz anders.

Lenka Reinerová:

»Sie schreibt modern und besinnlich.«

Augsburger Allgemeine

Lenka Reinerová wurde 1916 in Prag geboren. 1938 floh sie nach Frankreich, wo sie wie viele Emigranten interniert wurde. Über Marokko entkam sie nach Mexiko. Nach Kriegsende kehrte sie mit ihrem Mann nach Europa zurück, lebte seit 1948 wieder in Prag. 1952 wurde sie ein Opfer der stalinistischen Säuberungen, verbrachte fünfzehn Monate in Untersuchungshaft, wurde erst 1964 rehabilitiert. Nach dem Ende des Prager Frühlings erhielt sie Publikationsverbot, wurde aus der Partei ausgeschlossen und verlor ihre Arbeit in einem Verlag. Sie lebt in Prag. 2003 bekam sie die Goethe-Medaille.

Das Traumcafé einer Pragerin

Lenka Reinerová, eine der letzten Zeitzeuginnen der Emigration, beschreibt Stationen ihres Lebens – das Prag der dreißiger Jahre, das Exil in Frankreich und Mexiko, den Stalinismus in den Fünfzigern und jüngste Erfahrungen. Es sind menschen- und lebensfreundliche Erinnerungen, weise und wehmütig, trotz aller bitteren, furchtbaren Geschehnisse.

Erzählungen. 269 Seiten. AtV 1168

Mandelduft

Ob Lenka Reinerová von Gefängnisaufenthalten oder einer Krebserkrankung erzählt, einem Tag in Theresienstadt, von wo ihre Familie deportiert wurde, oder merkwürdigen Urlaubsbekanntschaften – ihre Geschichten machen trotz allem Mut und strahlen Wärme aus. »Eines ihrer Geheimnisse scheint mir in ihrer unerschöpflichen Neugier und ungefälschten Teilnahme am Schicksal der anderen zu liegen.« AUS DER LAUDATIO ZUR VERLEIHUNG DES SCHILLERRINGS 1999

Erzählungen. 144 Seiten. AtV 1781

Zu Hause in Prag – manchmal auch anderswo

Lenka Reinerová, die als Emigrantin umhergetrieben wurde, erzählt in drei Geschichten einmal mehr aus ihrem bemerkenswerten Leben und den Stationen ihres Exils. »Liebevoll-ironisch beschreibt die Ich-Erzählerin die hellen Seiten ihrer schwierigen Odyssee durch die Welt – und zeigt, daß die Fähigkeit, seinem Schicksal zu trotzen, im Individuum selbst begründet liegt.« SÄCHSISCHE ZEITUNG

Erzählungen. 189 Seiten. AtV 1695

Mehr unter
www.aufbau-verlagsgruppe.de
oder bei Ihrem Buchhändler

aufbau taschenbuch
AUFBAU VERLAGSGRUPPE